W pustyni
i w puszczy

PERŁY LITERATURY MŁODZIEŻOWEJ

HENRYK SIENKIEWICZ

W pustyni i w puszczy

BELLONA

Warszawa

Projekt okładki i stron tytułowych
Anna Damasiewicz

Redaktor prowadzący
Agata Paszkowska-Pogorzelska

Redakcja
Maria Piotrowska

Redaktor techniczny
Beata Jankowska

Korekta
Ewa Kazula

Bellona
ul. J. Bema 87
01-233 Warszawa

Dystrybucja:
Firma Księgarska Olesiejuk Sp. z o.o.
05-850 Ożarów Mazowiecki, ul. Poznańska 91
e-mail: hurt@olesiejuk.pl, tel. 22 733 50 10
www.olesiejuk.pl

Zapraszamy na stronę Wydawnictwa:
www.bellona.pl
Dołącz do nas na Facebooku:
www.facebook.com/Wydawnictwo.Bellona
Księgarnia internetowa
www.swiatksiazki.pl

ISBN 978-83-11-13132-3
Numer: 1010689

Rozdział I

— Wiesz, Nel – mówił Staś Tarkowski do swojej przyjaciółki, małej Angielki – wczoraj przyszli zabite (policjanci) i aresztowali żonę dozorcy Smaina i jej troje dzieci – tę Fatmę, która już kilka razy przychodziła do biura do twojego ojca i do mego.

A mała, podobna do ślicznego obrazka Nel podniosła swe zielone oczy na Stasia i zapytała na wpół ze zdziwieniem, a na wpół ze strachem:

– Wzięli ją do więzienia?

– Nie, ale nie pozwolili jej wyjechać do Sudanu i przyjechał urzędnik, który jej będzie pilnował, by ani krokiem nie ruszyła się z Port-Saidu.

– Dlaczego?

Staś, który kończył rok czternasty i który swą ośmioletnią towarzyszkę kochał bardzo, ale uważał za zupełne dziecko, rzekł z miną wielce zarozumiałą:

– Jak dojdziesz do mego wieku, to będziesz wiedziała wszystko, co się dzieje nie tylko wzdłuż kanału, od Port-Saidu do Suezu, ale i w całym Egipcie. Czy ty nic nie słyszałaś o Mahdim?

– Słyszałam, że jest brzydki i niegrzeczny.

Chłopiec uśmiechnął się z politowaniem.

– Czy jest brzydki – nie wiem. Sudańczycy utrzymują, że jest piękny. Ale powiedzieć, że jest niegrzeczny, o człowieku, który wymordował już tylu ludzi, może tylko dziewczynka ośmioletnia, w sukience, ot! takiej – do kolan!

– Tatuś mi tak powiedział, a tatuś wie najlepiej.

– Powiedział ci tak dlatego, że inaczej byś nie zrozumiała. Do mnie by się tak nie wyraził. Mahdi jest gorszy niż całe stado krokodyli. Rozumiesz? Dobre mi powiedzenie: „niegrzeczny", tak się mówi do niemowląt.

Lecz ujrzawszy zachmurzoną twarz dziewczynki umilkł, a potem rzekł:

– Nel! wiesz, że nie chciałem ci zrobić przykrości; przyjdzie czas, że i ty będziesz miała czternasty rok. Obiecuję ci to na pewno.

– Aha! – odpowiedziała z zatroskanym wejrzeniem – a jeżeli Mahdi wpadnie przedtem do Port-Saidu i mnie zje?

– Mahdi nie jest ludożercą, więc ludzi nie zjada, tylko ich morduje. Do Port-Saidu też nie wpadnie, a gdyby nawet wpadł i chciał cię zabić, pierwej miałby ze mną do czynienia.

Oświadczenie to oraz świst, z jakim Staś wciągnął nosem powietrze, nie zapowiadający nic dobrego dla Mahdiego, uspokoiły znacznie Nel co do własnej osoby.

– Wiem – odrzekła. – Ty byś mnie nie dał. Ale dlaczego nie puszczają Fatmy z Port-Saidu?

– Bo Fatma jest cioteczną siostrą Mahdiego. Mąż jej, Smain, oświadczył rządowi egipskiemu w Kairze, że pojedzie do Sudanu, gdzie przebywa Mahdi, i wyrobi wolność dla wszystkich Europejczyków, którzy wpadli w jego ręce.

– To Smain jest dobry?

– Czekaj. Twój i mój tatuś, który znali doskonale Smaina, nie mieli wcale do niego zaufania i ostrzegali Nubara paszę, by mu nie ufał. Ale rząd zgodził się wysłać Smaina i Smain bawi od pół roku u Mahdiego. Jeńcy jednak nie tylko nie wrócili, ale przyszła z Chartumu wiadomość, że mahdyści obchodzą się z nimi coraz okrutniej, a że Smain, nabrawszy od rządu pieniędzy, zdradził. Przystał całkiem do Mahdiego i został mianowany emirem. Ludzie powiadają, że w tej okropnej bitwie, w której poległ jenerał Hicks, Smain dowodził artylerią Mahdiego i on to podobno nauczył mahdystów obchodzić się z armatami, czego przedtem, jako dzicy, wcale nie umieli. Ale Smainowi chodzi teraz o to, by wydostać z Egiptu żonę i dzieci, toteż gdy Fatma, która widocznie z góry wiedziała, co zrobi Smain, chciała cichaczem wyjechać z Port-Saidu, rząd aresztował ją teraz razem z dziećmi.

– A co rządowi przyjdzie z Fatmy i jej dzieci?

– Rząd powie Mahdiemu: „Oddaj nam jeńców, a my oddamy ci Fatmę..."

Na razie rozmowa urwała się, albowiem uwagę Stasia zwróciły ptaki lecące od strony Echtum om Farag ku jezioru Menzaleh. Leciały one dość nisko i w przezroczym powietrzu widać było wyraźnie kilka pelikanów z zagiętymi na grzbiety szyjami, poruszających z wolna ogromnymi skrzydłami. Staś począł zaraz naśladować ich lot, więc zadarł głowę i biegł przez kilkanaście kroków groblą, machając rozłożonymi rękoma.

– Patrz, lecą i czerwonaki – zawołała nagle Nel.

Staś zatrzymał się w jednej chwili, gdyż istotnie za pelikanami, ale nieco wyżej, widać było zawieszone na błękicie jakby dwa wielkie, różowe i purpurowe kwiaty.

– Czerwonaki! Czerwonaki!

– One wracają pod wieczór do swoich siedzib na wysepkach – rzekł chłopiec.

– Ach, gdybym miał strzelbę!

– Po cóż byś miał do nich strzelać?

– Kobiety takich rzeczy nie rozumieją. Ale pójdźmy dalej, może zobaczymy ich więcej.

To powiedziawszy wziął dziewczynkę za rękę i poszli ku pierwszej za Port-Saidem kanałowej przystani, za nimi zaś nadążała Murzynka Dinah, niegdyś piastunka małej Nel. Szli wałem oddzielającym wody jeziora Menzaleh od kanału, przez który przepływał w tej chwili, prowadzony przez pilota, duży parowiec angielski. Zbliżał się wieczór. Słońce stało jeszcze dość wysoko, ale przetoczyło się już na stronę jeziora. Słonawe jego wody poczynały lśnić złotem i drgać odblaskami pawich piór. Po arabskim brzegu ciągnęła się, jak okiem sięgnąć, płowa piaszczysta pustynia – głucha, złowroga, martwa. Między szklanym, jakby obumarłym niebem a bezmiarem pomarszczonych piasków nie było żadnej żywej istoty. Podczas gdy na kanale wrzało życie, kręciły się łodzie, rozlegały się świsty parowców, a nad Menzaleh migotały w słońcu stada mew i dzikich kaczek – tam, na arabskim brzegu, była jakby kraina śmierci. Tylko w miarę jak słońce zniżając się stawało się coraz czerwieńsze, piaski poczęły przybierać barwę liliową, taką, jaką jesienią mają wrzosy w polskich lasach.

Dzieci idąc ku przystani ujrzały jeszcze kilka czerwonaków, do których śmiały się ich oczy, po czym Dinah oświadczyła, że Nel musi wracać do domu. W Egipcie po dniach, które nawet w czasie zimy często bywają upalne, następują noce bardzo zimne, a że zdrowie Nel wymagało wielkiej ostrożności, ojciec jej, pan Rawlison, nie pozwalał, by dziewczynka znajdowała się po zachodzie słońca nad wodą. Zawrócili więc ku miastu, na którego krańcu stała w pobliżu kanału willa pana Rawlisona – i w chwili gdy słońce zanurzyło się w morzu, znaleźli się pod dachem. Niebawem przybył też zaproszony na obiad inżynier Tarkowski, ojciec Stasia – i całe towarzystwo, wraz z Francuzką, nauczycielką Nel, panią Olivier, zasiadło do stołu.

Pan Rawlison, jeden z dyrektorów kompanii Kanału Sueskiego, i Władysław Tarkowski, starszy inżynier tejże kompanii, żyli od wielu lat w najściślejszej przyjaźni. Obaj byli wdowcami, ale pani Tarkowska, rodem Francuzka, zmarła z chwilą przyjścia na świat Stasia, to jest przed laty przeszło trzynastu, matka zaś Nel zgasła na suchoty w Heluanie, gdy dziewczynka miała lat trzy. Obaj wdowcy mieszkali w sąsiednich domach w Port-Saidzie i z powodu swych zajęć widywali się codziennie. Wspólne nieszczęście zbliżyło ich jeszcze bardziej do siebie i umocniło zawartą poprzednio przyjaźń. Pan Rawlison pokochał Stasia jak własnego syna, a zaś pan Tarkowski byłby skoczył w ogień i wodę za małą Nel. Po ukończeniu dziennych prac najmilszym dla nich odpoczynkiem była rozmowa o dzieciach, ich wychowaniu i przyszłości. Podczas podobnych rozmów najczęściej bywało tak, że pan Rawlison wychwalał zdolności, energię i dzielność Stasia, a pan Tarkowski unosił się nad słodyczą i anielską twarzyczką Nel. I jedno, i drugie było prawdą. Staś był trochę zarozumiały i trochę chełpliwy, ale uczył się doskonale, i nauczyciele szkoły angielskiej, do której chodził w Port-Saidzie, przyznawali mu istotnie niezwykłe zdolności. Co do odwagi i zaradności, odziedziczył ją po ojcu, albowiem pan Tarkowski posiadał te przymioty w wysokim stopniu i w znacznej części im właśnie zawdzięczał obecne swe wysokie stanowisko. W roku 1863 bił się bez wytchnienia w ciągu jedenastu miesięcy. Następnie ranny, wzięty do niewoli i skazany na Sybir, uciekł z głębi Rosji i przedostał się za granicę. Był już przed pójściem do powstania skończonym inżynierem, jednakże rok jeszcze poświęcił na studia hydrauliczne, a następnie otrzymał posadę przy kanale i w ciągu kilku lat – gdy poznano jego znajomość rzeczy, energię i pracowitość – zajął wysokie stanowisko starszego inżyniera.

Staś urodził się, wychował i doszedł do czternastego roku życia w Port-Saidzie, nad kanałem, wskutek czego inżynierowie, koledzy ojca nazywali go „dzieckiem pustyni". Później, będąc już w szkole, towarzyszył czasem ojcu lub panu Rawlisonowi, w czasie wakacji i świąt, w wycieczkach, jakie z obowiązku musieli czynić od Port-Saidu aż do Suezu, dla rewizji robót przy wale i przy pogłębianiu łożyska kanału. Znał wszystkich – zarówno inżynierów i urzędników komory, jak i robotników, Arabów i Murzynów. Kręcił i wkręcał się wszędzie, wyrastał, gdzie go nie posiali, robił długie wycieczki wałem, jeździł łódką po Menzaleh i zapuszczał się nieraz dość daleko. Przeprawiał się na brzeg arabski i dorwawszy się do czyjego bądź konia, a w braku konia – do wielbłąda, a nawet i osła, udawał farysa w pustyni, słowem, jak się wyrażał pan Tarkowski „bobrował" wszędzie i każdą wolną od nauki chwilę spędzał nad wodą.

Ojciec nie sprzeciwiał się temu wiedząc, że wiosłowanie, konna jazda i ciągłe życie na świeżym powietrzu wzmacnia zdrowie chłopca i rozwija w nim zaradność. Jakoż Staś wyższy był i silniejszy, niż bywają chłopcy w jego wieku, a dość mu było spojrzeć w oczy, by odgadnąć, że w razie jakiego wypadku prędzej zgrzeszy zbytkiem zuchwałości niż bojaźnią. W czternastym roku życia był jednym z najlepszych pływaków w Port-Saidzie, co niemało znaczyło, albowiem Arabowie i Murzyni pływają jak ryby. Strzelając z karabinków małego kalibru – i tylko kulami, do dzikich kaczek i do egipskich gęsi, wyrobił sobie niechybną rękę i oko. Marzeniem jego było polować kiedyś na wielkie zwierzęta w Afryce środkowej; chciwie też słuchał opowiadań Sudańczyków zajętych przy kanale, którzy spotykali się w swej ojczyźnie z wielkimi drapieżnikami i gruboskórnymi.

Miało to i tę korzyść, że uczył się zarazem ich języków. Kanał Sueski nie dość było przekopać, trzeba go jeszcze i utrzymać, gdyż inaczej piaski z pustyń, leżących po obu jego brzegach, zasypałyby go w ciągu roku. Wielkie dzieło Lessepsa wymaga ciągłej pracy i czujności. Toteż do dziś dnia nad pogłębieniem jego łożyska pracują pod dozorem biegłych inżynierów potężne maszyny i tysiące robotników. Przy przekopywaniu kanału pracowało ich dwadzieścia pięć tysięcy. Dziś, wobec dokonanego dzieła i ulepszonych nowych maszyn, potrzeba ich znacznie mniej, jednakże liczba ich jest dotychczas dosyć znaczna. Przeważają wśród nich ludzie miejscowi, nie brak jednak i Nubijczyków, i Sudańczyków, i Somalisów, i rozmaitych Murzynów mieszkających nad Białym i Niebieskim Nilem, to jest w okolicach, które przed powstaniem Mahdiego zajął był rząd egipski. Staś żył ze wszystkimi za pan brat, a mając, jak zwykle Polacy, nadzwyczajną zdolność do języków, poznał, sam nie wiedząc jak i kiedy, wiele ich narzeczy. Urodzony w Egipcie, mówił po arabsku jak Arab. Od Zanzibarytów, których wielu służyło za palaczy przy maszynach, wyuczył się rozpowszechnionego wielce w całej Afryce środkowej języka ki-swahili, umiał nawet rozmówić się z Murzynami z pokoleń Dinka i Szylluk, zamieszkujących poniżej Faszody nad Nilem. Mówił prócz tego biegle po angielsku, po francusku i po polsku, albowiem ojciec jego, gorący patriota, dbał o to wielce, by chłopiec znał mowę ojczystą. Staś, oczywiście uważał mowę tę za najpiękniejszą na świecie i uczył jej, nie bez powodzenia, małą Nel. Nie mógł tylko dokazać tego, aby jego imię wymawiała Staś, nie „Stes". Nieraz też przychodziło między nimi z tego powodu do nieporozumień, które trwały jednak dopóty tylko, dopóki w oczach dziewczynki nie zaczynały świecić łezki. Wówczas „Stes" przepraszał ją – i bywał zły na samego siebie.

Miał jednak brzydki zwyczaj mówić z lekceważeniem o jej ośmiu latach i przeciwstawiać im swój poważny wiek i doświadczenie. Utrzymywał, że chłopiec, który kończy lat czternaście, jeśli nie jest jeszcze zupełnie dorosłym, to przynajmniej nie jest już dzieckiem, a natomiast zdolny już jest do wszelkiego rodzaju czynów bohaterskich, zwłaszcza jeśli ma w sobie krew polską i francuską. Pragnął też najgoręcej, żeby kiedykolwiek zdarzyła się sposobność do takich czynów, szczególniej w obronie Nel. Oboje wynajdywali rozmaite niebezpieczeństwa i Staś musiał odpowiadać na jej pytania, co by zrobił, gdyby na przykład wlazł do jej domu przez okno krokodyl mający dziesięć metrów albo skorpion tak duży jak pies. Obojgu ani na chwilę nie przychodziło do głowy, że wkrótce groźna rzeczywistość przewyższy wszelkie ich fantastyczne przypuszczenia.

Rozdział 2

Tymczasem w domu czekała ich podczas obiadu dobra nowina. Panowie Tarkowski i Rawlison byli zaproszeni przed kilku tygodniami, jako biegli inżynierowie, do obejrzenia i oceny robót prowadzonych przy całej sieci kanałów w prowincji El-Fajum, w okolicach miasta Medinet, blisko jeziora Karoun oraz wzdłuż rzeki Jussef i Nilu. Mieli tam zabawić koło miesiąca i uzyskali na to urlopy od własnej kompanii. Ponieważ zbliżały się święta Bożego Narodzenia, więc obaj, nie chcąc rozstawać się z dziećmi postanowili, że Staś i Nel pojadą także do Medinet. Po usłyszeniu tej nowiny dzieci omal nie wyskoczyły ze skóry z radości. Dotychczas znały miasta leżące wzdłuż kanału, a mianowicie Izmailę i Suez, poza kanałem zaś – Aleksandrię i Kair, pod którym oglądały wielkie piramidy i Sfinksa. Ale były to krótkie wycieczki, gdy wyprawa do Medinet-el-Fajum wymagała całego dnia jazdy koleją wzdłuż Nilu na południe, a potem od El-Wasta na zachód, ku Pustyni Libijskiej. Staś znał Medinet z opowiadań młodszych inżynierów i podróżników, którzy jeździli tam na polowanie na wszelkiego rodzaju ptactwo wodne oraz na wilki z pustyni i hieny. Wiedział, że jest to osobna wielka oaza leżąca po lewym brzegu Nilu, ale niezależna od jego wylewów i mająca swój własny system wodny, utworzony przez jezioro Karoun, przez Bahr-Jussef i przez całą więź drobnych kanałów. Ci, którzy oazę tę widzieli, mówili, że jakkolwiek kraina ta należy do Egiptu, jednakże oddzielona od niego pustynią, tworzy odrębną całość. Tylko rzeka Jussef wiąże, rzekłbyś, niebieskim cienkim sznurkiem tę okolicę z doliną Nilu. Wielka obfitość wód, żyzność gleby i wspaniała roślinność tworzą z niej jakby raj ziemski, a rozległe ruiny miasta Krokodilopolis ściągają tam setki ciekawych podróżników. Stasiowi jednak uśmiechały się głównie brzegi jeziora Karoun z rojami ptactwa i wyprawy na wilki do pustynnych wzgórz Guebel-el-Sedment.

Ale wakacje jego zaczynały się dopiero za kilka dni, ponieważ zaś rewizja robót przy kanałach była sprawą pilną i starsi panowie nie mogli tracić czasu, ułożyli się przeto, że wyjadą niezwłocznie, a dzieci wraz z panią Olivier w tydzień później. I Nel, i Staś mieli ochotę jechać zaraz, ale Staś nie śmiał o to prosić. Poczęli natomiast wypytywać o rozmaite sprawy tyczące podróży i z nowymi wybuchami radości przyjęli wiadomość, że nie będą mieszkali w niewygodnych, utrzymywanych przez Greków hotelach, ale w namiotach dostarczonych przez Towarzystwo Podróżnicze Cooka. Tak zwykle urządzają się podróżnicy, którzy z Kairu wyjeżdżają na dłuższy nawet pobyt do Medinet. Cook dostarcza namiotów, służby, kucharzy, zapasów żywności, koni, osłów, wielbłądów i przewodników, tak że podróżnik nie potrzebuje o niczym myśleć. Jest to wprawdzie dość kosztowny sposób podróżowania, ale panowie Tarkowski i Rawlison nie mieli potrzeby się z tym liczyć, wszelkie bowiem wydatki ponosił rząd egipski, który ich zaprosił, jako biegłych do oceny i rewizji prac przy kanałach. Nel, która nad wszystko w świecie lubiła jeździć na wielbłądzie, otrzymała obietnicę od ojca, że dostanie osobnego, garbatego wierzchowca, na którym wraz z panią

Olivier albo z Dinah, a czasem i ze Stasiem będzie brała udział we wspólnych wycieczkach w bliższe okolice pustyni i do Karoun. Stasiowi przyrzekł pan Tarkowski, że pozwoli mu kiedy nocą pójść na wilki – i że jeżeli przyniesie dobre świadectwo szkolne, to dostanie prawdziwy angielski sztucer i wszelkie potrzebne dla myśliwego przybory. Ponieważ Staś pewny był cenzury, więc od razu zaczął uważać się za posiadacza sztucera i obiecywał sobie dokonać z nim rozmaitych zdumiewających i wiekopomnych czynów.

Na takich projektach i rozmowach zeszedł uszczęśliwionym dzieciom obiad. Stosunkowo najmniej zapału okazywała do zamierzonej podróży pani Olivier, której nie chciało się ruszać z wygodnej willi w Port-Saidzie i którą przestraszała myśl zamieszkania przez kilka tygodni w namiocie, a zwłaszcza zamiar wycieczek na wielbłądach. Zdarzyło się jej już kilkakrotnie próbować podobnej jazdy, jak to zwykle robią przez ciekawość wszyscy Europejczycy zamieszkali w Egipcie, i zawsze te próby wypadały niepomyślnie. Raz wielbłąd podniósł się za wcześnie, gdy jeszcze nie zasiadła się dobrze na siodle, i skutkiem tego stoczyła się przez jego grzbiet na ziemię. Innym razem nie należący do lekkonośnych dromader utrząsł ją tak, że przez dwa dni nie mogła przyjść do siebie, słowem, o ile Nel po dwu lub trzech przejażdżkach, na które pozwolił pan Rawlison, zapewniała, że nie ma nic rozkoszniejszego na świecie, o tyle pani Olivier zostały przykre wspomnienia. Mówiła, że to jest dobre dla Arabów albo dla takiej kruszynki jak Nel, która nie więcej się utrzęsie niż mucha, która by siadła na garbie wielbłąda, ale nie dla osób poważnych i niezbyt lekkich, a zarazem mających pewną skłonność do nieznośnej choroby morskiej. Lecz co do Medinet-

-el-Fajum miała i inne obawy. Oto w Port-Saidzie, zarówno jak w Aleksandrii, Kairze i całym Egipcie, nie mówiono o niczym więcej, tylko o powstaniu Mahdiego i okrucień-stwach derwiszów. Pani Olivier nie wiedząc dokładnie, gdzie leży Medinet, zaniepokoiła się, czy to nie będzie zbyt blisko od mahdystów, i wreszcie poczęła wypytywać o to pana Rawlisona.

Lecz on uśmiechnął się tylko i rzekł:

– Mahdi oblega w tej chwili Chartum, w którym broni się jenerał Gordon. Czy pani wie, jak daleko z Medinet do Chartumu?

– Nie mam o tym żadnego pojęcia.

– Tak mniej więcej jak stąd do Sycylii – objaśnił pan Tarkowski.

– Mniej więcej – potwierdził Staś. – Chartum leży tam, gdzie Nil Biały i Niebieski schodzą się i tworzą jedną rze-kę. Dzieli nas od niego ogromna przestrzeń Egiptu i cała Nubia.

Następnie chciał dodać, że choćby Medinet leżało bliżej od krajów zajętych przez powstanie, to przecie on tam będzie ze swoim sztucerem, ale przypomniawszy sobie, że za podobne przechwałki dostał już nieraz burę od ojca – umilkł.

Starsi panowie poczęli jednak rozmawiać o Mahdim i o powstaniu, była to bowiem najważniejsza dotycząca Egiptu sprawa. Wiadomości spod Chartumu były złe. Dzi-kie hordy oblegały już miasto od półtora miesiąca; rządy egipski i angielski działały powolnie. Odsiecz zaledwie wyruszyła i obawiano się powszechnie, że mimo sławy, męstwa i zdolności Gordona ważne to miasto wpadnie w ręce barbarzyńców. Tego zdania był i pan Tarkowski, który podejrzewał, że Anglia życzy sobie w duszy, by Mahdi odebrał Sudan Egiptowi po to, by później odebrać ją Mahdiemu i uczynić z tej ogromnej krainy posiadłość angielską. Nie podzielił się jednak pan Tarkowski tymi podejrzeniami z panem Rawlisonem nie chcąc urażać jego uczuć patriotycznych.

Pod koniec obiadu Staś jął wypytywać, dlaczego rząd egipski zabrał wszystkie kraje leżące na południe od Nubii, a mianowicie: Kordofan, Darfur i Sudan aż do Albert-Nianza – i pozbawił tamtejszych mieszkańców wolności. Pan Rawlison postanowił mu to wytłumaczyć: z tej przyczyny, że wszystko, co czynił rząd egipski, to czynił z polecenia Anglii, która rozciągnęła nad Egiptem protektorat i w rzeczywistości rządziła nim, jak sama chciała.

– Rząd egipski nie zabrał tam nikomu wolności – rzekł – ale ją setkom tysięcy, a może i milionom ludzi przywrócił. W Kordofanie, w Darfurze i w Sudanie nie było w ostatnich czasach żadnych państw niezależnych. Zaledwie tu i ówdzie jakiś mały władca rościł prawo do niektórych ziem i zagarniał je wbrew woli mieszkańców, przemocą. Przeważnie jednak były one zamieszkałe przez niezawisłe pokolenia Arabo-Murzynów, to jest przez ludzi mających w sobie krew obu tych ras. Pokolenia te żyły w ustawicznej wojnie. Napadały na siebie wzajem i zabierały sobie konie, wielbłądy, bydło rogate i przede wszystkim niewolników. Popełniano przy tym wiele okrucieństw. Ale najgorsi byli kupcy polujący na kość słoniową i niewolników. Utworzyli oni jakby osobną klasę ludzi, do której należeli wszyscy niemal naczelnicy pokoleń i zamożniejsi kupcy. Ci czynili zbrojne wyprawy daleko wgłąb Afryki, grabiąc wszędy kły słoniowe i chwytając tysiące ludzi: mężczyzn, kobiet i dzieci. Niszczyli przy tym wsie i osady, pustoszyli pola, przelewali rzeki krwi i zabijali bez litości wszystkich opornych. Południowe strony Sudanu, Darfuru i Kordofanu oraz kraje nad górnym Nilem aż do jeziora – wyludniły się w niektórych okolicach prawie zupełnie. Lecz bandy arabskie zapuszczały się coraz dalej, tak że cała środkowa Afryka stała się ziemią łez i krwi. Otóż Anglia, która, jak ci wiadomo, ściga po całym świecie handlarzy niewolników, zgodziła się na to, by rząd egipski zajął Kordofan, Darfur i Sudan, był to bowiem jedyny sposób zmuszenia tych grabieżców do porzucenia tego obrzydliwego handlu i jedyny sposób utrzymania ich w ryzie. Nieszczęśliwi Murzyni odetchnęli, napady i grabieże ustały, a ludzie poczęli żyć pod jakim takim prawem. Ale oczywiście taki stan rzeczy nie podobał się handlarzom, więc gdy znalazł się między nimi Mohammed-Achmed, zwany dziś Mahdim, który począł głosić wojnę świętą pod pozorem, że w Egipcie upada prawdziwa wiara Mahometa, wszyscy rzucili się jak jeden człowiek do broni. I oto rozpaliła się ta okropna wojna, która, przynajmniej dotychczas, bardzo źle idzie Egipcjanom. Mahdi pobił we wszystkich bitwach wojska rządowe, zajął Kordofan, Darfur, Sudan; hordy jego oblegają obecnie Chartum i zapuszczają się na północ aż do granic Nubii.

– A czy mogą dojść aż do Egiptu? – zapytał Staś.

– Nie – odpowiedział pan Rawlison. – Mahdi zapowiada wprawdzie, że zawojuje cały świat, ale to jest dziki człowiek, który o niczym nie ma pojęcia. Egiptu nie zajmie nigdy, gdyż nie pozwoliłaby na to Anglia.

– Jeśli jednak wojska egipskie zostaną zupełnie zniesione?

– Wówczas wystąpią wojska angielskie, których nie zwyciężył nigdy nikt.

– A dlaczego Anglia pozwoliła Mahdiemu zająć tyle krajów?

– Skąd wiesz, że pozwoliła – odpowiedział pan Rawlison. – Anglia nie spieszy się nigdy, albowiem jest wieczna.

Dalszą rozmowę przerwał służący Murzyn, który oznajmił, że przyszła Fatma Smainowa i błaga o posłuchanie.

Kobiety na Wschodzie zajmują się sprawami prawie wyłącznie domowymi i rzadko nawet wychodzą z haremów. Tylko uboższe udają się na targi lub pracują w polach, jak to czynią żony fellachów, to jest wieśniaków egipskich. Ale i te przesłaniają wówczas twarze. Jakkolwiek w Sudanie, z którego pochodziła Fatma, zwyczaj ten nie bywa przestrzegany i jakkolwiek przychodziła ona już poprzednio do biura pana Rawlisona, jednakże przyjście jej, zwłaszcza o tak późnej porze i do prywatnego domu, wywołało pewne zdziwienie.

– Dowiemy się czegoś nowego o Smainie – rzekł pan Tarkowski.

– Tak – powiedział pan Rawlison dając zarazem znać służącemu, aby wprowadził Fatmę.

Jakoż po chwili weszła wysoka, młoda Sudanka, z twarzą zupełnie nie osłoniętą, o bardzo ciemnej cerze i przepięknych, lubo dzikich i trochę złowrogich oczach. Wszedłszy padła zaraz na twarz, a gdy pan Rawlison kazał jej wstać, podniosła się, ale pozostała na klęczkach.

– Sidi – rzekła – niech Allach błogosławi ciebie, twoje potomstwo, twój dom i twoje trzody!

– Czego żądasz? – zapytał inżynier.

– Miłosierdzia, ratunku i pomocy w nieszczęściu, o panie! Oto jestem uwięziona w Port-Saidzie i zatrata wisi nade mną i nad mymi dziećmi.

– Mówisz, żeś uwięziona, a przecież mogłaś tu przyjść, a do tego w nocy.

– Odprowadzili mnie tu zabtiowie, którzy we dnie i w nocy pilnują mego domu, i wiem, że mają rozkaz poucinać nam wkrótce głowy.

– Mów jak niewiasta roztropna – odpowiedział wzruszając ramionami pan Rawlison. – Jesteś nie w Sudanie, ale w Egipcie, gdzie nie zabijają nikogo bez sądu, więc możesz być pewna, że włos nie spadnie z głowy ani tobie, ani twym dzieciom.

Lecz ona poczęła go błagać, by wstawił się za nią jeszcze raz do rządu, wyjednał jej pozwolenie na wyjazd do Smaina: „Anglicy tak wielcy jak ty, panie (mówiła), wszystko mogą. Rząd w Kairze myśli, że Smain zdradził, a to jest nieprawda! Byli u mnie wczoraj kupcy arabscy, którzy przyjechali z Souakimu, a przedtem kupowali gumę i kość słoniową w Sudanie, i donieśli mi, że Smain leży chory w El-Faszer i wzywa mnie wraz z dziećmi do siebie, by je pobłogosławić…”

– Wszystko to jest twój wymysł, Fatmo – przerwał pan Rawlison.

Lecz ona zaczęła zaklinać się na Allacha, że mówi prawdę, a następnie mówiła, iż jeśli Smain wyzdrowieje – to wykupi niezawodnie wszystkich jeńców chrześcijańskich, jeśli zaś umrze, to ona, jako krewna wodza derwiszów, łatwo znajdzie do niego przystęp i uzyska, co zechce. Niech jej tylko pozwolą jechać, albowiem serce w jej piersiach skowyczy z tęsknoty za mężem. Co ona, nieszczęsna nie-

chory, ale jest zdrajcą, który zabrawszy rządowe pieniądze nie myśli wcale o wykupieniu jeńców od Mohammeda-Achmeda.

– Smain jest niewinny, panie, i leży w El-Faszer – powtórzyła Fatma – a gdyby on sprzeniewierzył się nawet rządowi, to ja przysięgam przed tobą, moim dobroczyńcą, że jeśli pozwolą mi wyjechać, póty będę błagać Mohammeda-Achmeda, póki nie wyproszę waszych jeńców.

– A więc dobrze. Obiecuję ci raz jeszcze, że wstawię się za tobą do chedywa.

Fatma poczęła bić pokłony.

– Dzięki ci, sidi! Jesteś nie tylko potężny, ale i sprawiedliwy. A teraz błagam cię jeszcze, abyś pozwolił służyć nam sobie jak niewolnikom.

– W Egipcie nikt nie może być niewolnikiem – odpowiedział z uśmiechem pan Rawlison. – Służby mam dosyć, a z twoich usług nie mogę korzystać jeszcze i dlatego, że jak ci powiedziałem, wyjeżdżamy wszyscy do Medinet i może być, że pozostaniemy tam aż do ramazanu.

– Wiem, panie, albowiem powiedział mi dozorca Chadigi, ja zaś, dowiedziawszy się o tym, przyszłam nie tylko błagać cię o pomoc, ale by ci powiedzieć także, że dwaj ludzie z mego pokolenia Dangalów Idrys i Gebhr, są wielbłądnikami w Medinet i że uderzą przed tobą czołem, gdy tylko przybędziesz, ofiarując na twe rozkazy siebie i swe wielbłądy.

– Dobrze, dobrze – odpowiedział dyrektor – ale to sprawa kompanii Cooka, nie moja.

Fatma ucałowawszy ręce obu inżynierów i dzieci wyszła błogosławiąc szczególniej Nel. Dwaj panowie milczeli przez chwilę, po czym pan Rawlison rzekł:

– Biedna kobieta... ale kłamie tak, jak tylko na Wschodzie kłamać umieją – i nawet w jej oświadczeniach wdzięczności brzmi jakaś fałszywa nuta.

– Niezawodnie – odpowiedział pan Tarkowski – ale co prawda, to czy Smain zdradził, czy nie zdradził, rząd nie ma prawa zatrzymywać jej w Egipcie, gdyż ona nie może odpowiadać za męża.

– Rząd nie pozwala teraz nikomu z Sudańczyków wyjeżdżać bez osobnego pozwolenia do Souakimu i do Nubii, więc zakaz nie dotyka tylko Fatmy. W Egipcie znajduje się ich wielu, przychodzą tu bowiem dla zarobku, a między nimi jest pewna liczba należących do pokolenia Dangalów, to jest tego, z którego pochodzi Mahdi. Oto na przykład należą do niego prócz Fatmy, Chadigi i ci dwaj wielbłądnicy w Medinet. Mahdyści nazywają Egipcjan Turkami i prowadzą z nimi wojnę, ale i między tutejszymi Arabami znalazłoby się sporo zwolenników Mahdiego, którzy by chętnie do niego uciekli. Zaliczyć trzeba do nich wszystkich fanatyków, wszystkich dawnych stronników Arabiego paszy i wielu spośród klas najuboższych. Biorą oni za złe rządowi, że poddał się całkiem wpływom angielskim, i twierdzą, że religia na tym cierpi. Bóg wie, ilu uciekło już przez pustynię, omijając zwykłą drogę morską na Souakim, więc rząd dowiedziawszy się, że Fatma chce także zmykać, przykazał ją pilnować. Za nią tylko i za jej dzieci, jako za krewnych samego Mahdiego, może będzie można odzyskać jeńców.

– Czy istotnie niższe klasy w Egipcie sprzyjają Mahdiemu?

– Mahdi ma zwolenników nawet w wojsku, które może dlatego bije się tak źle.

– Ale jakim sposobem Sudańczycy mogą uciekać przez pustynię? Przecie to tysiące mil?

– A jednak tą drogą sprowadzono niewolników do Egiptu.

– Sądzę, że dzieci Fatmy nie wytrzymałyby takiej podróży.

– Chce też ją sobie skrócić i jechać morzem do Souakimu.

– W każdym razie biedna kobieta…

Na tym skończyła się rozmowa.

A w dwanaście godzin później „biedna kobieta" zamknąwszy się starannie w domu z synem dozorcy Chadigiego szeptała mu ze zmarszczonymi brwiami i ponurym spojrzeniem swych pięknych oczu:

– Chamisie, synu Chadigiego, oto są pieniądze. Pojedziesz dziś jeszcze do Medinet i oddasz Idrysowi to pismo, które na moją prośbę napisał do niego świątobliwy derwisz Bellali… Dzieci tych mehendysów są dobre, ale jeśli nie uzyskam pozwolenia na wyjazd, to nie ma innego sposobu. Wiem, że mnie nie zdradzisz… Pamiętaj, że ty i twój ojciec pochodzicie także z pokolenia Dangalów, w którym urodził się wielki Mahdi.

Rozdział 3

Obaj inżynierowie wyjechali nazajutrz na noc do Kairu, gdzie mieli odwiedzić rezydenta angielskiego i być na posłuchaniu u wicekróla. Staś obliczał, że może im to zająć dwa dni, i pokazało się, że obliczenia jego były trafne, gdyż trzeciego dnia wieczorem otrzymał od ojca, już z Medinet, następującą depeszę: „Namioty przygotowane. Macie wyruszyć z chwilą rozpoczęcia twoich wakacji. Fatmie daj znać przez Chadigiego, że nie mogliśmy nic dla niej zrobić…". – Podobną depeszę otrzymała również pani Olivier, która też zaraz rozpoczęła przy pomocy Murzynki Dinah przygotowania podróżne.

Sam ich widok rozradował serca dzieci. Lecz nagle zaszedł wypadek, który poplątał wszelkie przewidywania i mógł nawet całkiem powstrzymać wyjazd. Oto w dniu, w którym zaczęły się zimowe wakacje Stasia, a w wigilię wyjazdu, panią Olivier ukąsił podczas jej drzemki popołudniowej w ogrodzie skorpion. Jadowite te stworzenia nie bywają zwykle w Egipcie zbyt niebezpieczne, tym razem jednak ukłucie mogło się stać wyjątkowo zgubnym. Skorpion pełznął po górnym oparciu płóciennego krzesła i ukłuł panią Olivier w szyję, w chwili gdy przycisnęła go głową; że zaś poprzednio cierpiała ona na różę w twarzy, więc zachodziła obawa, że choroba się powtórzy. Wezwano natychmiast lekarza, który przybył jednak dopiero po dwu godzinach, gdyż był zajęty gdzie indziej. Szyja, a nawet i twarz były już opuchnięte, po czym zjawiła się gorączka ze zwykłymi objawami zatrucia. Lekarz oświadczył, że nie może być mowy w tych warunkach o wyjeździe, i kazał chorej położyć się do łóżka – wobec czego dzieciom groziło spędzenie świąt Bożego Narodzenia w domu. Trzeba oddać sprawiedliwość Nel, że w pierwszych zwłaszcza chwilach więcej myślała o cierpieniach swej nauczycielki niż o utraconych przyjemnościach w Medinet. Popłakiwała tylko po kątach na myśl, że nie zobaczy ojca aż po kilku tygodniach. Staś nie przyjął wypadku z taką samą rezygnacją i wyprawił naprzód depeszę, a potem list z zapytaniem, co mają robić.

Odpowiedź przyszła po dwu dniach. Pan Rawlison porozumiał się naprzód z doktorem i dowiedziawszy się od niego, że doraźne niebezpieczeństwo jest usunięte i że tylko z obawy odnowienia się róży nie pozwala na wyjazd pani Olivier z Port-Saidu, zapewnił przede wszystkim dozór i opiekę dla niej, a następnie dopiero przesłał dzieciom pozwolenie na podróż z Dinah. Ale ponieważ Dinah, mimo całego przywiązania do Nel nie umiałaby sobie dać rady na kolejach i w hotelach, przeto przewodnikiem i skarbnikiem w czasie drogi miał być Staś. Łatwo zrozumieć, jak był dumny z tej roli i z jak rycerskim animuszem zaręczał małej Nel, że jej włos z głowy nie spadnie, jakby rzeczywiście droga do Kairu i do Medinet przedstawiała jakiekolwiek trudności lub niebezpieczeństwa.

Wszystkie przygotowania były już poprzednio ukończone, więc dzieci wyruszyły tego samego dnia kanałem do Izmaili, a z Izmaili koleją do Kairu, gdzie miały przenocować, nazajutrz zaś jechać do Medinet. Opuszczając Izmailę widziały jezioro Timsah, które Staś znał poprzednio, albowiem pan Tarkowski, zapalony w wolnych od zajęć chwilach myśliwy, brał go tam czasem z sobą na ptactwo wodne. Następnie droga szła wzdłuż Wadi-Toumilat, tuż przy kanale słodkiej wody idącym od Nilu do Izmaili i Suezu. Przekopano ten kanał jeszcze przed Sueskim, inaczej bowiem robotnicy pracujący nad wielkim dziełem Lessepsa pozbawieni by byli całkiem wody zdatnej do picia. Ale wykopanie go miało jeszcze i inny pomyślny skutek: oto kraina, która była poprzednio jałową pustynią, zakwitła na nowo, gdy przeszedł przez nią potężny i ożywczy strumień słodkiej wody. Dzieci mogły dostrzec po lewej stronie z okien wagonów szeroki pas zieloności, złożonych łąk, na których pasły się konie, wielbłądy i owce – i z pól uprawnych, mieniących się kukurydzą, prosem, alfalfą i innymi gatunkami roślin pastewnych. Nad brzegiem kanału widać było wszelkiego rodzaju studnie, w kształcie wielkich kół opatrzonych wiadrami lub w kształcie zwykłych żurawi, czerpiące wodę, którą fellachowie rozprowadzali pracowicie po zagonach lub rozwozili beczkami na wózkach ciągnionych przez bawoły. Nad runią zbóż bujały gołębie, a czasem zrywały się całe stada przepiórek. Po brzegach kanału przechadzały się poważnie bociany i żurawie. W dali, nad glinianymi chatami fellachów, wznosiły się jak pióropusze korony palm daktylowych.

Natomiast na północ od linii kolejowej ciągnęła się szczera pustynia, ale niepodobna do tej, która leżała po drugiej stronie Kanału Sueskiego. Tamta wyglądała jak równe dno morskie, z którego uciekły wody, a został tylko pomarszczony piasek, tu zaś piaski były bardziej żółte, pousypywane jakby w wielkie kopce pokryte na zboczach kępami szarej roślinności. Między owymi kopcami, które gdzieniegdzie zmieniały się w wysokie wzgórza, leżały obszerne doliny, wśród których od czasu do czasu widać było ciągnące karawany.

Z okien wagonu dzieci mogły dojrzeć obładowane wielbłądy idące długim sznurem, jeden za drugim, przez piaszczyste rozłogi. Przed każdym wielbłądem szedł Arab w czarnym płaszczu i białym zawoju na głowie. Małej Nel przypominały się obrazki z Biblii, które oglądała w domu, przedstawiające Izraelitów wkraczających do Egiptu za czasów Józefa. Były one zupełnie takie same. Na nieszczęście, nie mogła przypatrywać się dobrze karawanom, gdyż przy oknach z tej strony wagonu siedzieli dwaj oficerowie angielscy i zasłaniali jej widok.

Lecz zaledwie powiedziała to Stasiowi, on zwrócił się z wielce poważną miną do oficerów i rzekł przykładając palec do kapelusza:

– Dżentelmeni, czy nie zechcecie zrobić miejsca tej małej miss, która pragnie przypatrywać się wielbłądom?

Obaj oficerowie przyjęli z taką samą powagą propozycję i jeden z nich nie tylko ustąpił miejsca ciekawskiej miss, ale podniósł ją i postawił na siedzeniu przy oknie.

A Staś rozpoczął wykład:

– To jest dawna kraina Goshen, którą faraon oddał Józefowi dla jego braci Izraelitów. Niegdyś, i jeszcze w starożytności, szedł tu kanał wody słodkiej, tak że ten nowy jest tylko przeróbką dawnego. Ale później poszedł w ruinę i kraj stał się pustynią. Teraz ziemia poczyna być znów żyzna.

– Skąd to dżentelmenowi wiadomo? – zapytał jeden z oficerów.

– W moim wieku takie rzeczy się wie – odrzekł Staś – a prócz tego niedawno profesor Sterling wykładał nam o Wadi-Toumilat.

Jakkolwiek Staś mówił bardzo biegle po angielsku, jednakże odmienny nieco jego akcent zwrócił uwagę drugiego oficera, który zapytał?

– Czy mały dżentelmen nie jest Anglikiem?

– Małą jest miss Nel, nad którą ojciec jej powierzył mi w drodze opiekę, a ja nie jestem Anglikiem lecz Polakiem i synem inżyniera przy kanale.

Oficer uśmiechnął się słysząc odpowiedź czupurnego chłopaka i rzekł:

– Bardzo cenię Polaków. Należę do pułku jazdy, który za czasów Napoleona kilkakrotnie walczył z polskimi ułanami i tradycja ta stanowi dotychczas jego chwałę i zaszczyt.

– Miło mi pana poznać – odpowiedział Staś.

I rozmowa poszła dalej łatwo, albowiem oficerowie bawili się widocznie. Pokazało się, że obaj jadą także z Port-Saidu do Kairu dla widzenia się z ambasadorem angielskim i po ostatnie instrukcje co do długiej podróży, która ich niebawem czekała. Młodszy z nich był doktorem wojskowym, ten zaś, który rozmawiał ze Stasiem, kapitan Glen, miał z rozporządzenia swego rządu jechać z Kairu przez Suez do Mombassa i objąć w zarząd cały kraj przyległy do tego portu i ciągnący się aż do nieznanej krainy Samburu. Staś, który z zamiłowaniem czytywał podróże po Afryce, wiedział że Mombassa leży o kilka stopni za równikiem i że kraje przyległe, jakkolwiek zaliczone już do sfery interesów angielskich, są jeszcze naprawdę mało znane, zupełnie dzikie, pełne słoni, żyraf, nosorożców, bawołów i wszelkiego rodzaju antylop, z którymi wyprawy i wojskowe, i misjonarskie, i kupieckie zawsze się spotykają. Zazdrościł też kapitanowi Glenowi z całej duszy i zapowiedział, że musi go w Mombassa odwiedzić i zapolować z nim na lwy lub bawoły.

– Dobrze, ale proszę o odwiedziny z tą małą miss – odpowiedział śmiejąc się kapitan Glen i ukazując na Nel, która w tej chwili odeszła od okna i siadła przy nim.

– Miss Rawlison ma ojca – odpowiedział Staś – a ja jestem tylko w drodze jej opiekunem.

Na to zwrócił się żywo drugi oficer i zapytał:

– Rawlison? – czy nie jeden z dyrektorów kanału i ten, który ma brata w Bombaju?

– W Bombaju mieszka mój stryjek – odpowiedziała Nel podnosząc w górę paluszek.

– A więc twój stryjek, darling, jest żonaty z moją siostrą. Ja nazywam się Clary. Jesteśmy powinowaci i prawdziwie rad jestem, żem cię spotkał i poznał, mały, kochany ptaszku.

I doktor rzeczywiście był rad. Mówił, że zaraz po przybyciu do Port-Saidu rozpytywał się o pana Rawlisona, ale w biurach dyrekcji powiedziano mu, że wyjechał na święta. Wyraził też żal, że statek, którym mają jechać z Glenem do Mombassa, wychodzi z Suezu już za kilka dni, skutkiem czego nie będzie mógł wpaść do Medinet.

Polecił tylko Nel pozdrowić ojca i obiecał napisać do niej z Mombassa. Obaj oficerowie zajęli się teraz przeważnie rozmową z Nel, tak że Staś pozostał trochę na boku. Za to na wszystkich stacjach pojawiały się całymi tuzinami mandarynki, świeże daktyle, a nawet i wyborne sorbety. Prócz Stasia i Nel – korzystała z nich także Dinah, która przy wszystkich swych przymiotach odznaczała się niepowszednim łakomstwem.

W ten sposób prędko zeszła dzieciom droga do Kairu. Przy pożegnaniu oficerowie ucałowali rączki i główkę Nel i uścisnęli prawicę Stasia, przy czym kapitan Glen, któremu rezolutny chłopiec bardzo się podobał, rzekł na wpół żartem, na wpół naprawdę:

– Słuchaj, mój chłopcze! Kto wie, gdzie, kiedy i w jakich okolicznościach możemy się jeszcze spotkać w życiu. Pamiętaj jednak, że zawsze możesz liczyć na moją życzliwość i pomoc.

– I wzajemnie! – odpowiedział z pełnym godności ukłonem Staś.

Rozdział 4

Zarówno pan Tarkowski, jak pan Rawlison, który kochał nad życie swoją małą Nel, ucieszyli się bardzo z przybycia dzieci. Młoda parka powitała też z radością ojców, ale zaraz poczęła się rozglądać po namiotach, które były już zupełnie wewnątrz urządzone i gotowe na przyjęcie miłych gości. Okazało się, że są wspaniałe, podwójne, podbite jedne niebieską, drugie czerwoną flanelą, wyłożone na dole wojłokiem i obszerne jak duże pokoje. Kompania, której chodziło o opinię wysokich urzędników Towarzystwa Kanałowego, dołożyła wszelkich starań, by im było dobrze i wygodnie. Pan Rawlison obawiał się początkowo, czy dłuższy pobyt pod namiotem nie zaszkodzi zdrowiu Nel, i jeśli się na to zgodził, to tylko dlatego, że w razie niepogody zawsze można było się przenieść do hotelu. Teraz jednak, rozejrzawszy się dokładnie we wszystkim na miejscu, doszedł do przekonania, że dni i noce spędzane na świeżym powietrzu stokroć będą dla jego jedynaczki korzystniejsze niż przebywanie w zatęchłych pokojach miejscowych hotelików. Sprzyjała temu i prześliczna pogoda. Medinet czyli El-Medine, otoczone naokół piaszczystymi wzgórzami Pustyni Libijskiej, ma klimat o wiele lepszy od Kairu i nie na próżno zwie się „krainą róż". Z powodu ochronnego położenia i obfitości wilgoci w powietrzu noce nie bywają tam wcale tak zimne jak w innych częściach Egiptu, nawet położonych daleko dalej na południe. Zima bywa wprost rozkoszna, a od listopada rozpoczyna się właśnie największy rozwój roślinności. Palmy daktylowe, oliwki, których w ogóle jest mało w Egipcie, drzewa figowe, pomarańczowe, mandarynki, olbrzymie rycynusy, granaty i rozmaite inne rośliny południowe pokrywają jednym lasem tę rozkoszną oazę. Ogrody zalane są jakby olbrzymią falą akacyj, bzów i róż, tak że w nocy każdy powiew przynosi upajający ich zapach. Oddycha się tu pełną piersią i „nie chce się umierać", jak mówią miejscowi mieszkańcy.

Podobny klimat ma tylko leżący po drugiej stronie Nilu, lecz znacznie na północ, Heluan, chociaż brak mu tej bujnej roślinności.

Ale Heluan łączył się dla pana Rawlisona z żałosnym wspomnieniem, tam bowiem umarła matka Nel. Z tego powodu wolał Medinet – i patrząc obecnie na rozjaśnioną twarz dziewczynki obiecywał sobie w duchu zakupić tu w niedługim czasie grunt z ogrodem, wystawić na nim wygodny, angielski dom i spędzać w tych błogosławionych stronach wszystkie urlopy, jakie będzie mógł uzyskać, a po ukończeniu służby przy kanale może nawet zamieszkać tu na stałe.

Były to jednak plany na daleką przyszłość i nie całkiem jeszcze stanowcze. Tymczasem dzieci kręciły się od chwili przyjazdu wszędzie jak muchy, pragnąc jeszcze przed obiadem obejrzeć wszystkie namioty oraz osły i wielbłądy najęte na miejscu przez Cooka. Pokazało się jednak, że zwierzęta były na odległym pastwisku i że zobaczyć je będzie można dopiero jutro. Natomiast przy namiocie pana Rawlisona Nelly i Staś spostrzegli z przyjemnością Chamisa, syna Chadigiego, swego dobrego znajomego z Port-Saidu. Nie należał on do służby Cooka i pan Rawlison był nawet zdziwiony spotkawszy go w El-Medine, ale ponieważ używał go poprzednio do noszenia narzędzi, przyjął go i teraz jako chłopca do posyłek i wszelkiego rodzaju posług.

Obiad wieczorny okazał się wyborny, gdyż stary Kopt, pełniący już od lat wielu obowiązki kucharza w kompanii Cooka, chciał popisać się swoją sztuką. Dzieci opowiadały o znajomości, jaką zawarły w czasie drogi z dwoma oficerami, co szczególniej zajęło pana Rawlisona, którego brat Ryszard, żonaty był z siostrą doktora Clarego, przebywał rzeczywiście od wielu lat w Indiach. Ponieważ było to małżeństwo bezdzietne, więc ów stryjaszek kochał bardzo swoją małą synowicę, którą znał przeważnie tylko z fotografii – i wypytywał o nią starannie we wszystkich swoich listach. Obu ojców zabawiło również zaproszenie, jakie otrzymał Staś od kapitana Glena do Mombassa. Chłopak brał je zupełnie poważnie i obiecywał sobie stanowczo, że kiedyś musi odwiedzić swego nowego przyjaciela za równikiem. Dopiero pan Tarkowski musiał mu tłumaczyć, że urzędnicy angielscy nigdy nie zostają długo na urzędzie w tej samej miejscowości, a to z powodu zabójczego klimatu Afryki, i że nim on – Staś – dorośnie, kapitan będzie już na dziesiątej z rzędu posadzie albo nie będzie go wcale na świecie.

Po obiedzie całe towarzystwo wyszło przed namioty, gdzie służba poustawiała składane krzesła płócienne, a dla starszych panów przygotowała syfony z wodą sodową i brandy. Była już noc, ale nadzwyczaj ciepła, a ponieważ przypadała pełnia księżyca, więc jasno było jak we dnie. Białe mury budynków miejskich, naprzeciw namiotów, świeciły zielono, gwiazdy skrzyły się na niebie, a w powietrzu rozchodził się zapach róż, akacyj i heliotropów.

Miasto już spało. W ciszy nocnej słychać było niekiedy donośne głosy żurawi, czapli i flamingów, przelatujących znad Nilu w stronę jeziora Karoun. Nagle jednak rozległo się głębokie, basowe szczekanie psa, które zdziwiło Stasia i Nel, zdawało się bowiem wychodzić z namiotu, którego nie zwiedzili, przeznaczonego na skład siodeł, narzędzi i rozmaitych podróżnych przyborów.

– Co to za ogromny musi być pies. Chodźmy go zobaczyć – rzekł Staś.

Pan Tarkowski począł się śmiać, a pan Rawlison strząsnął popiół z cygara i rzekł, również śmiejąc się:

– Well! Na nic nie zdało się zamknięcie.

Po czym zwrócił się do dzieci:

– Jutro – pamiętajcie – jest Wigilia i ten pies miał być niespodzianką przeznaczoną przez pana Tarkowskiego dla Nel, ale ponieważ niespodzianka poczęła szczekać, zmuszony jestem zapowiedzieć ją już dziś.

Usłyszawszy to Nel wdrapała się jednej chwili na kolana pana Tarkowskiego i objęła go za szyję, następnie przeskoczyła na ojcowskie:

– Tatusiu, jaka ja jestem szczęśliwa! jaka szczęśliwa!

Uściskom i pocałunkom nie było końca; wreszcie Nel, znalazłszy się na własnych nogach, poczęła zaglądać w oczy panu Tarkowskiemu:

– Mister Tarkowski..

– Co, Nel?

– Bo jeśli ja już wiem, że on tam jest, to czy ja mogę go dziś zobaczyć?

– Wiedziałem – zawołał z udanym oburzeniem pan Rawlison – że ta mała mucha nie poprzestanie na samej nowinie.

A pan Tarkowski zwrócił się do syna Chadigiego i rzekł:

– Chamisie, przyprowadź psa.

Młody Sudańczyk zniknął za namiotem kuchennym i po chwili ukazał się znów, prowadząc olbrzymie zwierzę za obrożę.

A Nel aż się cofnęła.

– Oj! – zawołała chwytając ojca za rękę.

Staś natomiast wpadł w zapał:

– Ależ to lew, nie pies!

– Nazywa się Saba (lew) – odpowiedział pan Tarkowski. – Należy on do rasy mastyfów, to zaś są największe psy na świecie. Ten ma dopiero dwa lata, ale istotnie jest ogromny. Nie bój się, Nel, gdyż łagodny jest jak baranek. Tylko śmiało! Puść go, Chamisie.

Chamis puścił obrożę, za którą przytrzymywał brytana, a ów poczuwszy, że jest wolny, począł machać ogonem, łasić się do pana Tarkowskiego, z którym poznał się już dobrze poprzednio, i poszczekiwać z radości.

Dzieci patrzyły z podziwem przy blasku księżyca na jego potężny, okrągły łeb ze zwieszonymi wargami, na grube łapy, na potężną postać przypominającą naprawdę postać lwa płowo-żółtą maścią całego ciała. Nic podobnego nie widziały dotąd w życiu.

– Z takim psem można by bezpiecznie przejść Afrykę! – zawołał Staś.

– Spytaj się go, czyby potrafił zaaportować nosorożca – rzekł pan Tarkowski.

Saba nie mógłby wprawdzie odpowiedzieć na to pytanie, natomiast machał ogonem coraz weselej i garnął się do ludzi tak serdecznie, że Nel od razu przestała się go bać i poczęła go głaskać po głowie.

– Saba, miły, kochany Saba.

Pan Rawlison pochylił się nad nim, podniósł jego łeb ku twarzyczce dziewczynki i rzekł:

– Saba, przypatrz się tej panience. Oto twoja pani! Masz jej słuchać i strzec – rozumiesz?

– Wow! – ozwał się na to basem Saba, jakby rzeczywiście zrozumiał, o co chodzi.

I zrozumiał nawet lepiej, niż można się było spodziewać, gdyż korzystając z tego, że głowa jego znajdowała się prawie na wysokości twarzy dziewczynki, polizał na znak hołdu swym szerokim ozorem jej nosek i policzki.

Wywołało to powszechny wybuch śmiechu. Nel musiała pójść do namiotu, by się umyć. Wróciwszy po kwadransie ujrzała Sabę z łapami założonymi na ramiona Stasia, który uginał się pod tym ciężarem. Pies przewyższał go o głowę.

Nadchodził czas spoczynku, ale mała uprosiła sobie jeszcze pół godziny zabawy, by poznać się lepiej z nowym przyjacielem. Jakoż poznanie poszło tak łatwo, że pan Tarkowski posadził ją wkrótce po damsku na jego grzbiecie i podtrzymując ją z obawy, by nie spadła, kazał Stasiowi prowadzić psa za obrożę. Ujechała tak kilkanaście kroków, po czym próbował i Staś dosiąść osobliwego wierzchowca, ale ów siadł wówczas na tylnych łapach, tak że Staś znalazł się niespodzianie na piasku koło ogona.

Dzieci miały już udać się na spoczynek, gdy z dala, na oświeconym przez księżyc rynku ukazały się dwie białe postacie, zdążające ku namiotom.

Łagodny dotychczas Saba począł warczeć głucho i groźnie, tak że Chamis na rozkaz pana Rawlisona musiał go znów chwycić za obrożę, a tymczasem dwaj ludzie, przybrani w białe burnusy stanęli przed namiotami.

– A kto tam? – zapytał pan Tarkowski.

– Przewodnicy wielbłądów – ozwał się jeden z przybyłych.

– Ach! To Idrys i Gebhr? Czego chcecie?

– Przyszliśmy spytać, czy nie będziemy potrzebni na jutro?

– Nie. Jutro i pojutrze są wielkie święta, w czasie których nie godzi się nam robić wycieczek. Przyjdźcie pojutrze rano.

– Dziękujemy, efendi.

– A wielbłądy macie dobre? – zapytał pan Rawlison.

– Bismillach! – odpowiedział Idrys – Prawdziwe hegin (wierzchowce), o tłustych garbach i łagodne jak ha'-ga (owce). Inaczej Cook nie byłby nas najął.

– Nie trzęsą nadto?

– Można, panie, położyć garść fasoli na grzbiecie każdego z nich i żadne ziarnko nie spadnie w najszybszym biegu.

– Jak przesadzać, to już po arabsku – rzekł śmiejąc się pan Tarkowski.

– Albo po sudańsku – dodał pan Rawlison.

Tymczasem Idrys i Gebhr stali jak dwie białe kolumny, przypatrując się pilnie Stasiowi i Nel. Księżyc oświecał ich bardzo ciemne twarze, które przy jego blasku wyglądały jakby wykute z brązu. Białka ich oczu połyskiwały zielonkawo spod turbanów.

– Dobranoc wam! – rzekł pan Rawlison.

– Niech Allach czuwa nad wami, efendi, w nocy i we dnie.

To rzekłszy skłonili się i odeszli. Przeprowadzało ich głuche, podobne do dalekiego grzmotu warczenie Saby, któremu dwaj Sudańczycy nie podobali się widocznie.

Rozdział 5

Przez następne dni nie było żadnych wycieczek. Natomiast wieczorem w Wigilię, gdy na niebie pokazała się pierwsza gwiazda, w namiocie pana Rawlisona zajaśniało setkami świeczek drzewko przeznaczone dla Nel. Choinkę zastępowała wprawdzie tuja wycięta w jednym z ogrodów El-Medine, niemniej jednak Nel znalazła między jej gałązkami mnóstwo łakoci i wspaniałą lalkę, którą ojciec sprowadził dla niej z Kairu, a Staś swój upragniony sztucer angielski. Od ojca dostał przy tym ładunki, rozmaite przybory myśliwskie i siodło do konnej jazdy. Nel nie posiadała się ze szczęścia, a Staś, lubo sądził, że kto posiada prawdziwy sztucer, powinien posiadać i odpowiednią powagę, nie mógł jednak wytrzymać – i wybrawszy chwilę, w której koło namiotu było pusto – obszedł go wokoło na rękach. Sztukę tę, uprawianą mocno w szkole w Port-Saidzie, posiadał w zadziwiającym stopniu i nieraz bawił nią Nel, która zresztą zazdrościła mu jej szczerze.

Wigilia i pierwsze święto spłynęły dzieciom częścią na nabożeństwie, częścią na rozpatrywaniu darów, jakie otrzymały, i na tresurze Saby. Nowy przyjaciel okazywał się pojętny nad wszelkie oczekiwania. Zaraz pierwszego dnia nauczył się podawać łapę, aportować chustki do nosa, których jednak nie oddawał bez oporu – i zrozumiał, że obmywanie ozorem twarzy Nel nie jest rzeczą godną psa-dżentelmena. Nel trzymając palec na nosku udzielała mu rozmaitych nauk, on zaś potakując ruchami ogona dawał w ten sposób do poznania, że słucha z należytą uwagą i bierze je do serca. Podczas przechadzek po piaszczystym placu miejskim sława Saby w Medinet rosła z każdą godziną, a nawet, jak każda sława, zaczynała mieć przykrą stronę, ściągała bowiem całe zastępy dzieciaków arabskich. Z początku trzymały się one z daleka, następnie jednak, ośmielone łagodnością „potwora", zbliżały się coraz bardziej, a w końcu obsiadły namiot, tak że nikt nie mógł poruszać się swobodnie. Nadto, ponieważ każdy dzieciak arabski ssie od rana do nocy trzcinę cukrową, przeto za dziećmi ciągną zawsze legiony much, które, uprzykrzone same przez się, bywają i niebezpieczne, roznoszą bowiem zarazki egipskiego zapalenia oczu. Służba usiłowała z tego powodu dzieci rozpędzać, ale Nel występowała w ich obronie, a co więcej, rozdawała najmłodszym helou, to jest słodycze, co zjednywało jej wielką ich miłość, ale oczywiście powiększało ich zastępy.

Po trzech dniach zaczęły się wspólne wycieczki, częścią wąskotorowymi kolejkami, których dużo nabudowali w Medinet-el-Fajum Anglicy, częścią na osłach, a czasem i na wielbłądach. Pokazało się, że w pochwałach oddawanych tym zwierzętom przez Idrysa było wprawdzie wiele przesady, bo nie tylko fasoli, ale i ludziom niełatwo było utrzymać się na siodłach, lecz była też prawda. Wielbłądy należały oczywiście do rodzaju hegin, to jest wierzchowych, a że karmiono je dobrze durrą (kukurydzą miejscową lub syryjską), więc garby miały tłuste i okazywały się tak ochocze do biegu, że trzeba je było powstrzymywać. Sudańczycy: Idrys i Gebhr zjednali sobie, mimo dzikiego połysku ich oczu, ufność i serca towarzystwa, a to przez wielką usłużność i nadzwyczajną troskliwość o Nel. Gebhr miał zawsze okrutny i trochę zwierzęcy wyraz twarzy, ale Idrys zmiarkowawszy prędko, że ta mała osóbka jest okiem w głowie całego towarzystwa, oświadczał przy każdej sposobności, że chodzi mu o nią więcej niż o „własną duszę". Pan Rawlison domyślał się wprawdzie, że przez Nel chce Idrys trafić do jego kieszeni, ale mniemając zarazem, że nie ma na świecie człowieka, który by nie musiał pokochać jego jedynaczki, był mu jednakże wdzięczny i nie żałował „bakszyszów".

W ciągu pięciu dni towarzystwo zwiedziło leżące blisko miasta ruiny starożytnego Krokodilopolis, gdzie Egipcjanie czcili niegdyś bożka zwanego Sebak, który miał postać ludzką, a głowę krokodyla. Następna wycieczka była do piramidy Hanara i do szczątków Labiryntu, najdłuższa zaś i cała na wielbłądach – do jeziora Karoun. Północny brzeg jego jest szczerą pustynią, na której prócz ruin dawnych miast egipskich nie ma żadnego śladu życia. Natomiast na południe ciągnie się kraj żyzny, wspaniały, a same brzegi, porośnięte wrzosem i trzciną, roją się od pelikanów, czerwonaków, czapli, dzikich gęsi i kaczek. Tam dopiero Staś znalazł sposobność popisania się celnością swych strzałów. Zarówno ze zwykłej strzelby, jak i popisowe ze sztucera były tak nadzwyczajne, że po każdym dawało się słyszeć zdumione cmokanie Idrysa i wioślarzy arabskich, a spadającym w wodę ptakom towarzyszyły stale okrzyki: *Bismillach i Maszallach!*

Arabowie zapewniali, że na przeciwległym brzegu „pustynnym" jest dużo wilków i hien i że podrzuciwszy wśród osypisk padlinę owcy można prawie na pewno przyjść do strzału. Wskutek tych zapewnień pan Tarkowski i Staś spędzili dwie noce na pustyni, przy ruinach Dine. Ale pierwszą owcę ukradli zaraz po odejściu strzelców Beduini, druga zaś zwabiła tylko kulawego szakala, którego położył Staś. Dalsze polowania musiały być odłożone, gdyż dla obu inżynierów nadszedł czas wyjazdu na rewizję robót wodnych prowadzonych przy Bahr-Jussef, koło El-Lahum, na południowy wschód od Medinet.

Pan Rawlison czekał tylko na przybycie pani Olivier. Na nieszczęście, zamiast niej przyszedł list od lekarza donoszący, że dawna róża na twarzy odnowiła się po ukąszeniu i że chora przez czas dłuższy nie będzie mogła wyjechać z Port-Saidu. Położenie stało się istotnie kłopotliwe. Zabierać z sobą dzieci, starą Dinah, namioty i całą służbę było niepodobna, choćby z tej przyczyny, że inżynierowie mieli być dziś tu, jutro tam, a mogli otrzymać polecenie dotarcia aż do wielkiego Kanału Ibrahima. Wobec tego, po krótkiej naradzie, postanowił pan Rawlison zostawić Nel pod opieką starej Dinah i Stasia oraz ajenta konsularnego włoskiego i miejscowego mudira (gubernatora), z którym się poprzednio poznał. Obiecał też Nel, której żal było rozstawać się z ojcem, że ze wszystkich bliższych miejscowości obaj z panem Tarkowskim będą wpadali do Medinet albo, jeśli znajdzie się co godnego widzenia, wzywali dzieci do siebie.

– Bierzemy ze sobą Chamisa – mówił – którego w danym razie po was przyślemy. Dinah niech zawsze towarzyszy Nel, ale ponieważ Nel robi z nią wszystko, co jej się podoba, więc ty, Stasiu, czuwaj nad obiema.

– Może pan być pewny – odpowiedział Staś – że będę pilnował Nel tak jak rodzonej siostry. Ona ma Sabę, a ja sztucer, więc niech kto spróbuje ją pokrzywdzić...

– Nie o to chodzi – rzekł pan Rawlison. – Saba i sztucer nie będą wam z pewnością potrzebne. Ty bądź tak dobry i chroń ją tylko od zmęczenia, a zarazem uważaj, by się nie przeziębiła. Prosiłem konsula, aby w razie gdyby się czuła niezdrowa, wezwał zaraz z Kairu doktora. Chamisa będziemy tu przysyłali po wiadomości jak najczęściej. Mudir będzie was także odwiedzał. Spodziewam się przy tym, że nasza nieobecność nie potrwa nigdy długo.

Pan Tarkowski nie szczędził także Stasiowi przestróg. Mówił mu, że Nel nie potrzebuje jego obrony, gdyż w Medinet jak również w całej prowincji El-Fajum nie ma ani dzikich ludzi, ani dzikich zwierząt. Myśleć o czymś podobnym byłoby rzeczą śmieszną i niegodną chłopca, który kończy niedługo rok czternasty. Więc ma być tylko troskliwy i uważny, nie przedsiębrać na własną rękę, a tym bardziej z Nel, żadnych wypraw, zwłaszcza zaś na wielbłądach, na których jazda, bądź co bądź, zawsze męczy.

Lecz Nel słysząc to zrobiła tak smutną minkę, że pan Tarkowski musiał ją uspokajać.

– Owszem – rzekł głaszcząc jej czuprynkę – będziecie jeździli na wielbłądach, ale przy nas albo ku nam, jeśli przyślemy po was Chamisa.

– A samym nam nie wolno robić żadnych wycieczek, choćby tycich, tyciutkich? – pytała dziewczynka.

I poczęła pokazywać na paluszku, o jak małe wycieczki jej chodzi. Tatusiowie w końcu przystali z warunkiem, że będą się odbywały na osłach, nie na wielbłądach – i nie do ruin, gdzie łatwo wpaść w jaką dziurę, ale po drogach na pobliskie pola i ku ogrodom położonym za miastem. Dragoman wraz z inną służbą Cooka miał dzieciom zawsze towarzyszyć.

Po czym obaj starsi panowie wyjechali, ale wyjechali blisko, do Hamaret-el-Makta, tak że dopiero po dziesięciu godzinach wrócili na noc do Medinet. Powtarzało się to przez kilka dni z rzędu, póki nie zwiedzili robót najbliższych. Potem, gdy prace ich objęły dalsze, ale niezbyt jeszcze odległe okolice, przyjeżdżał w nocy Chamis i wczesnym rankiem zabierał Stasia i Nel do tych miasteczek, w których ojcowie chcieli im coś ciekawego pokazać. Dzieci spędzały większą cześć dnia z tatusiami, a pod zachód słońca wracały do Medinet, do namiotów. Bywały jednak dni, w których Chamis nie przyjeżdżał, i wówczas Nel, pomimo towarzystwa Stasia i Saby, w którym odkrywała coraz nowe przymioty, wyglądała z utęsknieniem posłańca. W ten sposób upłynął czas aż do święta Trzech Króli, na które obaj inżynierowie powrócili do Medinet.

W dwa dni później wyjechali jednak znowu, zapowiedziawszy, że wyjeżdżają tym razem na dłużej i że prawdopodobnie dotrą aż do Beni-Suef, a stamtąd do El-Fachen, gdzie zaczyna się kanał tegoż nazwiska, idący daleko na południe wzdłuż Nilu.

Wielkie też było zdziwienie dzieci, gdy trzeciego dnia koło jedenastej rano Chamis pojawił się w Medinet. Spotkał go pierwszy Staś, który poszedł na pastwisko przypatrywać się wielbłądom. Chamis rozmawiał z Idrysem i powiedział tylko tyle Stasiowi, że przyjechał po niego i po Nel i że natychmiast przyjdzie do namiotów oznajmić, dokąd z polecenia starszych panów mają wyruszyć. Chłopiec poleciał zaraz z dobrą nowiną do Nel, którą zastał bawiącą się z Sabą przed namiotem.

– Wiesz! Jest Chamis! – zawołał już z daleka.

A Nel poczęła zaraz podskakiwać trzymając obie nóżki razem, jak czynią dziewczynki skaczące przez sznur.

– Pojedziemy! pojedziemy!

– Tak, pojedziemy, i daleko.

– A dokąd? – spytała rozgarniając rączkami czuprynę, która jej spadła na oczy.

– Nie wiem. Chamis powiedział, że za chwilę tu przyjdzie i powie.

– To skąd wiesz, że daleko?

– Bo słyszałem, jak Idrys mówił, że on i Gebhr ruszą z wielbłądami natychmiast. To znaczy, że pojedziemy koleją i zastaniemy wielbłądy tam, gdzie będą tatusiowie, a stamtąd będziemy robili jakieś wycieczki.

Czupryna z powodu ciągłych podskoków pokryła znów nie tylko oczy, ale całą twarz Nel, a nóżki jej odbijały się tak od ziemi, jakby były z kauczuku.

W kwadrans później przyszedł Chamis i pokłonił się obojgu:

– Khanagé (paniczu) – rzekł do Stasia – jedziemy za trzy godziny pierwszym pociągiem.

– Dokąd?

– Do El-Gharak-el-Sultani, a stamtąd razem ze starszymi panami na wielbłądach do Wadi-Rajan.

Serce zabiło Stasiowi z radości, ale jednocześnie zdziwiły go słowa Chamisa. Wiedział, że Wadi-Rajan jest to wielkie kolisko piaszczystych wzgórz wznoszące się na Pustyni Libijskiej na południe i na południowy zachód od Medinet, a tymczasem pan Tarkowski i pan Rawlison zapowiedzieli wyjeżdżając, że udają się w stronę przeciwną, w kierunku Nilu.

– Cóż się stało? – zapytał Staś. – To ojciec mój i pan Rawlison nie są w Beni-Suef, tylko w El-Gharak?

– Tak im wypadło – odrzekł Chamis.

– Ale przecie kazali pisywać do siebie do El-Fachen.

– W tym liście pisze starszy efendi, dlaczego są w El-Gharak. I przez chwilę szukał przy sobie listu, po czym wykrzyknął:

– Och, Nabi (proroku)! Zostawiłem list w torbie przy wielbłądnikach. Polecę zaraz, póki Idrys i Gebhr nie odjadą.

I pobiegł do wielbłądników, a tymczasem dzieci poczęły wraz z Dinah przygotowywać się do drogi. Ponieważ zanosiło się na dłuższą wycieczkę, więc Dinah zapakowała parę sukienek, trochę bielizny i cieplejsze ubranie dla Nel. Staś także pomyślał o sobie, a zwłaszcza nie zapomniał o sztucerze i ładunkach, mając nadzieję spotkać się wśród osypisk Wadi-Rajan z wilkami i hienami.

Chamis wrócił dopiero po godzinie, tak spocony, zziajany, że przez chwilę nie mógł tchu złapać.

– Nie znalazłem już wielbłądników – mówił – i goniłem za nimi, ale na próżno. Nic to jednak nie szkodzi, gdyż i list, i samych starszych efendich znajdziemy w El-Gharak. Czy i Dinah ma jechać z nami?

– Albo co?

– Może lepiej, żeby została. Starsi panowie nie mówili o niej wcale.

– Ale zapowiedzieli wyjeżdżając, że Dinah zawsze ma towarzyszyć panience, więc pojedzie i teraz.

Chamis skłonił się przyłożywszy dłoń do serca i rzekł:

– Spieszmy się, panie, bo inaczej katr (pociąg) odjedzie.

Rzeczy były gotowe, więc znaleźli się na czas na stacji. Odległość z Medinet do Gharak nie wynosi więcej jak trzydzieści kilometrów, ale kolejka poboczna, która łączy te miejscowości, idzie wolno i zatrzymuje się niezmiernie często. Gdyby Staś był sam, byłby niewątpliwie wolał jechać na wielbłądzie niż koleją, gdyż wyliczył, iż Idrys i Gebhr, wyruszywszy na dwie godziny przed pociągiem, będą wcześniej od nich w El-Gharak. Ale dla Nel byłaby to droga zbyt długa, więc mały opiekun, który wziął bardzo do serca przestrogi obu ojców, nie chciał narażać dziewczynki na zmęczenie. Zresztą czas zszedł obojgu szybko, tak że ani obejrzeli się, kiedy stanęli w Gharak.

Mała stacyjka, z której Anglicy robią zwykle wycieczki do Wadi-Rajan, była zupełnie pusta. Zastali tylko kilka zakwefionych kobiet z koszami mandarynek, dwóch nieznajomych wielbłądników-Beduinów oraz Idrysa i Gebhra z siedmiu wielbłądami, z których jeden był silnie objuczony. Natomiast pana Tarkowskiego ani pana Rawlisona nie było ani śladu.

Ale Idrys w ten sposób wytłumaczył ich nieobecność:

– Starsi panowie pojechali na pustynię, aby ustawić namioty, które przywieźli z Etsah, i kazali nam jechać za sobą.

– A jakże znajdziemy ich wśród wzgórz? – zapytał Staś.

– Przysłali przewodników, którzy nas poprowadzą.

To powiedziawszy wskazał na Beduinów. Starszy z nich skłonił się, przetarł palcem jedno oko, jakie posiadał i rzekł:

– Nasze wielbłądy nie tak tłuste, ale nie mniej ścigłe od waszych. Za godzinę tam będziemy.

Staś był rad, że spędzą noc na pustyni, ale Nel czuła pewien zawód, albowiem poprzednio była pewna, że zastane tatusia w Gharak.

Tymczasem naczelnik stacji, zaspany Egipcjanin w czerwonym fezie i w ciemnych okularach, zbliżył się i nie mając nic innego do roboty, począł przypatrywać się europejskim dzieciom.

– To dzieci tych Inglezi, którzy pojechali rano ze strzelbami na pustynię – rzekł Idrys sadowiąc Nel na siodle.

Staś oddawszy sztucer Chamisowi siadł przy niej, albowiem siodło było obszerne i mające kształt palankinu, tylko bez dachu. Dinah usadowiła się za Chamisem, inni zajęli osobne wielbłądy i ruszyli.

Gdyby naczelnik stacji popatrzył był dłużej za nimi, byłby może zdziwiony, że owi Anglicy, o których wspomniał Idrys, pojechali wprost do ruin na południe, oni zaś skierowali się od razu ku Talei, w stronę przeciwną. Ale naczelnik wrócił jeszcze przedtem do domu, ponieważ żaden pociąg nie przychodził tego dnia do Gharak.

Godzina była piąta po południu. Pogoda wspaniała. Słońce przeszło już na tę stronę Nilu i zniżyło się nad pustynią tonąc w złotych i purpurowych zorzach płonących po zachodniej stronie nieba. Powietrze tak było przesycone różowym blaskiem, że oczy mrużyły się od jego zbytku. Pola przybrały odcień liliowy, natomiast odległe wzgórza, odrzynające się twardo na tle zórz, miały barwę czystego ametystu. Świat tracił cechy rzeczywistości i zdawał się być jedną grą zaziemskich świateł.

Póki jechali przez kraj zielony i uprawny, przewodnik-Beduin prowadził karawanę krokiem umiarkowanym, z chwilą jednak gdy pod nogami wielbłądów zaskrzypiał twardy piasek, zmieniło się wszystko od razu.

– *Yalla! yalla!* – zawyły nagle dzikie głosy.

A jednocześnie dał się słyszeć świst batów i wielbłądy, przeszedłszy z kłusa w cwał, poczęły pędzić jak wicher, wyrzucając nogami piasek i żwir pustyni.

– *Yalla! yalla!*

Kłus wielbłąda bardziej trzęsie, cwał, którym te zwierzęta rzadko biegną, bardziej kołysze, więc dzieci bawiła z początku ta szalona jazda. Ale wiadomo choćby z huśtawki, że zbyt szybkie kołysanie się powoduje zawrót głowy. Jakoż po pewnym czasie, gdy pęd nie ustawał, małej Nel poczęło się kręcić w główce i ćmić w oczach.

– Stasiu, czemu my tak lecimy? – zawołała zwracając się do towarzysza.

– Myślę, że pozwolili zanadto rozpędzić się wielbłądom, a teraz nie mogą ich wstrzymać – odrzekł Staś.

Ale zauważywszy, że twarz dziewczynki trochę pobladła, począł wołać na Beduinów pędzących na przedzie, by zwolnili. Wołanie jego miało jednak tylko ten skutek, że rozległy się znów okrzyki: „*Yalla!*" – i że zwierzęta przyspieszyły jeszcze biegu.

Chłopiec sądził w pierwszej chwili, że Beduini go nie dosłyszeli, gdy jednak na powtórne wezwanie nie było żadnej odpowiedzi i gdy jadący za nimi Gebhr nie przestawał smagać tego wielbłąda, na którym oboje z Nel siedzieli, pomyślał, że to nie wielbłądy poniosły, ale że ludzie tak się spieszą z jakiejś nie znanej mu przyczyny.

Przyszło mu do głowy, że może pojechali złą drogą i że chcąc wynagrodzić czas stracony pędzą teraz z obawy, by starsi panowie nie wyłajali ich za zbyt późne przybycie. Lecz po chwili zrozumiał, że to nie może być, gdyż pan Rawlison bardziej by się rozgniewał za zbytnie umęczenie Nel. Co to więc znaczy? I dlaczego nie słuchają jego rozkazów? W sercu chłopaka począł wzbierać gniew i obawa o Nel.

– Stój! – krzyknął z całej siły, zwracając się do Gebhra.

– Ouskout (milcz)! – zawył w odpowiedzi Sudań-czyk.

I pędzili dalej.

Noc zapada w Egipcie koło godziny szóstej, więc zorze wkrótce zgasły, a po pewnym czasie na niebo wytoczył się wielki, czerwony od blasku zórz księżyc i rozświecił pustynię łagodnym światłem.

W ciszy słychać było tylko zziajany oddech wielbłądów i głuche, szybkie uderzenia ich nóg o piasek, a czasem świst batów. Nel była już tak znużona, że Staś musiał podtrzymywać ją na siodle. Co chwila zapytywała, czy prędko dojadą, i widocznie krzepiła ją tylko nadzieja rychłego zobaczenia ojca. Ale na próżno rozglądali się oboje dokoła. Upłynęła godzina, potem druga: ani namiotów, ani ognisk nigdzie nie było widać.

Wówczas włosy powstały na głowie Stasia, albowiem zrozumiał, że ich porwano.

Rozdział 6

A panowie Rawlison i Tarkowski oczekiwali rzeczywiście dzieci, ale nie wśród wzgórz piaszczystych Wadi-Rajan, dokąd nie mieli potrzeby ani ochoty jechać, lecz w zupełnie innej stronie, w mieście El-Fachen, nad kanałem tegoż nazwiska, przy którym oglądali dokonane przed końcem roku roboty. Odległość między El-Fachen a Medinet wynosi w prostej linii około czterdziestu pięciu kilometrów. Ponieważ jednak nie ma bezpośredniego połączenia i trzeba jechać na El-Wasta, co podwaja niemal drogę, przeto pan Rawlison, rozglądając się w przewodniku kolejowym, czynił następujące wyliczenia:

– Chamis wyjechał onegdaj wieczór – mówił do pana Tarkowskiego – i w El-Wasta złapał pociąg idący do Kairu, w Medinet jest zatem dziś rano. Dzieci zapakują się w godzinę. Wyjechawszy wszelako w południe, musiałyby czekać na nocny pociąg idący wzdłuż Nilu, a ponieważ nie pozwoliłem Nel jechać nocą, więc wyruszą dziś rano i będą tu zaraz po zachodzie słońca.

– Tak – rzekł pan Tarkowski – Chamis musi trochę odpocząć, a Stasiowi pali się wprawdzie w głowie, jednakże, gdy chodzi o Nel, można zawsze na niego liczyć. Zresztą posłałem mu także kartę, by nie wyjeżdżali na noc.

– Dzielny chłopiec i ufam mu zupełnie – odpowiedział pan Rawlison.

– Co prawda, to i ja. Staś przy swych rozmaitych wadach ma prawy charakter i nigdy nie kłamie, albowiem jest odważny, a kłamią tylko tchórze. Energii mu też nie brak i jeśli zdobędzie się na spokojną rozwagę, to myślę, że da sobie radę na świecie.

– Z pewnością. Co zaś do rozwagi, to czy ty byłeś rozważny w jego wieku?

– Muszę przyznać, że nie – odpowiedział śmiejąc się pan Tarkowski – ale może nie byłem tak pewny siebie jak on.

– To przejdzie. Tymczasem bądź szczęśliwy, że masz takiego chłopca.

– A ty, że masz takie słodkie i kochane stworzenie jak Nel.

– Niech ją Bóg błogosławi – odpowiedział ze wzruszeniem pan Rawlison.

Dwaj przyjaciele uścisnęli sobie dłonie, po czym zasiedli do przeglądania planów i kosztorysów robót. Na tym zajęciu spłynął im czas do wieczora.

O godzinie szóstej, gdy już zapadła noc, znaleźli się na stacji i chodząc po peronie rozmawiali w dalszym ciągu o dzieciach.

– Pyszna pogoda, ale chłodno – ozwał się pan Rawlison. – Czy aby Nel wzięła ze sobą ciepłe ubranie?

– Staś będzie o tym pamiętał i Dinah także.

– Żałuję jednak, że zamiast sprowadzać ich tu, nie pojechaliśmy sami do Medinet.

– Przypomnij sobie, że tak właśnie radziłem.

– Wiem. I gdyby nie to, że mamy stąd jechać dalej na południe, byłbym się na to zgodził. Wyliczyłem wszelako, że droga zajęłaby nam dużo czasu i że bylibyśmy krócej z dziećmi. Przyznam ci się zresztą, że to Chamis poddał mi myśl, żeby je tu sprowadzić. Oświadczył mi, że ogromnie do nich tęskni i że byłby szczęśliwy, gdybym go po oboje posłał. Nie dziwię się, że się do nich przywiązał...

Dalszą rozmowę przerwały sygnały oznajmiające zbliżanie się pociągu. Po chwili w ciemności ukazały się ogniste oczy lokomotywy, a jednocześnie dał się słyszeć zdyszany jej oddech i gwizdanie.

Szereg oświeconych wagonów przesunął się wzdłuż peronu, zadrgał i stanął.

– Nie widziałem ich w żadnym oknie – rzekł pan Rawlison.

– Siedzą może głębiej i zapewne zaraz wyjdą.

Podróżni poczęli wysiadać, ale przeważnie Arabowie, gdyż El-Fachen prócz pięknych gajów palmowych i akacjowych nie ma nic ciekawego do widzenia. Dzieci nie przyjechały.

– Chamis albo nie złapał pociągu do El-Wasta – ozwał się z odcieniem złego humoru pan Tarkowski – albo też po nocnej podróży zaspał i przyjadą dopiero jutro.

– Może być – odpowiedział z niepokojem pan Rawlison – ale i to być może, że któreś zachorowało.

– Staś by w takim razie zatelegrafował.

– Kto wie, czy depeszy nie zastaniemy w hotelu.

– Pójdźmy.

Ale w hotelu nie czekała ich żadna wiadomość. Pan Rawlison był coraz niespokojniejszy.

– Wiesz, co się jeszcze mogło zdarzyć? – rzekł pan Tarkowski. – Oto, jeśli Chamis zaspał, to nie przyznał się do tego dzieciom, przyszedł do nich dopiero dziś i powiedział im, że mają jutro jechać. Przed nami będzie się wykręcał tym, że nie zrozumiał naszych rozkazów. Na wszelki wypadek zatelegrafuję do Stasia.

– A ja do mudira Fajumu.

Po chwili dwie depesze zostały wysłane. Nie było jeszcze wprawdzie powodów do niepokoju, jednakże w oczekiwaniu na odpowiedź inżynierowie źle spędzili noc i wczesny poranek zastał ich na nogach.

Odpowiedź od mudira przyszła dopiero koło dziesiątej i brzmiała, jak następuje:

„Sprawdzono na stacji. Dzieci wyjechały wczoraj do Gharak-el-Sultani".

Łatwo zrozumieć, jakie zdumienie i gniew ogarnęły ojców na tę niespodzianą wiadomość. Przez czas jakiś spoglądali na siebie, jakby nie rozumiejąc słów depeszy, po czym pan Tarkowski, który był człowiekiem porywczym, uderzył dłonią w stół i rzekł:

– To pomysł Stasia, ale ja go oduczę takich pomysłów.

– Nie spodziewałem się tego po nim – odpowiedział ojciec Nel. Lecz po chwili zapytał:

– No, a cóż Chamis?

– Albo ich nie zastał i nie wie, co począć, albo pojechał za nimi.

– Tak i ja myślę.

I w godzinę później wyruszyli do Medinet. W namiotach dowiedzieli się, że nie ma wielbłądników, a na stacji potwierdzono, że Chamis wyjechał z dziećmi do El-Gharak. Sprawa przedstawiała się coraz ciemniej i rozjaśnić ją można było tylko w El-Gharak.

Jakoż dopiero na tej stacji zaczęła się odsłaniać strasz-liwa prawda.

Zawiadowca, ten sam zaspany w ciemnych okularach i czerwonym fezie Egipcjanin, opowiedział im, że widział chłopca około lat czternastu i ośmioletnią dziewczynkę z niemłodą Murzynką, którzy pojechali na pustynię. Nie pamięta, czy wielbłądów było razem osiem, czy dziewięć, ale zauważył, że jeden był objuczony jak do dalekiej drogi, a dwaj Beduini mieli także duże juki przy siodłach; przypomina też sobie, że gdy przypatrywał się karawanie, jeden z wielbłądników, Sudańczyk, rzekł mu, że to są dzieci Anglików, którzy przedtem pojechali do Wadi-Rajan.

– Czy ci Anglicy wrócili? – zapytał pan Tarkowski.

– Tak jest. Wrócili jeszcze wczoraj z dwoma zabitymi wilkami – odpowiedział zawiadowca – i zdziwiło mnie to nawet, że nie wracają razem z dziećmi. Ale nie pytałem ich o powód, gdyż to do mnie nie należy.

To powiedziawszy odszedł do swoich obowiązków.

Podczas tego opowiadania twarz pana Rawlisona stała się biała jak papier. Patrząc błędnym wzrokiem na przyjaciela zdjął kapelusz, podniósł dłoń do spotniałego czoła i zachwiał się, jakby miał upaść.

– Rawlison, bądź mężczyzną! – zawołał pan Tarkowski – Dzieci nasze porwane. Trzeba je ratować.

– Nel! Nel! – powtarzał nieszczęsny Anglik. – Nel i Staś! To nie Stasia wina. Zwabiono tu oboje podstępnie i porwano. Kto wie – dlaczego? Może dla okupu. Chamis jest niezawodnie w spisku. Idrys i Gebhr także.

Tu przypomniał sobie, co mówiła Fatma, że obaj Sudańczycy należą do pokolenia Dangalów, w którym urodził się Mahdi, i że z tego pokolenia pochodzi Chadigi, ojciec Chamisa. Na to wspomnienie serce zamarło mu na chwilę w piersiach, zrozumiał bowiem, że dzieci mogły być porwane nie dla okupu, ale dla zamiany na rodzinę Smaina.

Ale co z nimi zrobią współplemieńcy złowrogiego proroka? Skryć się na pustyni lub nad brzegiem Nilu nie mogą, bo na pustyni pomarliby wszyscy z głodu i pragnienia, a nad Nilem złapano by ich z pewnością. Chyba więc zbiegną z dziećmi aż do Mahdiego.

I ta myśl napełniła pana Tarkowskiego przerażeniem, ale energiczny eks-żołnierz prędko przyszedł do siebie i począł przebiegać myślą wszystko, co się stało, a jednocześnie szukał środków ratunku.

„Fatma – rozumował – nie miała powodu mścić się ani nad nami, ani nad naszymi dziećmi, jeżeli więc zostały porwane, to widocznie dlatego, aby wydać je w ręce Smaina. W żadnym razie śmierć im nie grozi. I to jest szczęście w nieszczęściu, ale natomiast czeka je straszna droga, która może być dla nich zgubną".

I natychmiast podzielił się tymi myślami z przyjacielem, po czym tak mówił:

– Idrys i Gebhr, jako dzicy i głupi ludzie, wyobrażają sobie, że zastępy Mahdiego są już niedaleko, a tymczasem Chartum, do którego Mahdi dotarł, leży stąd o dwa tysiące kilometrów. Tę drogę muszą przebyć wzdłuż Nilu i nie oddalać się od niego, gdyż inaczej wielbłądy i ludzie popadaliby z pragnienia. Jedź natychmiast do Kairu i żądaj od chedywa, by wysłano depesze do wszystkich posterunków wojskowych i by urządzono pościg na prawo i lewo wzdłuż rzeki. Szeikom przybrzeżnym przyrzecz za schwytanie zbiegów wielką nagrodę. Po wsiach niech zatrzymują wszystkich, którzy się zbliżą po wodę. W ten sposób Idrys i Gebhr muszą wpaść w ręce władzy, a my odzyskamy dzieci.

Pan Rawlison odzyskał już zimną krew.

– Jadę – rzekł. – Te łotry zapomniały, że armia angielska Wolseleya śpiesząca na pomoc Gordonowi jest już w drodze i że odetnie ich od Mahdiego. Nie umkną. Nie mogą umknąć. Wysyłam w tej chwili depeszę do naszego ministra, a potem jadę. Co ty zamierzasz?

– Telegrafuję o urlop i nie czekając odpowiedzi ruszam w ich ślady Nilem do Nubii, by dopilnować pościgu.

– Więc się musimy spotkać, gdyż i ja uczynię z Kairu to samo.

– Dobrze! A teraz do roboty.

– Z pomocą Bożą! – odpowiedział pan Rawlison.

Rozdział 7

A tymczasem wielbłądy pędziły jak huragan po błyszczących od księżyca piaskach. Zapadła głęboka noc. Księżyc, z początku wielki jak koło i czerwony, zbladł i wytoczył się wysoko. Oddalone wzgórza pustyni pokryły się muślinowym, srebrnym oparem, który nie przesłaniając ich widoku, zmienił je jakby w świetlane zjawiska. Od czasu do czasu spoza skał tu i ówdzie rozsianych dochodziło żałosne skomlenie szakali.

Upłynęła znowu godzina. Staś otoczył ramieniem Nel i podtrzymywał ją, usiłując przez to złagodzić męczące rzuty szalonej jazdy. Dziewczynka coraz częściej zaczęła wypytywać go, dlaczego tak pędzą i dlaczego nie widać namiotów, ani tatusiów. Staś postanowił wreszcie powiedzieć jej prawdę, która i tak prędzej czy później musiała się wydać.

– Nel – rzekł – ściągnij rękawiczkę i upuść ją nieznacznie na ziemię.

– Dlaczego Stasiu?

A on przyciągnął ją do siebie i odpowiedział z jakąś niezwykłą mu tkliwością:

– Zrób, co ci mówię.

Nel trzymała się jedną ręką Stasia i bała się go puścić, ale poradziła sobie w ten sposób, że poczęła ściągać ząbkami rękawiczkę – z każdego palca osobno – a wreszcie, zsunąwszy ją zupełnie, upuściła na ziemię.

– Po niejakim czasie rzuć drugą – ozwał się znowu Staś. – Ja rzuciłem już swoje, ale twoje łatwiej będzie dostrzec, bo jasne.

I widząc, że dziewczynka patrzy nań pytającym wzrokiem, tak mówił dalej:

– Nie przestrasz się, Nel... Ale widzisz... być może, że my wcale nie spotkamy ani twego, ani mojego ojca... i że nas ci szkaradni ludzie porwali. Ale się nie bój... Bo jeśli tak jest, to pójdzie za nimi pogoń. Dogonią i odbiorą nas z pewnością. Dlatego kazałem ci rzucić rękawiczki, żeby pogoń znalazła ślady. Tymczasem nie możemy zrobić nic innego, ale później coś obmyślę... Z pewnością coś obmyślę, tylko nie bój się i ufaj mi...

Lecz Nel dowiedziawszy się, że nie zobaczy tatusia i że uciekają gdzieś daleko na pustynię, zaczęła drżeć ze strachu i płakać, tuląc się jednocześnie do Stasia i wypytując wśród łkań, dlaczego ich porwali i dokąd ich wiozą. On pocieszał ją, jak umiał i prawie takimi słowami, jakimi jego ojciec pocieszał pana Rawlisona. Mówił, że ojcowie i sami będą ich ścigali, i zawiadomią wszystkie załogi wzdłuż Nilu. Na koniec zapewniał ją, że cokolwiek bądź by się stało, on jej nie opuści nigdy i będzie jej zawsze bronił.

Ale w niej żal i tęsknota za ojcem większe były nawet od strachu, więc długi czas nie przestawała płakać – i tak lecieli, oboje żałośni, wśród jasnej nocy po bladych piaskach pustyni.

Stasiowi jednak ściskało się serce nie tylko żalem i obawą, lecz i wstydem. Temu, co się stało, nie był wprawdzie winien, natomiast przypomniał sobie swoją dawną chełpliwość, którą tak często ganił w nim ojciec. Poprzednio był przekonany, że nie ma takiego położenia, w którym by nie dał sobie rady; poczytywał się za jakiegoś niezwyciężonego junaka i gotów był wyzywać cały świat. Obecnie zaś zrozumiał, że jest małym chłopcem, z którym każdy może zrobić, co zechce – i że oto pędzi wbrew woli na wielbłądzie dlatego tylko, że tego wielbłąda pogania z tyłu półdziki Sudańczyk. Czuł się tym okropnie upokorzony, a nie widział żadnego sposobu oporu. Musiał przyznać sam przed sobą, że się po prostu boi – i tych ludzi, i tej pustyni, i tego, co ich oboje z Nel może spotkać. Obiecywał jednak szczerze nie tylko jej, ale i sobie, że będzie nad nią czuwał i bronił jej, choćby kosztem własnego życia.

Nel, zmęczona płaczem i szaloną jazdą, trwającą już od sześciu godzin, poczęła wreszcie drzemać, a chwilami zasypiać zupełnie. Staś wiedząc, że kto spadnie z cwałującego wielbłąda, może się zabić na miejscu, przywiązał ją do siebie sznurem, który znalazł na siodle. Lecz po niejakim czasie wydało mu się, że pęd wielbłądów staje się mniej szybki, chociaż leciały teraz przez gładkie i miękkie piaski. W oddali widać było majaczące wzgórza, zaś na równinie rozpoczęły się zwykłe na pustyni nocne ułudy. Księżyc świecił na niebie coraz bledziej, a tymczasem przed nimi pojawiły się pełznące nisko, dziwne różowe obłoki, zupełnie przezrocze, utkane tylko ze światła. Tworzyły się one nie wiadomo dlaczego i posuwały się naprzód, jakby popychane lekkim wiatrem. Staś widział, jak burnusy Beduinów i wielbłądy różowiały nagle, wjechawszy w te oświecone przestrzenie, a następnie całą karawanę ogarniał delikatny, różowy blask. Czasem obłoki przybierały barwę błękitnawą i tak było aż do wzgórz.

Przy wzgórzach bieg wielbłądów zwolniał jeszcze bardziej. Naokół widać było teraz skały sterczące z piaszczystych kopców lub porozrzucane wśród osypisk w dzikim nieładzie. Grunt stawał się kamienisty. Przebyli kilka wgłębień zasianych kamieniami i podobnych do wyschłych łożysk rzek. Chwilami drogę tamowały im wąwozy, które musieli objeżdżać. Zwierzęta poczęły stąpać ostrożnie, przebierając jakby w tańcu nogami wśród suchych i twardych kęp utworzonych przez róże jerychońskie, którymi osypiska i skały pokryte były obficie. Raz wraz któryś wielbłąd potknął się i widoczne było, że należy im dać wypoczynek.

Jakoż Beduini zatrzymali się w zapadłym wąwozie i zsunąwszy się z siodeł, zabrali się do rozwiązywania juków. Idrys i Gebhr poszli za ich przykładem. Poczęto opatrywać wielbłądy, rozluźniać popręgi, zdejmować zapasy żywności i wyszukiwać płaskich kamieni na założenie ogniska. Drzewa suchego ani suchego nawozu, którym posługują się Arabowie, nie było, ale Chamis, syn Chadigiego, nazrywał róż jerychońskich i ułożył spory stos, który zapalił. Przez czas jakiś, gdy Sudańczycy zajęci byli wielbłądami, Staś, Nel i jej piastunka, stara Dinah, znaleźli się razem, w odosobnieniu. Lecz Dinah była bardziej jeszcze przerażona od dzieci i nie mogła słowa przemówić. Owinęła tylko Nel w ciepły pled i siadłszy koło niej na ziemi, poczęła z jękiem całować jej rączki. Staś natychmiast zapytał Chamisa, co znaczy to wszystko, co się stało, ale ów śmiejąc się ukazał mu tylko swe białe zęby i poszedł zbierać w dalszym ciągu róże jerychońskie. Zapytany następnie Idrys odpowiedział jednym słowem: „zobaczysz" – i pogroził mu palcem. Gdy wreszcie zabłysło ognisko z róż, które więcej tliły się, niż płonęły, otoczyli je wszyscy kołem, prócz Gebhra, który został jeszcze przy wielbłądach, i poczęli jeść placki z kukurydzy oraz suszone baranie i kozie mięso. Dzieci, wygłodzone przez długą drogę, jadły również, choć Nel kleiły się jednocześnie oczy ze snu. Ale tymczasem w mdłym świetle ogniska pojawił się ciemnoskóry Gebhr i połyskując oczyma podniósł w górę dwie małe, jasne rękawiczki i zapytał:

– Czyje to?

– Moje – odpowiedziała sennym i zmęczonym głosem Nel.

– Twoje, mała żmijo? – syknął przez zaciśnięte zęby Sudańczyk. – To znaczysz drogę dlatego, by twój ojciec wiedział, którędy nas ścigać?

I tak mówiąc uderzył ją korbaczem, strasznym batem arabskim, który przecina nawet skórę wielbłąda. Nel, lubo owinięta w gruby pled, krzyknęła z bólu i ze strachu, lecz Gebhr nie zdołał uderzyć jej po raz drugi, gdyż Staś skoczył w tej chwili jak żbik, uderzył go głową w piersi, a następnie chwycił za gardło.

Stało się to tak niespodzianie, że Sudańczyk upadł na wznak, a Staś na niego i obaj poczęli się przewracać po ziemi. Chłopak na swój wiek był wyjątkowo silny, jednakże Gebhr prędko dał sobie z nim radę. Naprzód oderwał od swego gardła jego dłonie, po czym obrócił go twarzą do ziemi i przycisnąwszy mu pięścią kark począł smagać korbaczem jego plecy.

Krzyki i łzy Nel, która chwytając za ręce dzikusa błagała go jednocześnie, by Stasiowi „darował", nie byłyby się na nic przydały, gdyby nie to, że Idrys przyszedł niespodzianie chłopcu z pomocą. Był on starszy od Gebhra, daleko silniejszy i od początku ucieczki z Gharak-el-Sultani wszyscy stosowali się do jego rozkazów. Teraz wyrwał korbacz z rąk brata i odrzuciwszy go daleko zwołał:

– Przecz, głupcze!

– Zaćwiczę tego skorpiona! – odpowiedział zgrzytając zębami Gebhr.

Lecz na to Idrys chwycił go za opończę na piersiach i popatrzywszy mu w oczy począł mówić groźnym, choć cichym głosem:

– Szlachetna Fatma zakazała tym dzieciom czynić krzywdy, albowiem wstawiały się za nią...

– Zaćwiczę! – powtórzył Gebhr.

– A ja ci powiadam, że nie podniesiesz na żadne z nich korbacza. Jeśli to uczynisz, za każde uderzenie oddam ci dziesięć.

I począł nim trząść jak gałęzią palmy, po czym dalej tak mówił:

– Te dzieci są własnością Smaina i gdyby które z nich nie dojechało żywe, sam Mahdi (niech Bóg przedłuży dni jego nieskończenie) kazałby cię powiesić. Rozumiesz, głupcze!

Imię Mahdiego sprawiało tak wielkie na wszystkich jego wyznawcach wrażenie, że Gebhr opuścił natychmiast głowę i jął powtarzać z przestrachem:

– *Allach, akbar!* – *Allach akbar!*

Staś podniósł się zziajany i zbity, ale czuł, że gdyby ojciec mógł go w tej chwili widzieć i słyszeć, byłby dumny z niego, albowiem nie tylko skoczył był bez namysłu na ratunek Nel, ale i teraz, choć razy korbacza paliły go jak ogniem, nie myślał o własnym bólu, natomiast począł pocieszać dziewczynkę i wypytywać, czy uderzenia nie zrobiły jej krzywdy.

A następnie rzekł:

– Com dostał, tom dostał, ale on się więcej na ciebie nie porwie. Ach, gdybym miał jaką broń!

Mała kobietka objęła go obu rękoma za szyję i mocząc mu łzami policzki jęła zapewniać, że nie bardzo ją bolało i że płacze nie z bólu, tylko z żalu nad nim. Na to Staś przesunął usta do jej ucha i rzekł szepcząc:

– Nel, nie za to, że mnie zbili, ale za to, że ciebie uderzył, przysięgam, że mu nie daruję.

Na tym skończyło się zajście. Po pewnym czasie Gebhr i Idrys, pogodzeni już ze sobą, porozciągali na ziemi opończe i pokładli się na nich, a Chamis poszedł wkrótce za ich przykładem. Beduini zasypali wielbłądom durry, po czym wsiadłszy na dwa luźne, pojechali w stronę Nilu. Nel oparła główkę o kolana starej Dinah i usnęła. Ognisko przygasło i wkrótce słychać było tylko chrzęst w zębach wielbłądów. Na niebo wytoczyły się małe obłoczki, które zakrywały chwilami księżyc, ale noc była widna. Za skałami odzywało się ciągłe żałosne skomlenie szakali.

Po dwóch godzinach Beduini wrócili z wielbłądami dźwigającymi napełnione wodą skórzane wory. Podsyciwszy ogień zasiedli na piasku i zabrali się do jedzenia. Przybycie ich zbudziło Stasia, który się poprzednio był zdrzemnął, oraz dwóch Sudańczyków i Chamisa, syna Chadigiego. Wtedy przy ognisku rozpoczęła się następująca rozmowa:

– Możemy jechać? – zapytał Idrys.

– Nie, albowiem musimy odpocząć – my i nasze wielbłądy.

– Czy nie widział was nikt?

– Nikt. Dotarliśmy do rzeki między dwiema wioskami. Z daleka tylko szczekały psy.

– Trzeba będzie zawsze jeździć po wodę o północy i czerpać ją w pustych miejscach. Byle ominąć pierwszą challal (kataraktę), to dalej wsie już rzadsze i prorokowi przychylniejsze. Pościg pójdzie za nami z pewnością.

Na to Chamis przewrócił się plecami do góry i podparłszy dłońmi twarz rzekł:

– Mehendysi będą naprzód czekali na dzieci w El-Fachen przez całą noc i do następnego pociągu, potem pojadą do Fajum, a stamtąd do Gharak. Tam dopiero zrozumieją, co się stało, i wówczas muszą wrócić do Medinet, aby wysłać słowa lecące po miedzianym drucie do miast nad Nilem – i jeźdźców na wielbłądach, którzy będą nas ścigali. Wszystko to zabierze najmniej trzy dni. Przedtem nie potrzebujemy męczyć naszych wielbłądów i możemy spokojnie „pić dym" z cybuchów.

To rzekłszy wydobył z ogniska płonący pręcik róży jerychońskiej i zapalił nim fajkę, a Idrys począł, zwyczajem arabskim, cmokać z zadowolenia.

– Dobrze to urządziłeś, synu Chadigiego – rzekł – ale nam trzeba korzystać z czasu i zajechać przez te trzy dni i noce najdalej na południe. Odetchnę spokojnie dopiero wówczas, gdy przejedziemy pustynię między Nilem a Kharge (wielka oaza na zachód od Nilu). Dałby Bóg, aby wielbłądy wytrzymały.

– Wytrzymają – ozwał się jeden z Beduinów.

– Ludzie mówią też – wtrącił Chamis – że wojska Mahdiego (niech Bóg przedłuży jego żywot) dochodzą już od Assuanu.

Tu Staś, który nie tracił ani słowa z tej rozmowy i zapamiętał również, co przedtem mówił Idrys do Gebhra, podniósł się i rzekł:

– Wojska Mahdiego są pod Chartumem.

– La! la! (nie, nie) – zaprzeczył Chamis.

– Nie zważajcie na jego słowa – odpowiedział Staś – bo on ma nie tylko skórę, ale i mózg ciemny. Do Chartumu, choćbyście co trzy dni kupowali świeże wielbłądy i pędzili tak jak dziś, zajedziecie za miesiąc. A i tego może nie wiecie, że drogę przegrodzi wam armia, nie egipska, ale angielska...

Słowa te uczyniły pewne wrażenie, a Staś spostrzegłszy to mówił dalej:

– Zanim znajdziecie się między Nilem a wielką oazą, wszystkie drogi na pustyni będą już pilnowane przez szereg straży wojskowych. Ha! słowa po miedzianym drucie prędzej biegną od wielbłądów! Jakże zdołacie się przemknąć?

– Pustynia jest szeroka – odpowiedział jeden z Beduinów.

– Ale musicie trzymać się Nilu.

– Możemy się nawet przeprawić i gdy nas będą szukać z tej strony, my będziemy z tamtej.

– Słowa biegnące po miedzianym drucie dojdą do miast i wsi po obu stronach rzeki.

– Mahdi ześle nam anioła, który położy palce na oczach Anglików i Turków (Egipcjan), a nas osłoni skrzydłami.

– Idrysie – rzekł Staś – nie zwracam się do Chamisa, którego głowa jest jak pusta tykwa, ani do Gebhra, który jest podłym szakalem, ale do ciebie. Wiem już, że chcecie nas zawieźć do Mahdiego i oddać w ręce Smaina. Lecz jeśli to czynicie dla pieniędzy, to wiedz, że ojciec tej małej bint (dziewczynki) jest bogatszy niż wszyscy Sudańczycy razem wzięci.

– I co z tego? – przerwał Idrys.

– Co z tego? Wróćcie dobrowolnie, a wielki mehendys nie pożałuje wam pieniędzy i mój ojciec także.

– Albo oddadzą nas rządowi, który każe nas powiesić.

– Nie, Idrysie. Będziecie wisieli niezawodnie, lecz tylko w takim razie, jeśli was złapią w ucieczce. A tak się stanie z pewnością. Ale jeśli sami wrócicie, żadna kara was nie spotka i prócz tego zostaniecie bogatymi ludźmi do końca życia. Ty wiesz, że biali z Europy dotrzymują zawsze słowa. Otóż daję wam słowo za obu mehendysów, że będzie tak, jak mówię.

I Staś pewien był istotnie, że ojciec jego i pan Rawlison będą stokroć woleli dotrzymać uczynionej przez niego obietnicy niż narażać ich oboje, a zwłaszcza Nel, na okropną podróż i jeszcze okropniejsze życie wśród dzikich i rozszalałych hord Mahdiego.

Toteż z bijącym sercem oczekiwał na odpowiedź Idrysa, który pogrążył się w milczeniu, i dopiero po długiej chwili rzekł:

– Mówisz, że ojciec małej bint i twój dadzą nam dużo pieniędzy?

– Tak jest.

– A czy wszystkie ich pieniądze potrafią otworzyć nam drzwi do raju, które otworzy jedno błogosławieństwo Mahdiego?

– *Bismillach!* – krzyknęli na to obaj Beduini wraz z Chamisem i Gebhrem.

Staś stracił od razu wszelką nadzieję, wiedział bowiem, że jakkolwiek ludzie na Wschodzie chciwi są i przekupni, to jednak gdy prawdziwy mahometanin spojrzy na jakąś rzecz od strony wiary, wówczas nie ma już na świecie takich skarbów, którymi dałby się skusić.

Idrys zaś, zachęcony okrzykiem, mówił dalej – i widocznie już nie dlatego, by odpowiedzieć Stasiowi, lecz w tej myśli, by zyskać tym większe uznanie i pochwały towarzyszów:

– My mamy szczęście należeć do tego pokolenia, które wydało świętego proroka, ale szlachetna Fatma i jej dzieci są jego krewnymi – i wielki Mahdi je kocha. Gdy więc oddamy mu ciebie i małą bint, on zamieni was za Fatmę i jej synów, a nas pobłogosławi. Wiedz o tym, że nawet ta woda, w której on się co rano, wedle przepisów Koranu, obmywa, uzdrawia choroby i gładzi grzechy, a cóż dopiero jego błogosławieństwo!

– *Bismillach!* – powtórzyli Sudańczycy i Beduini.

Lecz Staś chwytając się ostatniej deski ratunku rzekł:

– To zabierzcie mnie, a Beduini niech wrócą z małą bint. Za mnie wydadzą Fatmę i jej synów.

– Jeszcze pewniej wydadzą ją za was oboje.

Na to chłopak zwrócił się do Chamisa:

– Ojciec twój odpowie za twoje postępki.

– Mój ojciec jest już w pustyni, w drodze do proroka – odparł Chamis.

– Więc go złapią i powieszą.

Tu Idrys uznał jednak za stosowne dodać otuchy swym towarzyszom.

– Te sępy – rzekł – które objedzą ciało z naszych kości, może nie wylęgły się jeszcze. Wiemy, co nam grozi, aleśmy nie dzieci, i pustynię znamy od dawna. Ci ludzie (tu wskazał na Beduinów) byli wiele razy w Berberze i wiedzą o takich drogach, którymi biegają tylko gazele. Tam nikt nas nie znajdzie i nikt nie będzie ścigał. Musimy zaiste skręcać po wodę od Bahr-el-Jussef, a później do Nilu, ale będziemy to czynili w nocy. Czy myślicie przy tym, że nad rzeką nie ma ukrytych przyjaciół Mahdiego? A ja ci powiem, że im dalej na południe, tym ich więcej, że i całe pokolenia, i ich szeikowie czekają tylko pory sposobnej, by chwycić za miecze w obronie prawdziwej wiary. Ci sami dostarczą wody, jadła, wielbłądów – i zmylą pogoń. Zaprawdę wiemy, że do Mahdiego daleko, ale wiemy i to także, że każdy dzień przybliży nas do owczej skóry, na której święty prorok klęka do modlitw.

– *Bismillach!* – zakrzyknęli po raz trzeci towarzysze.

I widać było, że powaga Idrysa wzrosła pomiędzy nimi znacznie. Staś zrozumiał, że wszystko stracone, więc chcąc przynajmniej uchronić Nel od złości Sudańczyków rzekł:

– Po sześciu godzinach mała panienka dojechała ledwie żywa. Jakże możecie myśleć, że ona wytrzyma taką drogę? Jeśli zaś umrze, to i ja umrę, a wówczas z czym przyjedziecie do Mahdiego?

Teraz Idrys nie znalazł odpowiedzi, co widząc Staś tak mówił dalej:

– …I jak was przyjmie Mahdi i Smain, gdy się dowiedzą, że za waszą głupotę Fatma i jej dzieci przypłacić muszą życiem?

Lecz Sudańczyk opamiętał się już i odpowiedział:

– Widziałem jak chwyciłeś za gardziel Gebhra. Na Allacha, tyś jest lwie szczenię i nie umrzesz, a ona…

Tu poparzył na główkę śpiącej Nel, opartą na kolanach starej Dinah, i dokończył jakimś dziwnie łagodnym głosem:

– Jej uwijemy na garbie wielbłąda gniazdko jak ptaszkowi, aby wcale nie czuła zmęczenia i mogła spać w drodze równie spokojnie jak śpi teraz.

– To powiedziawszy podszedł ku wielbłądowi i wraz z Beduinami począł na grzbiecie najlepszego z dromaderów mościć siedzenie dla dziewczynki. Gadali przy tym dużo i sprzeczali się trochę, ale wreszcie za pomocą powrozów, koców oraz bambusowych drążków urządzili coś w rodzaju głębokiego, nieruchomego kosza, w którym Nel mogła siedzieć lub leżeć, lecz z którego nie mogła spaść. Nad tym siedzeniem, tak obszernym, że i Dinah mogła się w nim pomieścić, rozpięli płócienny daszek.

– Oto widzisz – rzekł Idrys do Stasia – jaja przepiórki nie potłukłyby się w tych wojłokach. Stara niewiasta pojedzie z panienką, aby jej służyć i we dnie i w nocy... Ty siądziesz ze mną, ale możesz jechać przy niej i czuwać nad nią.

Staś był rad, że uzyskał choć tyle. Zastanowiwszy się nad położeniem, doszedł do przekonania, że najprawdopodobniej złapią ich, zanim dojadą do pierwszej katarakty, i ta myśl dodała mu otuchy. Tymczasem chciało mu się przede wszystkim spać, obiecywał więc sobie, że przywiąże się jakim powrozem do siodła i ponieważ nie będzie musiał podtrzymywać Nel, zaśnie na kilka godzin.

Noc czyniła się już bledsza i szakale przestały skomleć wśród wąwozów. Karawana miała zaraz wyruszyć, ale Sudańczycy spostrzegłszy brzask udali się za odległą o kilka kroków skałę i tam, zgodnie z przepisami Koranu, poczęli ranne obmywania, używając jednakże piasku zamiast wody, której pragnęli zaoszczędzić. Następnie zabrzmiały ich głosy odmawiające soubhg, czyli pierwszą poranną modlitwę. Wśród głębokiej ciszy słychać było wyraźnie ich słowa: „W imię litościwego i miłosiernego Boga. Chwała niech będzie Panu, władcy świata, litościwemu i miłosiernemu w dniu sądu. Ciebie wielbimy i wyznawamy, Ciebie błagamy o pomoc. Prowadź nas po drodze tych, którym nie szczędzisz dobrodziejstw i łaski, nie zaś po ścieżkach grzeszników, którzy ściągnęli na się gniew Twój i którzy błądzą. Amen".

A Staś słuchając tych głosów podniósł oczy w górę – i w tej dalekiej krainie, wśród płowych, głuchych piasków, począł mówić: „Pod Twoją obronę uciekamy się święta Boża Rodzicielko…".

Rozdział 8

Noc bladła. Ludzie mieli już siadać na wielbłądy, gdy nagle spostrzegli pustynnego wilka, który wtuliwszy ogon pod siebie przebiegł wąwóz o sto kroków od karawany i wydostawszy się na przeciwległe płaskowzgórze biegł dalej z wszelkimi oznakami strachu, jakby uciekał przed jakimś nieprzyjacielem. W egipskich pustyniach nie ma takich dzikich zwierząt, przed którymi wilki czułyby trwogę, i dlatego widok ten zaniepokoił wielce sudańskich Arabów. Cóż by to być mogło? Czyżby nadchodziła już pogoń? Jeden z Beduinów wdrapał się szybko na skałę, ale zaledwie spojrzał, zsunął się z niej jeszcze prędzej.

– Na proroka! – zawołał zmieszany i przelękły. – Chyba lew bieży ku nam i jest tuż tuż!

A wtem spoza skał ozwało się basowe: „wow", po którym Staś i Nel zakrzyknęli razem:

– Saba! Saba!

Ponieważ po arabsku znaczy to: lew, więc Beduini przestraszyli się jeszcze bardziej, lecz Chamis zaśmiał się i rzekł:

– Ja znam tego lwa.

To powiedziawszy gwizdnął przeciągle – i w tejże chwili olbrzymi brytan wpadł między wielbłądy. Ujrzawszy dzieci skoczył ku nim, przewrócił z radości Nel, która wyciągnęła do niego ręce, wspiął się na Stasia, następnie skowycząc i poszczekując obiegał oboje kilkakrotnie, znów przewrócił

Nel, znów wspiął się na Stasia i wreszcie ległszy u ich stóp, począł ziać.

Boki miał zapadłe, z wywieszonego języka spadały mu płaty piany, machał jednak ogonem i podnosił oczy pełne miłości na Nel, jakby jej chciał powiedzieć: „Ojciec twój kazał mi cię pilnować, więc oto jestem!"

Dzieci siadły przy nim z jednej i drugiej strony i poczęły go pieścić. Dwaj Beduini, którzy nie widzieli nigdy podobnej istoty, spoglądali na niego ze zdumieniem, powtarzając: „Allach! O kelb kebir!" (Na Boga, to wielki pies!) – on zaś leżał przez jakiś czas spokojnie, następnie podniósł jednak łeb, wciągnął powietrze w swój czarny, podobny do ogromnej trufli nos, zawietrzył i skoczył ku wygasłemu ognisku, przy którym leżały resztki pożywienia.

W tej samej chwili kozie i baranie kości poczęły trzaskać i kruszyć się jak słomki w jego potężnych zębach. Po ośmiu ludziach, licząc ze starą Dinah i z Nel, było tego dosyć sporo nawet dla takiego kelb kebir.

Lecz Sudańczycy zakłopotali się jego przybyciem i dwaj wielbłądnicy odwoławszy na bok Chamisa poczęli z nim rozmawiać z niepokojem, a nawet ze wzburzeniem.

– Iblis przyniósł tu tego psa! – zawołał Gebhr. – I jakim sposobem trafił tu za dziećmi, skoro do Gharak przyjechały koleją?

– Zapewne śladem wielbłądów – odpowiedział Chamis.

– Źle się stało. Każdy, kto zobaczy go przy nas, zapamięta naszą karawanę i wskaże, którędy przechodziła. Trzeba się go pozbyć koniecznie.

– Ale jak? – spytał Chamis.

– Jest strzelba, weź ją i strzel mu w łeb.

– Jest strzelba, ale ja nie umiem z niej strzelać. Chyba że wy umiecie?…

Chamis od biedy byłby może potrafił, Staś bowiem kilkakrotnie otwierał przy nim swoją broń i zamykał, lecz żal mu było psa, którego był polubił opiekując się nim jeszcze przed przyjazdem dzieci do Medinet. Wiedział natomiast doskonale, że obaj Sudańczycy nie mają żadnego pojęcia, jak obchodzić się z bronią najnowszego systemu, i że nie dadzą sobie z nią rady.

– Jeśli wy nie umiecie – rzekł z chytrym uśmieszkiem – to psa mógłby zabić tylko ten mały nouzrani (chrześcijanin), ale ta strzelba może wystrzelić kilka razy z rzędu, więc nie radzę dawać mu jej do ręki.

– Niech Bóg broni – odpowiedział Idrys. – Powystrzelałby nas jak przepiórki.

– Mamy noże – zauważył Gebhr.

– Spróbuj, ale pamiętaj, że masz i gardło, które pies rozerwie, nim go zakłujesz.

– Co więc robić?

A Chamis ruszył ramionami.

– Dlaczego wy chcecie tego psa zabić? Choćbyście go potem przysypali piaskiem, hieny go wygrzebią, pogoń znajdzie jego kości i będzie wiedziała, że nie przeprawiliśmy się przez Nil, lecz uciekaliśmy z tej strony. Niech leci za nami. Ilekroć Beduini pojadą po wodę, a my się skryjemy w jakim wąwozie, możecie być pewni, że pies zostanie przy dzieciach. Allach! Lepiej, że teraz przyleciał, bo inaczej byłby prowadził pogoń naszym śladem aż do Berberu. Karmić go nie potrzebujecie, gdyż jeśli mu resztek po nas nie starczy, to o hienę, albo szakala nie będzie mu trudno. Zostawcie go w spokoju, mówię wam – i nie traćmy czasu na gadanie.

– Może masz słuszność – rzekł Idrys.

– Jeśli mam słuszność, to mu dam i wody, aby sam nie latał do Nilu i nie pokazywał się w wioskach.

W ten sposób został rozstrzygnięty los Saby, który wypocząwszy nieco i pożywiwszy się należycie, wychłeptał w mgnieniu oka miskę wody i puścił się z nowymi siłami za karawaną.

Wjechali teraz na wysoką płaszczyznę, na której wiatr pomarszczył piasek i z której widać było na obie strony ogromną przestrzeń pustyni. Niebo przybrało barwę muszli perłowej. Lekkie chmurki, zgromadzone na wschodzie, mieniły się jak opale, po czym nagle zabarwiły się złotem. Strzelił jeden promień, potem drugi – i słońce, jak zwykle w krajach południowych, w których nie ma prawie zmierzchu i świtu, nie wzeszło, ale wybuchnęło zza obłoków jak słup ognia i zalało jasnym światłem widnokrąg. Poweselało niebo, poweselała ziemia i niezmierne obszary piaszczyste odkryły się oczom ludzkim.

– Musimy pędzić – rzekł Idrys – bo stąd widać nas z daleka.

Jakoż wypoczęte i napojone wielbłądy pędziły z szybkością gazeli. Saba pozostał za nimi, ale nie było obawy, by się zabłąkał i nie zjawił się na pierwszym popasie. Dromader, na którym jechał Idrys ze Stasiem, biegł tuż obok wierzchowca Nel, tak że dzieci mogły rozmawiać swobodnie. Siedzenie, które wymościli Sudańczycy, okazało się wyborne i dziewczynka wyglądała w nim rzeczywiście jak ptaszek w gniazdku. Nie mogła spaść, nawet śpiąc, i jazda męczyła ją daleko mniej niż w nocy. Jasne światło dzienne dodało obojgu dzieciom otuchy. W serce Stasia wstąpiła nadzieja, że skoro Saba ich doścignął, to i pogoń potrafi uczynić to samo. Tą nadzieją podzielił się natychmiast z Nel, która uśmiechnęła się do niego po raz pierwszy od chwili porwania.

– A kiedy nas dogonią? – spytała po francusku, by Idrys nie mógł ich zrozumieć.

– Nie wiem. Może dziś jeszcze, może jutro, może za dwa lub trzy dni.

– Ale nie będziemy jechali z powrotem na wielbłądach?

– Nie. Dojedziemy tylko do Nilu, a Nilem do El-Wasta.

– To dobrze, oj, dobrze!

Biedna Nel, która tak lubiła poprzednio tę jazdę, miała jej teraz widocznie dosyć.

– Nilem… od El-Wasta i do tatusia! – poczęła powtarzać sennym głosem.

I ponieważ na poprzednim postoju nie wyspała się należycie, więc usnęła znowu głębokim snem, takim, jakim po wielkim zmęczeniu śpi się nad ranem. Tymczasem Beduini pędzili wielbłądy bez wytchnienia i Staś zauważył, że kierują się w głąb pustyni.

Więc chcąc zachwiać w Idrysie pewność, że zdołają ujść przed pogonią, za zarazem pokazać mu, że sam liczy na nią niezawodnie, rzekł:

– Odjeżdżacie od Nilu i od Bahr-Jussef, ale nic wam to nie pomoże, bo przecie nie będą was szukali nad brzegiem, gdzie wsie leżą jedna przy drugiej, ale w głębi.

A Idrys zapytał:

– Skąd wiesz, że odjeżdżamy od Nilu, skoro brzegów nie możesz stąd dostrzec?

– Bo słońce, które jest po wschodniej stronie nieba, grzeje nas w plecy; to znaczy, że skręciliśmy na zachód.

– Mądry z ciebie chłopiec – rzekł z uznaniem Idrys.

Po chwili zaś dodał:

– Ale ani pogoń nas nie doścignie, ani ty nie uciekniesz.

– Nie – odrzekł Staś – ja nie ucieknę… chyba z nią. I ukazał na śpiącą Nel.

Do południa pędzili prawie bez wytchnienia, ale gdy słońce wzbiło się wysoko na niebo i poczęło przypiekać, wielbłądy które z natury mało się pocą, oblały się jednak potem i bieg ich stał się znacznie wolniejszy. Karawanę otoczyły znowu skały i osypiska. Wąwozy, które w czasie deszczów zmieniają się w łożyska strumieni, czy tzw. khory, zdarzały się coraz częściej. Beduini zatrzymali się na koniec w jednym z nich, całkiem ukrytym wśród skał. Lecz zaledwie zsiedli z wielbłądów, podnieśli krzyk i rzucili się naprzód, schylając się co chwila i ciskając przed siebie kamieniami. Stasiowi, który jeszcze nie zsunął się z siodła, przedstawił się dziwny widok. Oto pośród suchych krzaków porastających dno khoru wysunął się duży wąż i wijąc się z szybkością błyskawicy między okruchami skał, umykał do jakiejś znanej sobie kryjówki. Beduini ścigali go zaciekle, a na pomoc im skoczył Gebhr z nożem w ręku. Ale z powodu nierówności gruntu zarówno trudno było trafić węża kamieniem, jak przygwoździć go nożem – wkrótce też wrócili wszyscy trzej z widocznym w twarzach przestrachem.

I zabrzmiały zwykłe u Arabów okrzyki:

– Allach!

– *Bismillach!*

– *Maszallach!*

Następnie obaj Sudańczycy poczęli spoglądać jakimś dziwnym, zarazem badawczym i pytającym wzrokiem na Stasia, który nie rozumiał wcale, o co chodzi.

Tymczasem Nel zsiadła także z wielbłąda i jakkolwiek mniej była zmęczona niż w nocy, Staś rozciągnął dla niej wojłok w cieniu na równym miejscu i kazał się jej położyć, by mogła, jak mówił, rozprostować nóżki. Arabowie zabrali się do południowego posiłku, który jednak składał się tylko z sucharów i daktyli oraz z łyku wody. Wielbłądów nie pojono, albowiem piły w nocy. Twarze Idrysa, Gebhra i Beduinów były wciąż frasobliwe i postój odbywał się w milczeniu. Na koniec Idrys odwołał Stasia na bok i począł wypytywać go z twarzą zarazem tajemniczą i niespokojną:

– Widziałeś węża?

– Widziałem.

– Nie tyś go zaklął, by się nam ukazał?

– Nie.

– Spotka nas jakieś nieszczęście, gdyż ci głupcy nie zdołali węża zabić!

– Spotka was szubienica.

– Milcz. Czy twój ojciec jest czarownikiem?

– Jest – odpowiedział bez wahania Staś zrozumiawszy w jednej chwili, że ci dzicy i przesądni ludzie uważają ukazanie się płaza za złą wróżbę i za zapowiedź, że ucieczka im się nie uda.

– To więc twój ojciec nam go zesłał – odpowiedział Idrys – ale powinien zrozumieć, że za jego czary możemy się pomścić na tobie.

– Nic mi nie zrobicie, gdyż przypłaciliby za moją krzywdę synowie Fatmy.

– I to już zrozumiałeś? Ale pamiętaj, że gdyby nie ja, byłbyś spłynął krwią pod korbaczem Gebhra – ty i mała bint także.

– Wstawię się też tylko za tobą, a Gebhr pójdzie na powróz.

Na to Idrys popatrzył na niego przez chwilę jakby ze zdziwieniem i rzekł:

– Życie nasze nie jest jeszcze w twoich rękach, a ty przemawiasz już do nas jak nasz pan...

Po chwili zaś dodał:

– Dziwny z ciebie uled (chłopiec) i takiego jeszcze nie widziałem. Byłem dotychczas dobry dla was, lecz ty się miarkuj i nie groź.

– Bóg karze zdradę – odpowiedział Staś.

Było jednak rzeczą widoczną, że pewność z jaką mówił chłopak, w połączeniu ze złą wróżbą pod postacią węża, który zdołał umknąć, zaniepokoiła w wysokim stopniu Idrysa. Siadłszy już na wielbłąda powtórzył kilkakrotnie: „Tak! Ja byłem dla was dobry!", jakby na wszelki wypadek chciał wrazić to Stasiowi w pamięć, a następnie zaczął przesuwać ziarnka różańca wyrobione ze skorupy orzecha dum i modlić się.

Koło godziny drugiej po południu upał, mimo iż pora była zimowa, uczynił się niezwykły. Na niebie nie było żadnej chmurki, ale krańce widnokręgu poszarzały. Nad karawaną unosiło się kilka sępów, których rozpostarte szeroko skrzydła rzucały ruchome czarne cienie na płowe piaski. W rozpalonym powietrzu czuć było jakby swąd. Wielbłądy nie przestając pędzić poczęły dziwnie chrząkać. Jeden z Beduinów zbliżył się do Idrysa.

– Zanosi się na coś niedobrego – rzekł.

– Co myślisz? – zapytał Sudańczyk.

– Złe duchy zbudziły wiatr śpiący na zachodzie pustyni, a ów wstał z piasków i bieży ku nam.

Idrys podniósł się nieco na siodle, popatrzył w dal i odpowiedział:

– Tak jest. Idzie z zachodu i południa, ale on nie bywa tak wściekły jak khmasin.

– Trzy lata temu zasypał jednak koło Abu-Hamel całą karawanę, a odwiał ją dopiero zeszłej zimy. *Ualla!* Może mieć dosyć siły, by pozatykać nozdrza wielbłądów i wysuszyć wodę w workach.

– Trzeba pędzić, by zawadził nas tylko jednym skrzydłem.

– Lecimy mu w oczy i nie potrafimy go ominąć.

– Im prędzej przyjdzie, tym prędzej przewieje.

To rzekłszy Idrys uderzył wielbłąda korbaczem, a za jego przykładem poszli inni. Przez jakiś czas słychać było tylko tępe razy grubych batów, podobne do klaskania w dłonie, i okrzyki: *yalla!*... Na południowym zachodzie białawy przedtem widnokrąg pociemniał. Upał trwał ciągle i słońce paliło głowy jeźdźców. Sępy wzbiły się widocznie bardzo wysoko, albowiem cienie od ich skrzydeł malały coraz bardziej, a w końcu znikły zupełnie.

Uczyniło się duszno.

Arabowie krzyczeli na wielbłądy, póki nie wyschły im gardła, po czym umilkli i nastała cisza śmiertelna, przerywana stękaniem zwierząt. Małe dwa liski piaskowe o ogromnych uszach przemknęły koło karawany, uciekając w stronę przeciwną.

Ten sam Beduin, który poprzednio rozmawiał z Idrysem, ozwał się znowu jakimś dziwnym, jakby nie swoim głosem:

– To nie będzie zwykły wiatr. Ścigają nas złe czary. Wszystkiemu winien wąż...

– Wiem – odpowiedział Idrys.

– Patrz, powietrze drży. Tego nie bywa w zimie.

Jakoż rozpalone powietrze poczęło drgać, a wskutek złudzenia oczu jeźdźcom wydało się, że drgają i piaski. Beduin zdjął z głowy przepoconą myckę i rzekł:

– Serce pustyni bije trwogą.

A wtem drugi Beduin, jadący na czele jako przewodnik wielbłądów, odwrócił się i jął wołać:

– Idzie już! idzie!

I rzeczywiście wiatr nadchodził. W oddali pojawiła się jakby ciemna chmura, która czyniła się w oczach coraz wyższą i zbliżała się do karawany. Poruszyły się też naokół najbliższe fale powietrza i nagle podmuchy poczęły skręcać piasek. Tu i ówdzie tworzyły się lejki, jakby ktoś wiercił kijem powierzchnię pustyni. Miejscami wstawały chybkie wiry, podobne do kolumienek cienkich u spodu, a rozwianych jak pióropusze w górze. Ale wszystko to trwało przez jedno mgnienie oka. Chmura, którą pierwszy ujrzał przewodnik wielbłądów, nadleciała z niepojętą szybkością. W ludzi i zwierzęta uderzyło jakby skrzydło olbrzymiego ptaka. W jednej chwili oczy i usta jeźdźców napełniły się kurzawą. Tumany pyłu zakryły niebo, zakryły słońce i na świecie uczynił się mrok. Ludzie poczęli tracić się z oczu, a najbliższe nawet wielbłądy majaczyły jak we mgle. Nie szum – bo na pustyni nie ma drzew – ale huk wichru głuszył nawoływania przewodnika i ryk zwierząt. W powietrzu czuć było taką woń, jaką wydaje czad węgli. Wielbłądy stanęły i odwróciwszy się od wiatru, powyciągały długie szyje w dół, tak że nozdrza ich dotykały prawie piasku.

Sudańczycy nie chcieli jednak pozwolić na postój, gdyż karawany, które się wstrzymują w czasie huraganu, bywają często zasypywane. Najlepiej wtedy jest pędzić razem z wichrem, ale Idrys i Gebhr nie mogli i tego uczynić, albowiem w ten sposób wracaliby do Fajumu, skąd spodziewali się pogoni. Więc gdy pierwsze uderzenie przeszło, pognali znów wielbłądy.

Nastała chwilowa cisza, lecz rudy mrok rozpraszał się bardzo powoli, albowiem słońce nie mogło przebić się przez tumany zawieszone w powietrzu. Grubsze i cięższe drobinki piasku poczęły jednak opadać. Napełniły one wszystkie szpary i załamania w siodłach i zatrzymywały się w fałdach odzieży. Ludzie i zwierzęta za każdym oddechem wciągali pył, który drażnił ich płuca i skrzypiał w zębach.

Przy tym wicher mógł się zerwać na nowo i przesłonić całkiem świat. Stasiowi przyszło na myśl, że gdyby w chwili takich ciemności znalazł się na jednym wielbłądzie z Nel, to mógłby go zawrócić i uciekać z wiatrem na północ. Kto wie, czyby dostrzeżono ich wśród zmroku i zamętu żywiołów, a jeśliby zdołali dotrzeć do pierwszej lepszej wioski nad Bahr-Jussef przy Nilu, byliby ocaleni – Idrys i Gebhr nie ośmieliliby się nawet ich ścigać, albowiem wpadliby natychmiast w ręce miejscowych zabtiów.

Staś zważywszy to wszystko trącił w ramię Idrysa i rzekł:

– Daj mi gurdę z wodą.

Idrys nie odmówił, gdyż jakkolwiek rano skręcili znacznie w głąb pustyni i byli dość daleko od rzeki, mieli wody dość, a wielbłądy napiły się obficie w czasie nocnego posto-ju. Prócz tego, jako człowiek obeznany z pustynią, wiedział, że po huraganie przychodzi zwykle deszcz i wyschnięte khory zmienia chwilowo na strumienie.

Stasiowi chciało się rzeczywiście pić, więc pociągnął dobrze wody, po czym nie oddając gurdy trącił znowu w ramię Idrysa.

– Zatrzymaj karawanę.

– Dlaczego? – spytał Sudańczyk.

– Dlatego że chcę przesiąść się na wielbłąda małej bint i dać jej wody.

– Dinah ma większą gurdę od mojej.

– Ale jest łakoma i pewnie ją wypiła. Musiało się też nasypać dużo piasku do siodła, które uczyniliście podob-nym do kosza. Dinah nie da sobie z tym rady.

– Wiatr zerwie się za chwilę i znów wszystko zasypie.

– Tym bardziej mała bint będzie potrzebowała po-mocy.

Idrys uderzył batem wielbłąda – i przez chwilę jechali w milczeniu.

– Czemu nie odpowiadasz? – zapytał Staś.

– Bo się namyślam, czy lepiej przywiązać cię do siodła, czy związać ci ręce z tyłu.

– Oszalałeś!

– Nie. Ale odgadłem, coś chciał uczynić.

– Pogoń i tak nas doścignie, więc nie potrzebuję tego czynić.

– Pustynia jest w ręku Boga.

Umilkli znowu. Grubszy piasek opadł zupełnie; pozostał w powietrzu tylko subtelny, czerwony pył, coś w rodzaju śreżogi, przez którą słońce przeświecało jak miedziana blacha. Ale widać już było dalej. Przed karawaną ciągnęła się teraz płaska równina, na której krańcu bystre oczy Arabów dostrzegły znów chmurę. Była ona wyższa od poprzedniej, a oprócz tego wystrzelały z niej jakby słupy, jakby olbrzymie rozszerzone u góry kominy. Na ten widok zadrżały serca Arabów i Beduinów, albowiem rozpoznali wielkie wiry piaszczyste. Idrys podniósł ręce i zbliżywszy dłonie do uszu począł bić pokłony nadlatującemu wichrowi. Jego wiara w jedynego Boga nie przeszkadzała mu widoczne czcić i bać się innych, albowiem Staś usłyszał wyraźnie, jak mówił:

– Panie! My dzieci twoje, a więc nie pożresz nas!

A „pan" właśnie nadleciał i targnął wielbłądami z siłą tak straszliwą, że omal nie poupadały na ziemię. Zwierzęta zbiły się teraz w ciasną gromadę, z głowami zwróconymi w środek ku sobie. Poruszyły się całe masy piasku. Karawanę ogarnął mrok głębszy niż poprzednio, a w tym mroku przelatywały obok jeźdźców jakieś jeszcze ciemniejsze, niewyraźne przedmioty, jakby olbrzymie ptaki lub rozpędzone wraz z huraganem wielbłądy. Lęk ogarnął Arabów, którym zdawało się, że to są duchy zaginionych pod piaskami zwierząt i ludzi. Wśród huku i wycia wichru słychać było dziwne głosy podobne do szlochania, to do śmiechu, to do wołania o pomoc. Lecz to były złudy. Karawanie groziło stokroć groźniejsze, rzeczywiste niebezpieczeństwo. Sudańczycy wiedzieli dobrze, że jeśli który z wielkich wirów tworzących się ustawicznie w łonie huraganu pochwyci ich w swe skręty, to postrąca jeźdźców i porozprasza wielbłądy, a jeśli złamie się i zwali na nich, wówczas w mgnieniu oka usypie nad nimi olbrzymią piaszczystą mogiłę, w której będą czekali, póki następny huragan nie odwieje ich kościotrupów.

Stasiowi kręciło się w głowie, tchu brakło w piersiach i oślepiał go piasek. Ale zdawało mu się chwilami, że słyszy płacz i wołanie Nel, więc myślał tylko o niej. Korzystając z tego, że wielbłądy stały w zbitej kupie i że Idrys nie może na niego uważać, postanowił przeleźć po cichu na wielbłąda dziewczynki, już nie dlatego, by uciekać, ale by dać jej pomoc i dodać odwagi. Zaledwie jednak wziął nogi pod siebie i wyciągnął ręce chcąc schwycić za krawędź Nelinego siodła, szarpnęła nim olbrzymia pięść Idrysa. Sudańczyk porwał go jak piórko, położył przed sobą i począł go krępować palmowym powrozem, a po związaniu rąk przewiesił go przez siodło. Staś ścisnął zęby i opierał się jak mógł, ale na próżno. Mając wyschłe gardło i zasypane usta, nie mógł i nie chciał przekonywać Idrysa, że pragnął przyjść tylko z pomocą dziewczynce, nie zaś uciekać.

Po chwili jednak czując, że się dusi, począł wołać zdławionym głosem:

– Ratujcie małą bint!… Ratujcie małą bint!

Lecz Arabowie woleli myśleć o własnym życiu. Wieja uczyniła się tak straszna, że ani nie mogli usiedzieć na wielbłądach, ani wielbłądy ustać na miejscu. Dwaj Beduini oraz Chamis i Gebhr zeskoczyli na ziemię, aby trzymać zwierzęta za postronki przywiązane do kantarów pod ich dolną szczęką. Idrys zepchnąwszy Stasia w tył siodła uczynił to samo. Zwierzęta rozstawiały jak najszerzej nogi, by oprzeć się wściekłej wichurze, ale brakło im sił, i karawana, smagana żwirem, który zacinał jakby setkami biczów, i piaskiem, który kłuł jak szpilkami, poczęła to powolniej, to pospieszniej kręcić się i cofać pod naporem. Chwilami wicher wyrywał doły pod jej nogami; to znów piasek i żwir, obijając się o boki wielbłądów, tworzyły w mgnieniu oka kopce sięgające do ich kolan i wyżej. W ten sposób płynęła godzina za godziną. Niebezpieczeństwo stawało się coraz straszliwsze. Idrys zrozumiał wreszcie, że jedynym zbawieniem będzie siąść na wielbłądy i lecieć z wichrem. Ale byłoby to wracać w stronę Fajumu, gdzie czekały na nich sądy egipskie i szubienica.

„Ha! Trudno – pomyślał Idrys. – Huragan wstrzymał także i pogoń, a gdy ustanie, puścimy się znów na południe".

I począł krzyczeć, by siadano na wielbłądy.

A wtem zaszło coś, co zmieniło całkiem położenie.

Oto nagle mroczne, prawie czarne chmury piasku prześwietliły się sinawym światłem. Ciemność potem uczyniła się jeszcze głębsza, ale jednocześnie wstał śpiący na wysokościach i zbudzony przez wicher grzmot i począł przewalać się między Pustynią Arabską i Libijską – potężny, groźny, rzekłbyś: gniewny. Zdawało się, że z niebios staczają się góry i skały. Ogłuszający łoskot wzmagał się, rósł, wstrząsał światem, jął obiegać cały widnokrąg – miejscami wybuchał z siłą tak straszliwą, jakby spękane sklepienie niebieskie waliło się na ziemię; potem znów toczył się z głuchym, ciągłym turkotem; znów wybuchał, znów łamał się, oślepiał błyskawicą, raził gromami, zniżał, podwyższał, huczał i trwał.

Wiatr ucichł jakby przerażony, a gdy po długim czasie – gdzieś z niezmiernej oddali wrzeciądze niebios zatrzasnęły się za grzmotem, nastała martwa cisza.

Lecz po chwili w tej ciszy rozległ się głos przewodnika:

– Bóg jest nad wichrem i burzą! Jesteśmy ocaleni!

Ruszyli. Ale otaczała ich noc tak nieprzebita, że choć wielbłądy biegły blisko, ludzie nie mogli się widzieć – i musieli się co chwila odzywać głośno, by się wzajemnie nie pogubić. Od czasu do czasu jaskrawe błyskawice, sine lub czerwone, rozświecały piaszczystą przestrzeń, lecz po nich zapadła ciemność tak gęsta, że prawie namacalna. Mimo otuchy, którą wlał w serce Sudańczyków głos przewodnika, niepokój nie opuścił ich jeszcze właśnie dlatego, że posuwali się na oślep, nie wiedząc naprawdę, w którą stronę dążą – czy nie kręcą się w kółko lub nie wracają na północ. Zwierzęta potykały się co chwila i nie mogły biec prędko, a przy tym dyszały jakoś dziwnie i tak rozgłośnie, że jeźdźcom wydawało się, iż to cała pustynia dyszy z trwogi. Spadły na koniec pierwsze wielkie krople dżdżu, który prawie zawsze następuje po huraganie, a jednocześnie głos przewodnika ozwał się wśród ciemności:

– Khor!…

Byli nad wąwozem. Wielbłądy zatrzymały się na brzegu, po czym zaczęły ostrożnie zstępować ku dołowi.

Rozdział 9

Khor był szeroki, zasypany na dole kamieniami, między którymi rosły karłowate cierniste krzaki. Południową jego ścianę stanowiły wysokie skały, pełne załamań i rozpadlin. Arabowie rozeznali to wszystko przy świetle cichych, ale coraz częstszych błyskawic. Wkrótce też odkryli w skalistej ścianie rodzaj płytkiej jaskini, a raczej obszerny wnęk, w którym ludzie łatwo mogli się pomieścić i w razie wielkiej ulewy znaleźć przed nią schronienie. Wielbłądy pomieściły się też wygodnie na lekkim wzniesieniu, tuż przed wnękiem. Beduini i dwaj Sudańczycy pozdejmowali z nich ciężary i siodła, by mogły dobrze wypocząć, a Chamis, syn Chadigiego, zajął się tymczasem ścinaniem krzaków cierniowych na ognisko. Duże, pojedyncze krople deszczu spadały ciągle, ale ulewa rozpoczęła się dopiero wówczas, gdy już ludzie rozłożyli się na nocleg. Z początku były to jakby sznurki wody, potem powrozy, a w końcu zdawało się, że całe rzeki zlatują z niewidzialnych chmur na ziemię. Takie to właśnie dżdże, które zdarzają się raz na kilka lat, wzdymają nawet w zimie wodę w kanałach i w Nilu, a w Adenie napełniają olbrzymie cysterny, bez których miasto nie mogłoby wcale istnieć. Staś nigdy w życiu nie widział nic podobnego. Na dnie khoru począł szumieć potok, wnijście do wnęku zasłaniały jakby firanki wody, naokół słychać było tylko plusk i bełkotanie. Wielbłądy stały na wzniesieniu i ulewa mogła co najwyżej sprawić im kąpiel, jednakże Arabowie wyglądali co chwila, czy nie grozi zwierzętom niebezpieczeństwo. Ludziom natomiast miło było siedzieć w zabezpieczonej od deszczu jaskini, przy jasnym ogniu z chrustu, który nie zdążył zamoknąć. Na twarzach malowała się radość. Idrys, który zaraz po przybyciu rozwiązał Stasiowi ręce, aby mógł jeść, zwrócił się teraz do niego i rzekł uśmiechając się wzgardliwie:

– Mahdi większy jest od wszystkich białych czarowników. On to potłumił huragan i zesłał deszcz.

Staś nie odpowiedział nic, albowiem zajął się Nel, która ledwie żyła. Naprzód powytrząsał piasek z jej włosów, następnie, poleciwszy starej Dinah rozpakować rzeczy, które w przekonaniu, że dzieci jadą do ojców, zabrała do Fajumu, wziął ręcznik, namoczył go w wodzie, przetarł nim oczy i twarz dziewczynki. Dinah nie mogła tego uczynić, gdyż widząc, i to źle, na jedno tylko oko, zaniewidziała prawie zupełnie podczas huraganu i przemywanie rozpalonych powiek nie przyniosło jej na razie ulgi. Nel poddawała się biernie wszelkim zabiegom Stasia, patrzyła tylko na niego tak jak zmęczony ptaszek – i dopiero gdy zdjął jej trzewiczki, by powysypywać z nich piasek, a następnie usłał jej wojłok, zarzuciła mu rączki na szyję.

A w jego sercu wezbrała wielka litość. Uczuł się opiekunem, starszym bratem i jedynym w tej chwili obrońcą Nel i poczuł zarazem, że tę małą siostrzyczkę kocha ogromnie, daleko więcej niż kiedykolwiek przedtem. Kochał ją przecie i w Port-Saidzie, ale uważał za „berbecia” – więc na przykład nie przychodziło mu nawet do głowy, by na dobranoc całować ją w rękę. Gdyby mu ktoś poddał taką myśl, uważałby, że kawaler, który skończył lat trzynaście, nie może bez ujmy dla swej godności i wieku czegoś podobnego uczynić. Ale obecnie wspólna niedola wzbudziła w nim uśpioną tkliwość, więc ucałował nie jedną, ale obie rączki dziewczynki.

Położywszy się myślał o niej w dalszym ciągu i postanowił dokonać dla wyrwania jej z niewoli jakiegoś nadzwyczajnego czynu. Gotów był na wszystko, nawet na rany i śmierć, tylko z tym utajonym w duszy małym zastrzeżeniem, żeby rany nie bolały zanadto, a śmierć żeby już tam nie była koniecznie i naprawdę śmiercią, gdyż w takim razie nie mógłby widzieć szczęścia oswobodzonej Nel. Następnie jął zastanawiać się nad najbardziej bohaterskimi sposobami ratunku, ale myśli poczęły mu się mącić. Przez chwilę wydało mu się, że zasypują je całe chmury piasku, potem, że wszystkie wielbłądy pakują mu się do głowy – i usnął.

Arabowie po obrządzeniu wielbłądów, zmordowani walką z huraganem, posnęli też kamiennym snem. Ogniska przygasły: we wnęku zapanował mrok. Wkrótce rozległo się chrapanie ludzi, a z zewnątrz dochodził plusk ulewy i szum wody rozbijającej się o kamienie na dnie khoru. W ten sposób upływała noc.

Lecz przed świtem zbudziło Stasia z twardego snu uczucie zimna. Pokazało się, że woda zebrana w załamach na wierzchu skały, przedostając się z wolna i kropla po kropli przez jakąś szparę w sklepieniu jaskini, zaczęła wreszcie sączyć mu się na głowę. Chłopak siadł na wojłoku i przez jakiś czas zmagał się ze snem nie mogąc zmiarkować, gdzie jest i co się z nim dzieje.

Po chwili jednak wróciła mu przytomność.

„Aha! – pomyślał. – Wczoraj był huragan, a my jesteśmy porwani i to jest jaskinia, do której schroniliśmy się przed deszczem".

I jął rozglądać się dookoła. Naprzód spostrzegł ze zdziwieniem, że deszcz przeszedł – i że w jaskini nie jest wcale ciemno, gdyż rozświeca ją księżyc bliski już zachodu, więc tkwiący nisko na nieboskłonie. Przy bladych jego promieniach widać było całe wnętrze szerokiego, lecz płytkiego wnęku. Staś ujrzał wyraźnie leżących obok siebie Arabów, a pod drugą ścianą jaskini białą sukienkę Nel śpiącej przy Dinah.

I znów wielka tkliwość opanowała mu serce.

„Śpi Nel... śpi – mówił sobie – a ja nie śpię... i muszę ją ratować".

Po czym spojrzawszy na Arabów dodał w duszy:

„Ach, chciałbym tych wszystkich łotrów..."

Nagle drgnął.

Oto wzrok jego padł na skórzane pudło, w którym był sztucer ofiarowany mu na gwiazdkę – i na puszkę z ładunkami leżącą między nim a Chamisem tak blisko, że dość było wyciągnąć rękę.

Serce poczęło mu bić jak młotem. Gdyby mógł dorwać się do strzelby i ładunków, stałby się po prostu panem położenia. Dość było w takim razie wysunąć się cicho z wnęku, ukryć się o jakie kilkadziesiąt metrów między złomami kamieni i stamtąd pilnować wyjścia.

„Sudańczycy i Beduini – myślał – gdy zbudzą się i spostrzegą, że mnie nie ma, wypadną razem z jaskini, ale wówczas dwoma strzałami powalę dwóch pierwszych, a zanim drudzy nadbiegną, strzelba znów będzie nabita. Zostanie Chamis, ale z tym łatwo dam sobie rady".

Tu wyobraził sobie cztery trupy leżące we krwi i jednakże strach i zgroza chwyciła go za pierś. Zamordować czterech ludzi! Wprawdzie są to łotry, ale w każdym razie to rzecz przerażająca. Przypomniał sobie, jak raz w Port-Saidzie zobaczył robotnika-fellacha zabitego przez korbę parowej pogłębiarki i jakie straszne wrażenie zrobił na nim ten drgający w czerwonej kałuży szczątek ludzki. I wzdrygnął się na samo wspomnienie. A teraz trzeba by czterech!... I grzech, i okropność!... Nie, nie! tego nigdy nie potrafi uczynić.

Począł się bić z myślami. Dla siebie by tego nie zrobił – tak! Ale tu chodzi o Nel, chodzi o jej obronę, ocalenie i o jej życie, bo przecież ona tego wszystkiego nie wytrzyma i umrze z pewnością albo w drodze, albo wśród dzikich, rozbestwionych hord derwiszów. Co to znaczy krew takich nędzników wobec życia Nel i czy w podobnym położeniu wolno się wahać?

– Dla Nel! Dla Nel!

Lecz nagle przez głowę Stasia przeleciała jak wicher myśl, od której włosy zjeżyły mu się na głowie. Co będzie, jeśli który z tych zbójów przyłoży Nel nóż do piersi i zapowie, że ją zamorduje, jeżeli on – Staś – nie podda się i nie zwróci im strzelby. Wówczas co?

– Wówczas – odpowiedział sobie chłopak – poddam się natychmiast.

I w poczuciu swej niemocy rzucił się znów bezwładnie na wojłok.

Księżyc zaglądał już tylko z ukosa przez otwór jaskini i zrobiło się w niej ciemniej. Arabowie chrapali ciągle. Staś przeleżał czas jakiś, po czym nowa myśl poczęła mu świtać w głowie.

A gdyby, wysunąwszy się z bronią i ukrywszy wśród skał, nie zabijał ludzi, ale powystrzelał wielbłądy? Szkoda i żal niewinnych zwierząt – to prawda, cóż jednak robić!

Ludzie zabijają przecie zwierzęta nie tylko dla ocalenia życia, lecz na rosół i pieczeń. Otóż pewną jest rzeczą, że gdyby zdołał zabić cztery, a tym bardziej pięć wielbłądów, to dalsza podróż byłaby niemożliwa. Nikt z karawany nie śmiałby się udać do nadbrzeżnych wiosek dla zakupu nowych wielbłądów. A w takim razie Staś obiecałby w imieniu ojców ludziom bezkarność, a nawet nagrody pieniężne – i… nie pozostałoby im nic innego, jak wracać.

Tak. Jeśli jednak nie dadzą mu czasu do zrobienia tych obietnic i zabiją go w pierwszej chwili złości?

Dać czas i wysłuchać go muszą, albowiem mając w ręku strzelbę potrafi utrzymać ich w przyzwoitej odległości, póki wszystkiego nie wypowie. Gdy to uczyni, zrozumieją, że jedynym dla nich ratunkiem jest poddać się. Wówczas stanie na czele karawany i poprowadzi ją wprost do Bahr-Jussef i do Nilu. Wprawdzie są obecnie od nich dość daleko, może o dzień lub dwa drogi, gdyż Arabowie skręcili przez ostrożność znacznie w głąb pustyni. Ale to nie szkodzi; zostanie przecie kilka wielbłądów, a na jednym z nich pojedzie Nel. Staś począł się przypatrywać uważnie Arabom. Spali wszyscy mocno, jak śpią ludzie niezmiernie strudzeni, ale ponieważ noc miała się ku końcowi, mogli się wkrótce przebudzić. Trzeba było działać zaraz. Zabranie puszki z ładunkami nie przedstawiało trudności, gdyż leżała tuż obok. Trudniejsza była sprawa ze strzelbą, którą Chamis położył przy drugim swym boku. Staś miał nadzieję, że mu się uda ją wykraść, ale postanowił wydobyć ją z pudełka i włożyć na osadę z lufami dopiero, gdy będzie o kilkadziesiąt kroków od jaskini, gdyż obawiał się, by szczęk żelaza o żelazo nie pobudził śpiących.

Chwila nadeszła. Chłopak wygiął się jak pałąk nad Chamisem i chwyciwszy za ucho pudła podniósł je i począł przenosić na swoją stronę. Serce i tętna biły mu ciężko, w oczach ciemniało, oddech stał się szybki, ale on ścisnął zęby i starał się opanować wzruszenie. Jednakże gdy rzemyki opasujące pudło zaskrzypiały z lekka, krople zimnego potu wystąpiły mu na czoło. Ta sekunda wydała mu się wiekiem. Lecz Chamis ani drgnął. Pudło opisało nad nim łuk i stanęło cicho obok puszki z nabojami.

Staś odetchnął. Połowa roboty była wykonana. Teraz należało wysunąć się bez szelestu z jaskini, ubiec kilkadziesiąt kroków, następnie schować się w załamach, otworzyć pudło, złożyć strzelbę, nabić ją i wsypać sobie kilkanaście ładunków do kieszeni. Karawana byłaby wówczas istotnie na jego łasce.

Czarna sylwetka Stasia zarysowała się na jaśniejszym tle otworu jaskini. Jeszcze sekunda, a będzie już na zewnątrz. Jeszcze minuta, a ukryje się w załamach skalnych. A wtedy, choćby który ze zbójów się zbudził, nim pomiarkuje, co się stało, nim rozbudzi innych – będzie za późno. Chłopak z obawy, by nie zrzucić jakiego kamienia, których dużo leżało na progu wnęki, wysunął jedną nogę i począł szukać stopą pewnego gruntu.

I już wychylił z otworu głowę, już miał wysunąć się cały, gdy nagle stało się coś takiego, od czego krew ścięła mu się lodem w żyłach.

Oto wśród głębokiej ciszy rozgrzmiało jak grom radosne szczekanie Saby, napełniło cały wąwóz i zbudziło śpiące w nim echa. Arabowie porwali się ze snu jak jeden człowiek i pierwszym przedmiotem, który uderzył ich w oczy, był widok Stasia z pudłem w jednej i z puszką z nabojami w drugiej ręce.

Ach, Sabo, coś ty uczynił!…

Rozdział 10

Wszyscy w jednej chwili rzucili się z okropnym krzykiem na Stasia, w mgnieniu oka wydarli mu strzelbę, naboje i przewróciwszy go na ziemię skrępowali mu ręce i nogi postronkami, bijąc go przy tym i kopiąc, póki wreszcie nie odpędził ich Idrys w obawie o życie chłopca. Następnie poczęli rozmawiać urywanymi słowami, jak ludzie, nad którymi zawisło straszliwe niebezpieczeństwo i których ocalił tylko przypadek.

– To szatan wcielony! – zawołał Idrys z twarzą pobladłą ze strachu i wzruszenia.

– Byłby nas powystrzelał jak dzikie gęsi na karm! – dodał Gebhr.

– Ach, gdyby nie ten pies.

– Bóg go zesłał.

– A chcieliście go zabić! – rzekł Chamiś.

– Nikt go odtąd nie dotknie.

– Będzie miał zawsze kości i wodę.

– Allach! Allach! – powtarzał nie mogąc się uspokoić Idrys. – Śmierć była nad nami. Uf!

I poczęli spoglądać na leżącego Stasia z nienawiścią, ale i z pewnym zdumieniem, że jeden mały chłopak mógłby stać się przyczyną ich klęski i zguby.

– Na proroka! – odezwał się jeden z Beduinów – trzeba zapobiec temu, by ten syn Iblisa nie poskręcał nam karków. Węża wieziemy Mahdiemu! Co myślicie z nim teraz uczynić?

– Trzeba mu obciąć prawą pięść! – zawołał Gebhr.

Beduini nie odpowiedzieli nic, lecz Idrys nie chciał się na to zgodzić. Przyszło mu na myśl, że gdyby pogoń ich schwytała, kara za okaleczenie chłopca spadłaby na nich tym straszniejsza. Wreszcie, któż mógł zaręczyć, czy Staś nie umrze po operacji? A w takim razie na zamianę za Fatmę i jej dzieci pozostałaby tylko Nel.

Więc gdy Gebhr wydobył nóż chcąc spełnić swoją groźbę, Idrys chwycił go za przegub ręki i zatrzymał:

– Nie! – rzekł. – Wstyd byłby dla pięciu wojowników Mahdiego bać się tak jednego chrześcijańskiego szczeniaka, by aż obcinać mu pięści. Będziemy wiązali go na noc, a za to, co chciał teraz uczynić, otrzyma dziesięć uderzeń korbaczem.

Gebhr gotów był natychmiast do wykonania wyroku, ale Idrys odepchnął go znów i rozkazał bić jednemu z Beduinów, szepnąwszy mu do ucha, żeby nie czynił tego zbyt mocno. Ponieważ Chamis, może ze względu na swą dawną służbę u inżynierów, a może z jakiej innej przyczyny, nie chciał się do niczego mieszać, drugi Beduin przewrócił Stasia grzbietem do góry i egzekucja miała się już rozpocząć, gdy wtem zaszła niespodziewana przeszkoda.

Oto w otworze wnęku ukazała się Nel wraz z Sabą.

Zajęta swoim ulubieńcem, który wpadłszy do jaskini rzucił się zaraz do jej nóżek, słyszała ona wprawdzie krzyki Arabów, ale że w Egipcie zarówno Arabowie, jak i Beduini wrzeszczą przy każdej sposobności, tak jakby się mieli wzajem mordować, więc nie zwracała na to uwagi. Dopiero zawoławszy Stasia i nie otrzymując od niego odpowiedzi

wyszła zobaczyć, czy nie siedzi już na wielbłądzie, i z przerażeniem ujrzała przy pierwszych blaskach poranku Stasia
leżącego na ziemi, a nad nim Beduina z korbaczem w ręku.
Na ten widok poczęła krzyczeć wniebogłosy i tupać nóżkami, a gdy Beduin nie zważając na to wymierzył chłopcu
pierwsze uderzenie, rzuciła się naprzód i przykryła sobą
chłopca.

Beduin zawahał się, gdyż nie miał rozkazu bić dziewczynki, a tymczasem rozległ się jej pełen rozpaczy i przerażenia głos:

– Saba! Saba!

A Saba zrozumiał, o co chodzi – i w jednym skoku
znalazł się przy dzieciach. Sierść zjeżyła mu się na karku
i grzbiecie, oczy zapłonęły czerwono, w piersiach i potężnej
gardzieli zahuczał jakby grzmot.

A następnie wargi pomarszczonej paszczy podnosiły
się z wolna w górę – i zęby oraz długie na cal białe kły
ukazały się aż do krwawych dziąseł. Olbrzymi brytan począł teraz zwracać głowę w prawo i w lewo, jakby chciał
pokazać dobrze Sudańczykom i Beduinom swój straszliwy
„garnitur”, powiedzieć im: – „Patrzcie! oto, czym będę
bronił dzieci”.

Oni zaś cofnęli się pospiesznie, albowiem naprzód wiedzieli, że Saba uratował im życie, a po wtóre, było rzeczą
jasną, że kto by zbliżył się w tej chwili do Nel, temu roz-
wścieczony mastyf utopiłby natychmiast kły w gardle.
Więc stali bezradni, spoglądając na się niepewnym wzrokiem i jakby pytając jeden drugiego, co obecnie należy
czynić.

Wahanie się ich trwało tak długo, że Nel miała dość
czasu, by zawołać starą Dinah i kazać jej porozcinać więzy

Stasia. Wtedy chłopiec wstał i trzymając dłoń na głowie Saby, zwrócił się do napastników:

– Nie chciałem pozabijać was, tylko wielbłądy – rzekł przez zaciśnięte zęby.

Lecz i ta wiadomość przeraziła tak Arabów, że byliby się niezawodnie rzucili znów na Stasia, gdyby nie płonące oczy i nie zjeżona jeszcze sierść Saby. Gebhr chciał nawet skoczyć ku niemu, ale jedno głuche warknięcie przykuło go do miejsca.

Nastała chwila milczenia – po czym zabrzmiał donośny głos Idrysa:

– W drogę! W drogę!

Rozdział II

Minął dzień, noc i jeszcze dzień, a oni pędzili wciąż na południe, zatrzymując się tylko na czas krótki w khorach, by nie zmordować zbyt wielbłądów, napoić je, nakarmić, a zarazem rozdzielić żywność i wodę między sobą. Z obawy pogoni wykręcili jeszcze bardziej na zachód, o wodę bowiem nie potrzebowali się przez pewien czas troszczyć. Ulewa trwała wprawdzie nie więcej nad siedem godzin, ale była tak niezmierna, jakby nad pustynią nastąpiło oberwanie się chmur, więc zarówno Idrys i Gebhr, jak i Beduini wiedzieli, że na dnie khorów i w tych miejscach, gdzie skały tworzą naturalne wgłębienia i ocembrzyny, znajdzie się przez parę dni tyle wody, że nie tylko starczy dla nich i dla wielbłądów, ale nawet na zrobienie zapasów. Po wielkim dżdżu nastała, jak zwykle bywa, wspaniała pogoda. Niebo było bez chmurki, powietrze tak przezroczyste, że wzrok sięgał na niezmierną odległość. W nocy niebo nabite gwiazdami skrzyło się i migotało, jakby tysiącami diamentów. Od piasków pustyni szedł rzeźwy chłód.

Garby wielbłądów stały się już mniejsze, ale zwierzęta, karmione dobrze, były wciąż wedle arabskiego wyrażenia „harde", to jest, nie podupadły na siłach i biegły tak ochoczo, że karawana posuwała się naprzód niewiele wolniej niż pierwszego dnia po wyruszeniu z Gharak-el-Sultani. Staś ze zdziwieniem zauważył, że w niektórych khorach, w rozpadlinach skalnych zabezpieczonych od deszczu,

Beduini znajdują zapasy durry i daktyli. Domyślił się z tego, że przed porwaniem ich zostały poczynione pewne przygotowania i że wszystko było z góry ułożone między Fatmą, Idrysem i Gebhrem z jednej, a Beduinami z drugiej strony. Łatwo było również odgadnąć, że dwaj ci ludzie byli to stronnicy i wyznawcy Mahdiego, którzy chcieli się do niego przedostać i dlatego łatwo dali się wciągnąć Sudańczykom do spisku. W okolicach Fajumu i koło Gharak-el-Sultani sporo było Beduinów, którzy wraz z dziećmi i wielbłądami koczowali na pustyni i przychodzili do Medinet lub do stacji kolejowych dla zarobku. Tych dwóch Staś nie widywał jednak nigdy poprzednio – i oni również nie musieli bywać w Medinet, skoro, jak się pokazało, nie znali Saby.

Chłopcu przychodziło na myśl, czyby nie spróbować ich przekupić, ale przypomniawszy sobie ich pełne zapału okrzyki, ilekroć wspomniano przy nich imię Mahdiego, uznał to za rzecz niemożliwą. Nie poddał się wszelako biernie wypadkom, albowiem w tej chłopięcej duszy tkwiła zadziwiająca istotnie energia, którą podnieciły jeszcze dotychczasowe niepowodzenia. „Wszystko, com przedsięwziął – mówił sobie – skończyło się na tym, że mnie obito. Ale choćby mnie mieli co dzień smagać korbaczem, a nawet zabić, nie przestanę myśleć o tym, by wyrwać Nel i siebie z rąk tych łotrów. Jeżeli pogoń ich schwyci, to tym lepiej, ja jednak będę tak postępował, jakbym się jej wcale nie spodziewał". – I na wspomnienie o tym, co go spotkało, na myśl o tych zdradliwych i okrutnych ludziach, którzy po wyrwaniu mu strzelby okładali go pięściami i kopali, burzyło się w nim serce i rosła zawziętość. Czuł się nie tylko zwyciężonym, lecz i upokorzonym przez nich w swej dumie białego człowieka. Przede wszystkim jednak czuł krzywdę

Nel – i to poczucie wraz z goryczą, która zapiekła się w nim po ostatnim niepowodzeniu, zmieniało się w nieubłaganą nienawiść do obu Sudańczyków. Słyszał wprawdzie nieraz od ojca, że nienawiść zaślepia i że poddają jej się tylko takie dusze, które nie umieją zdobyć się na coś lepszego; na razie jednak nie mógł jej w sobie pokonać i nie umiał jej ukryć.

Nie umiał zaś tak dalece, że Idrys zauważył ją i począł się niepokoić, zrozumiał bowiem, że w razie jeśli pogoń ich schwyta, nie może już liczyć na wstawiennictwo chłopca. Idrys gotów był zawsze do czynów najzuchwalszych, ale jako człowiek nie pozbawiony rozumu, sądził, że należy wszystko przewidzieć i w razie nieszczęścia zostawić sobie jakąś otwartą furtkę ocalenia. Z tego powodu chciał się po ostatnim zajściu jako tako ze Stasiem pojednać i w tym celu na pierwszym przystanku rozpoczął z nim następującą rozmowę:

– Po tym, co zamierzałeś uczynić – rzekł – musiałem cię ukarać, gdyż inaczej tamci byliby cię zabili, ale zakazałem Beduinom bić cię zbyt mocno.

A gdy nie otrzymał żadnej odpowiedzi, tak po chwili mówił dalej:

– Słuchaj, sam powiedziałeś, że biali dotrzymują zawsze przysięgi, więc jeśli mi przysięgniesz na twego Boga i na głowę małej bint, że nie uczynisz nic przeciw nam, to nie każę cię na noc wiązać.

Staś nie odrzekł i na to ani słowa i tylko z błysku jego oczu Idrys poznał, że przemawia na próżno.

Jednakże, mimo namów Gebhra i Beduinów, nie kazał go na noc wiązać, a gdy Gebhr nie przestawał nalegać, odrzekł mu z gniewem:

– Zamiast pójść spać, będziesz dziś stał na straży. Postanawiam też odtąd, że jeden z nas będzie zawsze czuwał podczas snu innych.

I rzeczywiście zmiany straży zaprowadzone zostały od owego dnia na stałe. Utrudniało to i niweczyło w wysokim stopniu wszelkie zamysły Stasia, na którego każdy wartownik zwracał baczną uwagę.

Lecz natomiast zostawiono dzieciom większą swobodę, tak że mogły zbliżać się do siebie i rozmawiać bez przeszkód. Zaraz też na pierwszym przystanku Staś siadł koło Nel, pilno mu bowiem było podziękować jej za pomoc.

Ale choć czuł dla niej wielką wdzięczność, nie umiał wyrażać się górnolotnie ani czule, więc począł tylko potrząsać obie jej rączki.

– Nel! – rzekł. – Jesteś bardzo dobra i dziękuję ci, a prócz tego otwarcie powiadam, że postąpiłaś jak osoba co najmniej trzynastoletnia.

W ustach Stasia podobne słowa były najwyższą pochwałą, więc serce małej kobietki zapłonęło radością i dumą. Wydawało jej się w tej chwili, że nie masz dla niej nic niepodobnego.

– Niech ja tylko całkiem dorosnę, to oni obaczą! – odrzekła spoglądając wojowniczo w stronę Sudańczyków.

Ale ponieważ nie rozumiała jeszcze, o co chodziło i dlaczego Arabowie rzucili się wszyscy na Stasia, więc chłopak począł opowiadać, jak postanowił wykraść strzelbę, pozabijać wielbłądy i zmusić wszystkich do powrotu nad rzekę.

– Gdyby mi się to udało – mówił – bylibyśmy już wolni.

– Ale oni przebudzili się? – pytała z bijącym sercem dziewczynka.

– Przebudzili się. Zrobił to Saba, który przyleciał i począł tak szczekać, że zbudziłby umarłego.

Wówczas oburzenie jej zwróciło się przeciw Sabie.

– Brzydki Saba! Brzydki! Za to, jak teraz przyleci, nie przemówię do niego ani słowa i powiem mu, że jest szkaradny.

Na to Staś, choć nie było mu w ogóle do śmiechu, uśmiechnął się jednak i zapytał:

– Jakże będziesz mogła nie przemówić do niego ani słowa i jednocześnie powiedzieć mu, że jest szkaradny?

Brewki Nel podniosły się do góry i na twarzy odbiło się zakłopotanie, po czym odrzekła:

– Pozna to z mojej miny.

– Chyba. Ale on nie jest winien, bo nie mógł wiedzieć, co się dzieje. Pamiętaj także, że potem przyszedł nam na ratunek.

Wspomnienie to złagodziło trochę gniew Nel, nie chciała jednak udzielić od razu winowajcy przebaczenia.

– To dobrze – rzekła – ale kto jest prawdziwym dżentelmenem, ten nie powinien szczekać na powitanie.

Staś uśmiechnął się znowu:

– Prawdziwy dżentelmen nie szczeka i na pożegnanie, chyba że jest psem, a Saba jest nim.

Lecz po chwili smutek zamglił oczy chłopca – westchnął raz, drugi, po czym wstał z kamienia, na którym siedział, i rzekł:

– Najgorsze to, że nie mogłem ciebie uwolnić.

A Nel wspięła się na paluszki i zarzuciła mu ręce na szyję. Chciała go pocieszyć, chciała z bliska, z noskiem przy jego twarzy, wyszeptać podziękowanie, ale ponieważ nie umiała znaleźć słów odpowiednich, więc ścisnęła go tylko jeszcze mocniej za szyję i pocałowała w ucho. Tymczasem Saba, który spóźniał się zawsze – nie tyle dlatego, że nie mógł zdążyć za wielbłądami, ile dlatego, że polował po drodze na szakale lub obszczekiwał sępy siedzące na zrębach skał – nadleciał z nie mniejszym niż zwykle hałasem. Dzieci na jego widok zapomniały o wszystkim i mimo ciężkiego ich położenia zwykłe pieszczoty i zabawa rozpoczęły się na dobre, póki nie przerwali ich Arabowie. Chamis dał psu jeść i wody, po czym siedli wszyscy na wielbłądy i ruszyli w największym pędzie na południe.

Rozdział 12

Był to najdłuższy etap, jechali bowiem z małą tylko przerwą przez godzin osiemnaście. Tylko prawdziwie wierzchowe wielbłądy i mające dobry zapas wody w żołądkach mogą taką drogę wytrzymać. Idrys nie oszczędzał ich, albowiem bał się rzeczywiście pogoni. Rozumiał, że musiała już od dawna wyruszyć, a przypuszczał, że obaj inżynierowie znajdują się na jej czele i że czasu nie tracą. Niebezpieczeństwo groziło od strony rzeki, albowiem było rzeczą pewną, że zaraz po porwaniu dzieci zostały wysłane rozkazy telegraficzne do wszystkich osad pobrzeżnych, ażeby szeikowie czynili wyprawy wgłąb pustyni na obie strony Nilu i zatrzymywali wszystkich jadących na południe. Chamis zapewniał, że rząd i inżynierowie musieli wyznaczyć wielkie nagrody za ich schwytanie i że wskutek tego pustynia roi się zapewne od poszukujących. Jedyną na to radą byłoby skręcić jak najdalej na zachód; ale na zachodzie leżała wielka oaza Kharge, do której depesze mogły dojść także, a oprócz tego, gdyby odjechali za daleko od rzeki, po kilku dniach zabrakłoby im wody i czekała śmierć z pragnienia.

A chodziło także o żywność. Beduini w ciągu dwóch tygodni poprzedzających porwanie dzieci przygotowali wprawdzie w znanych sobie kryjówkach zapas durry, sucharów i daktyli, ale tylko na odległość czterech dni drogi od Medinet. Idrys ze strachem myślał, że gdy zabraknie pożywienia, trzeba będzie koniecznie wysłać ludzi po zakup zapasów do wiosek nadbrzeżnych, a wtedy ludzie ci, wobec rozbudzonej czujności i przyobiecanych za schwytanie zbiegów nagród, łatwo mogą wpaść w ręce miejscowych szeików – i wydać całą karawanę. Położenie było istotnie trudne, niemal rozpaczliwe, i Idrys widział z każdym dniem jaśniej na jakie szalone porwał się przedsięwzięcie.

„Byle minąć Assuan! byle minąć Assuan!" – mówił sobie z trwogą i rozpaczą w duszy. Nie dowierzał on Chamisowi, który twierdził, że wojownicy Mahdiego dochodzą już do Assuanu, albowiem Staś temu zaprzeczył, Idrys zaś pomiarkował od dawna, że biały uled wie więcej od nich wszystkich. Ale przypuszczał, że za pierwszą kataraktą, gdzie lud jest dzikszy, mniej podległy wpływom Anglików i egipskiego rządu, znajdzie się więcej utajonych wyznawców proroka, którzy w danym razie dadzą im pomoc, dostarczą żywności i wielbłądów. Lecz i do Assuanu było jeszcze, jak wyliczyli Beduini, około pięciu dni drogi, coraz bardziej pustynnej, a każdy postój zmniejszał w oczach zapasy dla zwierząt i ludzi.

Na szczęście, mogli przynaglać wielbłądy i pędzić w największym pośpiechu, albowiem upały nie wyczerpywały ich sił. W dzień, podczas godzin południowych, słońce przypiekało wprawdzie mocno, ale powietrze było wciąż rzeźwe, a noce tak chłodne, że Staś przesiadał się za zgodą Idrysa na wielbłąda Nel, chcąc czuwać nad jej zdrowiem i bronić ją od zaziębienia.

Lecz jego obawy były płonne, gdyż Dinah, której stan oczu, a raczej oka, poprawił się znacznie, pilnowała z wielką troskliwością swej panienki. Chłopca zdziwiło to nawet, że zdrowie małej nie poniosło dotychczas szwanku i że tę drogę z coraz mniejszymi odpoczynkami, znosiła równie dobrze jak on sam. Zmartwienie, obawa i łzy, które przelewała z tęsknoty za tatusiem, nie zaszkodziły jej zbyt widocznie. Może wychudła trochę i jasna twarzyczka sczerniała jej od wiatru, ale w następnych dniach podróży odczuwała daleko mniej zmęczenia niż z początku. Prawda, że Idrys oddał jej najlżej niosącego wielbłąda i urządził siodło znakomicie, tak że mogła w nim sypiać leżąc, głównie jednak świeże powietrze pustyni, którym dzień i noc oddychała, dodawało jej sił do znoszenia trudów i niewywczasów.

Staś nie tylko czuwał nad nią, ale umyślnie otaczał ją jakby czcią, której mimo ogromnego przywiązania do małej siostrzyczki wcale nie odczuwał. Zauważył jednak, że to udziela się Arabom i że ci mimo woli utwierdzają się w przekonaniu, iż wiozą coś niesłychanie cennego, jakąś wyjątkowo ważną brankę, z którą trzeba postępować jak najostrożniej. Idrys przyzwyczaił się do tego jeszcze w Medinet – toteż wszyscy obchodzili się z nią dobrze. Nie żałowano jej wody ani daktylów. Okrutny Gebhr nie śmiałby już teraz podnieść na nią ręki. Może przyczyniała się do tego nadzwyczajna uroda dziewczynki i to, że było w niej coś jakby z kwiatu i jakby z ptaszka, a urokowi temu nie umiały oprzeć się nawet dzikie i nierozwinięte dusze Arabów. Nieraz też, gdy na postojach stawała przy ognisku nanieconym z róż jerychońskich lub cierni – różowa od płomienia i srebrna od księżyca, zarówno Sudańczycy, jak Beduini nie mogli od niej oczu oderwać cmokając wedle swego zwyczaju z podziwu i pomrukując: *„Allach, Maszallach"* lub *„Bismillach"*.

Drugiego dnia w południe, po owym długim etapie, Staś i Nel którzy jechali tym razem na jednym wielbłądzie, mieli chwilę radosnego wzruszenia. Zaraz po wschodzie słońca unosiła się nad pustynią jasna i przezrocza mgła, która jednak wnet opadła. Potem, gdy słońce wzbiło się wyżej, upał uczynił się tym większy niż w dniach poprzednich. W chwilach, gdy wielbłądy przystawały nie było czuć najmniejszego powiewu, tak że zarówno powietrze, jak i piaski zdawały się spać w cieple, świetle i ciszy. Karawana wjechała właśnie na wielką, jednostajną równinę nie poprzerywaną khorami, gdy nagle oczom dzieci przedstawił się cudny widok. Kępy smukłych palm i drzew pieprzowych, plantacje mandarynek, białe domy, mały meczet ze strzelistym minaretem, a niżej mury otaczające ogrody, wszystko to pojawiło się z taką wyrazistością i w odległości tak niewielkiej, iż można było mniemać, że po upływie pół godziny karawana znajdzie się wśród drzew oazy.

– Co to? – zawołał Staś. – Nel! Nel! Patrz!

Nel podniosła się i na razie zamilkła ze zdumienia, ale po chwili poczęła krzyczeć z radości:

– Medinet! Do tatusia! Do tatusia!

A Staś aż pobladł ze wzruszenia.

– Doprawdy... Może to Kharge... Ale nie! To chyba Medinet...

Poznaję minaret i widzę nawet wiatraki na studniach.

Jakoż istotnie w oddali błyszczały wysoko wzniesione wiatraki studni amerykańskich podobne do wielkich białych gwiazd. Na zielonym tle drzew widać je było tak dokładnie, że bystry wzrok Stasia mógł odróżnić pomalowane na czerwono brzegi skrzydeł.

– To Medinet!

Staś wiedział przecie i z książek, i z opowiadań, że na pustyni istnieją majaki, zwane fatamorganą, i że nieraz podróżnym zdarza się widzieć oazy, miasta, kępy drzew i jeziora, które są niczym innym, jak złudą, grą światła i odbiciem rzeczywistych, dalekich przedmiotów. Ale tym razem zjawisko było tak wyraźne, tak niemal dotykalne, że jednak nie mógł wątpić, iż widzi prawdziwe Medinet. Oto wieżyczka na domu mudira, oto urządzony pod samym szczytem minaretu kolisty ganek, z którego muezin woła do modlitwy, oto znajome grupy drzew – i zwłaszcza te wiatraki! Nie – to musi być rzeczywistość. Chłopcu przyszło na myśl, że może Sudańczycy zastanowiwszy się nad położeniem przyszli do przekonania, że nie uciekną, i nic mu nie mówiąc nawrócili do Fajumu. Ale spokój ich nasunął mu pierwsze wątpliwości. Gdyby to istotnie był Fajum, czyżby patrzyli na nie tak obojętnie? Widzieli przecie zjawisko i pokazywali je sobie palcami, ale w ich twarzach nie było znać najmniejszej niepewności lub wzruszenia. Staś spojrzał jeszcze raz i może ta obojętność Arabów sprawiła, że obraz wydał mu się bledszy. Pomyślał także, że gdyby naprawdę wracali, to karawana skupiłaby się i ludzie, choćby tylko z obawy, jechaliby wszyscy razem. A tymczasem Beduinów, którzy z rozkazu Idrysa od kilku dni wysuwali się znacznie naprzód, wcale nie było widać – a Chamis jadący w tylnej straży wydawał się w oddali nie większy od lecącego przy ziemi sępa.

„Fatamorgana!" – rzekł sobie Staś.

Tymczasem Idrys zbliżył się ku niemu i zawołał?

– Hej! Popędzaj wielbłąda! Widzisz Medinet?

Mówił widocznie żartobliwie i w głosie jego było tyle przekory, że w duszy chłopca zniknął ostatni cień nadziei, by miał przed sobą prawdziwy Medinet.

I z żalem w sercu zwrócił się do Nel chcąc rozproszyć i jej złudzenie, gdy niespodzianie zaszedł wypadek, który zwrócił uwagę wszystkich w inną stronę.

Naprzód pojawił się Beduin, pędząc co sił ku nim i machając z daleka długą arabską strzelbą, której poprzednio nikt w karawanie nie posiadał. Dopadłszy do Idrysa zamienił z nim kilka pospiesznych słów, po czym karawana skręciła żywo w głąb pustyni. Lecz po upływie pewnego czasu ukazał się drugi Beduin wiodący za sobą na powrozie tłustą wielbłądzicę z siodłem na garbie i ze skórzanymi workami zawieszonymi na bokach. Zaczęła się znów krótka rozmowa, z której Staś nie mógł jednak nic pochwycić. Karawana w wielkim pędzie dążyła wciąż na zachód i zatrzymała się dopiero wówczas, gdy trafiono na wąski khor, pełen porozrzucanych w dzikim nieładzie skał, rozpadlin i pieczar. Jedna z nich była tak obszerna, że Sudańczycy ukryli w niej ludzi i wielbłądy. Staś, jakkolwiek domyślał się mniej więcej co zaszło, położył się obok Idrysa i udał śpiącego w nadziei, że Arabowie, którzy zamienili dotychczas zaledwie kilka słów o zdarzeniu, zaczną teraz o nim rozmawiać. Jakoż nadzieja nie zawiodła go, albowiem zaraz po zasypaniu wielbłądom obroków Beduini i Sudańczycy wraz z Chamisem zasiedli do narady.

– Możemy odtąd jechać tylko nocą, a w dzień musimy się przytajać – ozwał się jednooki Beduin. – Khorów będzie teraz dużo i w każdym znajdzie się bezpieczna kryjówka.

– Czy jesteście pewni, że to był strażnik? – zapytał Idrys?

– Allach! Rozmawialiśmy z nim. Szczęście, że był tylko jeden. Stał zakryty skałą, tak że nie mogliśmy go widzieć, ale słyszeliśmy z dala głos wielbłąda. Wtedy zwolniliśmy biegu i podjechaliśmy tak cicho, że zobaczył nas dopiero, gdyśmy byli o kilka kroków. Przestraszył się bardzo i chciał zmierzyć ku nam ze strzelby. Gdyby był wystrzelił, choćby żadnego z nas nie zabił, mogli usłyszeć strzał inni strażnicy, więc co tchu powiadam: „Stój! Ścigamy ludzi, którzy porwali dwoje białych dzieci i wkrótce nadbiegnie tu cała pogoń". Chłopiec był młody i głupi, więc uwierzył, kazał nam tylko przysiąc na Koran, że tak jest. Zsiedliśmy z wielbłądów i przysięgli… Mahdi nas rozgrzeszy…

– I pobłogosławi – rzekł Idrys. – Mów, coście następnie uczynili.

– Oto – ciągnął Beduin – gdyśmy mu przysięgli, powiadam chłopcu tak: „Ale, któż nam zaręczy, czy ty sam nie należysz do zbójców, którzy uciekają z białymi dziećmi, i zali to nie oni zostawili cię tu, byś powstrzymał pogoń". I kazałem mu także przysiąc, a on się na to zgodził i tym bardziej nam uwierzył. Zaczęliśmy go wypytywać, czy przyszły jakie rozkazy po miedzianym drucie od szeików i czy na pustyni pościg jest urządzony. Powiedział, że tak, że obiecano im wielkie nagrody i że wszystkie khory są strzeżone na dwa dni drogi od rzeki, a po rzece przepływają ciągle wielkie babury (parowce) z Anglikami i wojskiem…

– Nie pomogą babury ani wojsko przeciw sile Allacha i proroka…

– Niech się stanie jak mówisz!

– A ty powiedz, jak skończyliście z chłopcem?

Jednooki Beduin wskazał swego towarzysza.

– Abu-Anga – rzekł – zapytał go jeszcze, czy w pobliżu nie ma drugiego strażnika, a gdy odpowiedział, że nie, wówczas pchnął go nożem pod szyję tak nagle, że ów nie wydał żadnego głosu. Wrzuciliśmy go w głęboką szczelinę i przykryliśmy kamieniami i cierniem. W wiosce będą myśleli, że uciekł do Mahdiego, bo mówił nam, że to się trafia.

– Niech Bóg błogosławi tych, którzy uciekają, jak pobłogosławił was – odpowiedział Idrys.

– Tak! Pobłogosławił – odparł Abu-Anga – albowiem wiemy teraz, że musimy trzymać się o trzy dni drogi od rzeki, a oprócz tego zdobyliśmy strzelbę, której nam brakło i dojną wielbłądzicę.

– Gurdy – dodał jednooki – są napełnione wodą i w biesagach jest sporo prosa, tylko prochu znaleźliśmy mało.

– Chamis wiezie kilkaset ładunków do tej strzelby białego chłopca, z której nie umiemy strzelać. Proch zawsze jest jednaki i przyda się do naszej.

To rzekłszy Idrys zamyślił się jednak i ciężka troska odbiła się na jego ciemnej twarzy, zrozumiał bowiem, że gdy raz trup padł za nimi, to gdyby obecnie wpadli w ręce egipskiego rządu, już i wstawiennictwo Stasia nie ochroniłoby ich od sądu i kary.

Staś słuchał z bijącym sercem i natężoną uwagą. Były w tej rozmowie rzeczy pocieszające, a mianowicie to, że pościg był urządzony, nagrody obiecane i że szeikowie plemion pobrzeżnych odebrali rozkazy zatrzymywania karawan jadących na południe. Ucieszyła chłopca i wiadomość o parowcach płynących w górę rzeki, napełnionych wojskiem angielskim. Derwisze Mahdiego mogli się mierzyć z armią egipską i nawet zwyciężać ją, ale z Anglikami była całkiem inna sprawa i Staś ani na chwilę nie wątpił, że pierwsza bitwa skończy się doszczętną zagładą dzikich tłumów. Więc z pociechą w duszy mówił sobie tak: „Choćby nas dowieźli do Mahdiego, to może się zdarzyć, że nim nas dowiozą, nie będzie już ani Mahdiego, ani jego derwiszów". Lecz tę pociechę zatruła mu myśl, że w takim razie czekają ich jeszcze całe tygodnie drogi, która w końcu musi jednak wyczerpać siły Nel – i przez cały ten czas czeka ich towarzystwo łotrów i morderców. Na wspomnienie tego młodego Araba, którego Beduini zarżnęli jak barana, ogarnął Stasia lęk i żal. Postanowił nie mówić o tym Nel, by nie przestraszać jej i nie powiększać smutku, który odczuwała po zniknięciu złudnego obrazu oazy Fajum i miasta Medinet. Widział przed przybyciem do wąwozu, że mimo woli łzy cisnęły się jej do oczu; przeto gdy dowiedział się z opowiadania Beduinów wszystkiego, czego chciał, udał, że się rozbudził, podszedł ku niej. A ona siedziała w kącie przy Dinah i jedząc daktyle skrapiała je trochę łzami. Ale ujrzawszy Stasia przypomniała sobie, że niedawno uznał jej postępowanie za godne osoby co najmniej trzynastoletniej, więc nie chcąc pokazać się znów dzieckiem ścisnęła z całej siły ząbkami pestkę daktyla, aby pohamować łkanie.

– Nel! – rzekł chłopak – Medinet to było złudzenie, ale wiem na pewno, że nas ścigają, więc nie martw się i nie płacz.

Na to dziewczynka podniosła ku niemu załzawione źrenice i odpowiedziała przerywanym głosem:

– Nie, Stasiu… ja nie chcę płakać… tylko mi się tak… oczy pocą…

Ale w tej chwili bródka poczęła się jej trząść, spod stulonych rzęs wybiegły wielkie łzy i rozszlochała się na dobre.

Że jednak wstyd jej było tych łez i oczekiwała za nie bury od Stasia, więc ze wstydu, a trochę i ze strachu, pochowała główkę na jego piersiach, mocząc mu obficie ubranie.

Lecz on jął ją zaraz pocieszać.

– Nel, nie bądź fontanną. Widziałaś, że oni odebrali jakiemuś Arabowi strzelbę i wielbłądzicę? A wiesz, co to znaczy? To znaczy, że na pustyni pełno jest straży. Raz się tym niegodziwcom udało przyłapać strażnika, a drugi raz ich samych złapią. Po Nilu krąży też mnóstwo statków… A jakże! Wrócimy, Nel, wrócimy – i do tego parowcem. Nie bój się!…

I byłby ją dłużej w ten sposób pocieszał, gdyby uwagi jego nie zwrócił dziwny dźwięk dochodzący z zewnątrz od wydm piaszczystych, których ostatni huragan nawiał na dno wąwozu. Było to coś podobnego do cienkiego, metalicznego głosu trzcinowej piszczałki. Staś przerwał rozmowę i począł nasłuchiwać. Po chwili takie cieniutkie i żałosne głosy ozwały się z wielu stron naraz. Chłopcu przebłysła myśl, że może straże arabskie otaczają wąwóz i nawołują się za pomocą gwizdawek. Serce poczęło mu bić. Spojrzał raz i drugi na Sudańczyków w nadziei, że na twarzach ich ujrzy trwogę, ale nie! Idrys, Gebhr i dwaj Beduini gryźli spokojnie suchary, tylko Chamis zdawał się być trochę zdziwiony. A głosy trwały ciągle. Po pewnym czasie Idrys wstał i wyjrzał z pieczary, po czym wracając zatrzymał się koło dzieci i rzekł:

– Piaski zaczynają śpiewać.

Staś był tak rozciekawiony, że zapomniał w tej chwili, iż postanowił nie rozmawiać wcale z Idrysem, i zapytał:

– Piaski? Co to znaczy?

– Tak bywa, a znaczy to, że długo nie będzie deszczu. Ale upał nam nie dokuczy, gdyż aż do Assuanu będziemy jechali tylko nocą.

I więcej nie można się było od niego dowiedzieć. Staś i Nel wsłuchiwali się długo w te osobliwe dźwięki, które trwały dopóty, dopóki słońce nie zniżyło się ku zachodowi. Po czym zapadła noc i karawana ruszyła w dalszą drogę.

Rozdział 13

We dnie chronili się w ukrytych i trudno dostępnych miejscach wśród skał i rozpadlin, a nocami pędzili bez wytchnienia, póki nie minęli pierwszej katarakty. Aż na koniec, gdy Beduini z położenia i postaci khorów rozpoznali, że Assuan został już za nimi, wielki ciężar spadł z piersi Idrysa. Ponieważ cierpieli już na brak wody, zbliżyli się więc na pół dnia drogi do rzeki. Tam następnej nocy Idrys, ukrywszy karawanę wysłał z Beduinami wszystkie wielbłądy do Nilu, aby napoiły się dobrze i na czas dłuższy. Pas urodzajny wzdłuż rzeki Nilu był już za Assuanem węższy. W niektórych miejscach pustynia dochodziła do rzeki. Wsie leżały w znacznej od siebie odległości. Beduini zatem wrócili szczęśliwie, przez nikogo nie widziani, ze znacznymi zapasami wody. Należało tylko myśleć o żywności, gdyż zwierzęta karmione skąpo, od tygodnia wychudły bardzo. Szyje ich wydłużyły się, garby opadły, a nogi stały się słabe. Durry i zapasów dla ludzi mogło z wielką biedą wystarczyć jeszcze na dwa dni. Idrys myślał jednakże, że po dwóch dniach można będzie, jeżeli nie we dnie, to w nocy, zbliżyć się do pastwisk nadrzecznych, a może i zakupić sucharów i daktylów w jakiej wiosce.

Sabie nie dawano już wcale jeść ani pić i tylko dzieci chowały dla niego resztki pożywienia, ale on sobie jakoś radził i na postoje przylatywał często z zakrwawioną paszczą i ze śladami ukąszeń na szyi i piersiach. Czy łupem tych walk stawały się szakale czy hieny, czy może lisy piaskowe lub gazele, tego nie wiedział nikt, dość, że nie było na nim znać wielkiego głodu. Czasem też czarne wargi jego bywały wilgotne, jakby pił. Beduini domyślalali się, że musiał wykopywać głębokie jamy na dnie wąwozów i w ten sposób dokopywać się do wody, którą węchem pod ziemią wyczuwał. Tak rozkopują nieraz dna rozpadlin zbłąkani podróżni i jeśli często nie znajdą wody, to prawie zawsze dostają się do wilgotnych piasków i wysysając je oszukują w ten sposób męczarnie pragnienia.

I w Sabie zaszły jednak znaczne zmiany. Piersi i kark miał zawsze potężne, ale boki mu zapadły, przez co wydawał się jeszcze wyższy. W jego oczach o zaczerwienionych białkach było teraz coś dzikiego i groźnego. Do Nel i Stasia był przywiązany jak i poprzednio i pozwalał robić z sobą, co im się podobało. Chamisowi kiwał jeszcze niekiedy ogonem, ale na Beduinów i Sudańczyków warczał albo kłapał swymi straszliwymi kłami, które uderzały wówczas o siebie jak stalowe bretnale. Idrys i Gebhr poczęli się go po prostu bać i mimo usługi, jaką im oddał, znienawidzili go do tego stopnia, że byliby go prawdopodobnie zabili z owej zdobycznej strzelby, gdyby nie chęć przywiezienia Smainowi osobliwego zwierzęcia i gdyby nie to, że minęli już Assuan.

Minęli Assuan! Staś myślał o tym ciągle i w duszę poczęła mu z wolna wkradać się wątpliwość, czy pościg ich dogoni. Wiedział wprawdzie, że nie tylko właściwy Egipt, który kończy się za Wadi-Halfa, to jest za drugą kataraktą, ale i cała Nubia jest dotychczas w ręku rządu egipskiego, ale rozumiał, że za Assuanem, a zwłaszcza za Wadi-Halfa, pogoń będzie trudniejsza, a rozkazy rządu niedbalej wykonywane. Miał tylko jeszcze nadzieję, że ojciec wraz z panem Rawlisonem po urządzeniu pogoni z Fajumu sami udali się do Wadi-Halfa parowcem i tam, uzyskawszy od rządu żołnierzy na wielbłądach, będą starali się przeciąć drogę karawanie z południa. Chłopak wyrozumował sobie, że na ich miejscu byłby tak właśnie zrobił, i dlatego uważał przypuszczenie swe za bardzo prawdopodobne.

Nie zaniechał jednak myśli o ratunku na własną rękę. Sudańczycy chcieli mieć proch do zdobycznej strzelby i w tym celu postanowili porozkręcać kilkanaście ładunków sztucerowych, więc powiedział im, że on sam tylko potrafi to zrobić i że gdy który z nich weźmie się do tego nieumiejętnie, wówczas ładunek wybuchnie mu w palcach i pourywa ręce. Idrys bojąc się w ogóle rzeczy nieznanych i wynalazków angielskich postanowił wreszcie powierzyć chłopcu tę czynność. Staś wziął się do tego chętnie, naprzód w nadziei, że silny angielski proch rozsadzi przy pierwszym strzale starą arabską strzelbę, a po wtóre, że będzie mógł ukryć trochę ładunków. Jakoż poszło mu łatwiej, niż myślał. Niby to pilnowano go przy robocie, ale Arabowie poczęli zaraz gadać między sobą i wkrótce zajęli się więcej rozmową niż dozorem. Ostatecznie ta ich gadatliwość i wrodzone niedbalstwo pozwoliło Stasiowi ukryć w zanadrzu siedem ładunków. Teraz należało się tylko dobrać się do sztucera.

Chłopiec sądził, że za Wadi-Halfa, to jest drugą kataraktą, nie będzie to rzeczą zbyt trudną, gdyż przewidywał, że czujność Arabów zmniejszać się będzie w miarę, jak będą bliżej celu. Myśl, że będzie musiał pozabijać Sudańczyków i Beduinów, a nawet i Chamisa, przejmowała go zawsze dreszczem, ale po morderstwie, którego dopuścili się

Beduini, nie miał już żadnych skrupułów. Mówił sobie, że przecież chodzi o obronę, o wolność i życie Nel i że wobec tego może nie liczyć się z życiem przeciwników, zwłaszcza jeśli się nie poddadzą i jeśli przyjdzie do walki. Ale chodziło o sztucer. Staś umyślił dostać go w ręce podstępem i gdyby się zdarzyła sposobność, nie czekać aż do Wadi-Halfa, ale dokonać dzieła jak najprędzej.

Jakoż nie czekał.

Przeszły już dwa dni, jak minęli Assuan – i Idrys musiał wreszcie o świcie trzeciego dnia wyprawić Beduinów po żywność, której zbrakło zupełnie. Wobec zmniejszonej liczby przeciwników Staś powiedział sobie: „Teraz albo nigdy" – i natychmiast zwrócił się do Sudańczyka z następującym pytaniem:

– Idrysie, czy wiesz, że kraj, który zaczyna się niedaleko za Wadi-Halfa, to już Nubia?

– Wiem. Miałem piętnaście lat, a Gebhr osiem, gdy ojciec przywiózł nas z Sudanu do Fajumu, i pamiętam, że przejechaliśmy wówczas na wielbłądach całą Nubię. Ale kraj ten należy jeszcze do Turków (Egipcjan).

– Tak, Mahdi jest dopiero pod Chartumem – i widzisz, jak głupio gadał Chamis, gdy mówił wam, że wojska derwiszów dochodzą już do Assuanu. Ja jednak zapytam się o co innego. Oto czytałem w książkach, że w Nubii dużo jest dzikich zwierząt i dużo rozbójników, którzy nikomu nie służą i napadają zarówno Egipcjan, jak i wiernych Mahdiego. Czymże będziecie się bronili, jeśli napadną was dzikie zwierzęta albo rozbójnicy?

Staś przesadzał umyślnie, mówiąc o dzikich zwierzętach, natomiast rozboje w Nubii od czasu wojny zdarzały się dość często, zwłaszcza w południowej, graniczącej z Sudanem części kraju.

Idrys zastanowił się przez chwilę nad pytaniem, które zaskoczyło go niespodzianie, gdyż dotychczas nie pomyślał o tym nowym niebezpieczeństwie – i odrzekł:

– Mamy noże i strzelbę.

– Taka strzelba jest na nic.

– Wiem. Twoja jest lepsza, ale nie umiemy z niej strzelać, a tobie nie damy jej w ręce.

– Nawet nie nabitej?

– Tak jest, albowiem może być zaczarowana.

Staś ruszył ramionami.

– Idrysie, gdyby to mówił Gebhr, to bym się nie zdziwił, ale o tobie myślałem, że masz więcej rozumu. Z nienabitej strzelby nie wystrzeli i sam wasz Mahdi.

– Milcz – przerwał surowo Idrys. – Madhi potrafi wystrzelić nawet z palca.

– To strzelajże tak i ty.

Sudańczyk popatrzył bystro w oczy chłopca.

– Dlaczego chcesz, żeby ci dać strzelbę?

– Chcę cię nauczyć z niej strzelać.

– Co ci na tym zależy?

– Bardzo wiele, bo jeśli napadną nas rozbójnicy, to mogą wszystkich pozabijać! Ale jeśli się boisz i strzelby i mnie, to mniejsza o to.

Idrys zamilkł. Bał się istotnie, ale nie chciał się do tego przyznać. Zależało mu jednak na tym bardzo, by zapoznać się z bronią angielską, albowiem posiadanie jej i umiejętność użycia podniosłyby jego znaczenie w obozie mahdystów – nie mówiąc o tym, że w razie jakiego napadu łatwiej by było mu się obronić.

Więc po krótkim namyśle rzekł:

– Dobrze. Niech Chamis poda strzelbę, a ty ją wyjmij.

Chamis spełnił obojętnie rozkaz, któremu Gebhr nie mógł się sprzeciwić, albowiem zajęty był opodal przy wielbłądach. Staś wyjął trochę drżącymi rękoma osadę, następnie lufy – i podał je Idrysowi.

– Widzisz, że są puste – rzekł.

Idrys wziął lufy i spojrzał przez nie w górę.

– Tak jest, nie ma w nich nic.

– Teraz uważaj – mówił Staś – tak się strzelba składa (i to mówiąc złożył lufy z osadą), a tak się otwiera. Widzisz? Rozkładam ją znów, a teraz złóż ją ty…

Sudańczyk, który przypatrywał się z wielką uwagą ruchom Stasia, począł próbować. Nie od razu poszło łatwo, ale ponieważ Arabowie odznaczają się w ogóle wielką zręcznością, więc po chwili strzelba została złożona.

– Otwórz! – komenderował Staś.

Idrys otworzył sztucer łatwo.

– Zamknij.

Poszło jeszcze łatwiej.

– Teraz mi daj dwie puste gilzy. Nauczę cię, jak się zakłada ładunki.

Arabowie zachowali wykręcone gilzy, ponieważ miały dla nich wartość mosiądzu, więc Idrys podał dwie z nich Stasiowi – i nauka rozpoczęła się na nowo.

Sudańczyk w pierwszej chwili przestraszył się trochę trzasku tkwiących w gilzach kapiszonów, ale ostatecznie przekonał się, że zarówno z pustych luf, jak z pustych ładunków nikt nie zdoła wystrzelić. Zaufanie jego do Stasia wróciło przy tym i dlatego, że chłopiec oddawał mu co chwila broń do ręki.

– Tak – rzekł Staś – umiesz już składać sztucer, umiesz otwierać, zamykać i trzymać przy twarzy oraz pociągnąć za cyngiel. Ale trzeba się jeszcze nauczyć mierzyć. To jest rzecz najtrudniejsza. Weź pustą gurdę od wody i postaw ją o sto kroków… oto, na tych tam kamieniach, a potem wróć tu do mnie – pokażę ci, jak się mierzy.

Idrys wziął gurdę i bez najmniejszego wahania poszedł umieścić ją na wskazanych kamieniach. Ale zanim zrobił pierwsze sto kroków Staś wysunął puste gilzy, a wsunął na ich miejsce pełne ładunki. Nie tylko serce, ale i tętna w skroniach poczęły mu bić z taką siłą, że myślał, że mu rozsadzą głowę. Chwila stanowcza nadeszła – chwila wolności dla Nel i dla niego – chwila zwycięstwa – zarazem straszna i pożądana!

Oto życie Idrysa jest w jego ręku. Jedno pociągnięcie za cyngiel i ów zdrajca, który porwał Nel, padnie trupem. Ale Staś, który miał w żyłach polską i francuską krew, uczuł nagle, że za nic w świecie nie zdoła strzelić do człowieka odwróconego plecami. Niech się przynajmniej zawróci – i niech spojrzy śmierci w oczy. A potem co? Potem przyleci Gebhr i nim przebieży dziesięć kroków, również chwyci zębami za kurzawę. Pozostanie Chamis. Ale Chamis straci głowę, a choćby jej nie stracił, będzie czas wsunąć nowe ładunki do luf. Gdy nadjadą Beduini, zastaną trzy trupy i sami znajdą to, na co zasłużyli. Potem dość będzie skierować wielbłądy ku rzece.

Wszystkie te myśli i obrazy przelatywały jak wicher przez głowę Stasia. Czuł, że to, co za parę minut ma się stać, jest zarazem straszne i konieczne. W piersiach skłębiła mu się duma zwycięzcy z poczuciem okropnego wstrętu do zwycięstwa. Była chwila, że się zawahał, ale wspomniał na te męki, które znosili biali jeńcy, na ojca, na pana Rawlisona, na Nel, na Gebhra, który uderzył dziewczynkę korbaczem, i nienawiść wybuchnęła w nim z nową siłą. „Trzeba! Trzeba!" – mówił sobie przez zaciśnięte zęby i nieubłagane postanowienie odbiło się na jego twarzy, która stała się jakby wykuta z kamienia.

Tymczasem Idrys umieścił skórzaną gurdę na odległym o sto kroków kamieniu i zawrócił. Staś widział jego uśmiechniętą twarz i całą wysoką postać na równej, piaszczystej płaszczyźnie. Po raz ostatni przebłysła mu myśl, że oto ten żywy człowiek padnie za chwilę na ziemię i palcami będzie rwał piasek w ostatnich konwulsjach konania. Ale wahania chłopca skończyły się – i gdy Idrys uszedł pięćdziesiąt kroków, począł z wolna podnosić broń do oka.

Lecz zanim dotknął palcem cyngla, zza osypisk, odległych o kilkaset kroków, dał się słyszeć gromki okrzyk i w tej samej minucie około dwudziestu jeźdźców na koniach i wielbłądach wyroiło się na płaszczyznę. Idrys skamieniał na ich widok. Staś zdumiał nie mniej, ale natychmiast zdumienie jego ustąpiło szalonej radości. Oto wreszcie oczekiwana pogoń! Tak! to nie może być nic innego! W wiosce schwytano widocznie Beduinów i ci wskazali, gdzie ukrywa się reszta karawany! Zrozumiał to tak samo i Idrys, który ochłonąwszy podbiegł do Stasia z twarzą popielatą z przerażenia i klęknąwszy u jego nóg począł powtarzać zdyszanym głosem:

– Panie, ja byłem dla was dobry! Byłem dla małej bint dobry! Pamiętaj o tym!…

Staś wysunął mechanicznie ładunki z luf – i patrzył. Jeźdcy pędzili ile tchu w koniach i wielbłądach krzycząc z radości i wyrzucając w górę długie, arabskie strzelby, które łapali w biegu z nadzwyczajną zręcznością. W jasnym, przezroczystym powietrzu widać ich było doskonale. W środku na czele lecieli dwaj Beduini machając jak opętańcy rękoma i burnusami.

Po kilku minutach cała banda dopadła do karawany. Niektórzy z jeźdźców zeskakiwali z koni i wielbłądów; niektórzy zostali na siodłach, wrzeszcząc ciągle wniebogłosy. Wśród tych krzyków można było odróżnić tylko dwa wyrazy:

– Chartum! Gordon! Gordon! Chartum!

Na koniec jeden z Beduinów – ten, którego towarzysz zwał Abu-Angą – przypadł do Idrysa skurczonego u nóg Stasia i począł wołać:

– Chartum wzięte! Gordon zabity. Mahdi zwycięzca!

Idrys wyprostował się i uszom nie wierzył.

– A ci ludzie? – zapytał drżącymi wargami.

– Ci ludzie mieli nas schwytać, a teraz idą wraz z nami do proroka!

Stasiowi pociemniało w oczach…

Rozdział 14

I rzeczywiście zgasła ostatnia nadzieja ucieczki w czasie podróży. Staś wiedział już teraz, że ani jego pomysły na nic się nie przydadzą, ani pogoń ich nie doścignie i że jeśli wytrzymają trudy drogi, to dojadą do Mahdiego i zostaną wydani w ręce Smaina. Jedynym pokrzepieniem była mu teraz tylko myśl, że zostali porwani dlatego, by Smain oddał ich za swe dzieci. Ale kiedy się to stanie i co ich przedtem może spotkać? Jak straszliwa czeka ich niedola wśród spitej krwią dzikiej hordy? Czy Nel wytrzyma te wszystkie trudy i niewygody – na to nikt nie mógł odpowiedzieć. Wiadomo było natomiast, że Mahdi i jego derwisze nienawidzą chrześcijan i w ogóle Europejczyków; więc w duszy chłopca zrodziła się obawa, czy wpływ Smaina będzie dostateczny, by osłonił ich oboje przed zniewagami, przed znęcaniem się, przed okrucieństwem i wściekłością wyznawców Mahdiego, którzy mordowali nawet i wiernych rządowi mahometan? Po raz pierwszy od chwili porwania ogarnęła Stasia głęboka rozpacz, a jednocześnie i jakieś przesądne przypuszczenie, że prześladuje ich zły los. Przecie sam pomysł porwania ich z Fajumu i zawiezienia ich do Chartumu był po prostu szaleństwem, którego mogli dopuścić się tylko tak dzicy i głupi ludzie, jak Idrys i Gebhr, nie rozumiejący, że muszą przebyć tysiące kilometrów krajem podległym rządowi egipskiemu, a właściwie Anglikom. Na dobrą sprawę powinni być schwytani na drugi dzień, a jednak wszystko składało się tak, że oto są już niedaleko drugiej katarakty – i że nie doścignęły ich żadne poprzednie pogonie, a ostatnia, która mogła ich zatrzymać, połączyła się z nimi i będzie im odtąd pomocą. Do rozpaczy Stasia, do jego bojaźni o los małej Nel dołączyło się jeszcze uczucie upokorzenia, że jednak nic nie potrafi poradzić, i co więcej, nie zdoła już nic wymyślić, albowiem choćby mu oddano teraz strzelbę i ładunki, nie może przecież powystrzelać wszystkich Arabów składających karawanę.

I gryzł się tymi myślami tym bardziej, że zbawienie było już tak bliskie. Gdyby Chartum nie był upadł lub upadł o kilka dni później, ci sami ludzie, którzy przeszli teraz na stronę Mahdiego, byliby ich schwytali i oddali w ręce rządu. Staś siedząc na wielbłądzie za Idrysem i słuchając ich rozmów przekonał się, że byłoby tak niezawodnie. Zaraz bowiem po wyruszeniu w dalszą drogę naczelnik pogoni zaczął opowiadać Idrysowi, co ich skłoniło do zdrady chedywa. Wiedzieli poprzednio, że wielka armia – już nie egipska, ale angielska – wyruszyła na południe przeciw derwiszom pod wodzą jenerała Wolseleya. Widzieli mnóstwo statków, które wiozły groźnych żołnierzy angielskich z Assuanu do Wadi-Halfa, skąd budowano dla nich kolej do Abu-Hammed. Przez długi czas wszyscy szeikowie pobrzeżni – i ci, którzy pozostali wierni rządowi, i ci, którzy w głębi duszy sprzyjali Mahdiemu – byli pewni, że zguba derwiszów i ich proroka jest nieuchronna, albowiem Anglików nigdy nikt nie zwyciężył.

– *Akbar Allach*! – przerwał wznosząc do góry ręce Idrys – a jednakże zostali zwyciężeni!

– Nie – odpowiedział naczelnik pogoni – Mahdi wysłał przeciw nim plemiona Dżallno, Barbara i Dadżim, razem blisko trzydzieści tysięcy najlepszych swych wojowników, którymi dowodził Musa, syn Helu; pod Abu-Klea przyszło do strasznej bitwy, w której Bóg dał zwycięstwo niewiernym.

– Tak jest, Musa, syn Helu poległ, a z jego żołnierzy garść tylko wróciła do Mahdiego. Dusze innych są w raju, a ciała leżą w piaskach, czekając dnia zmartwychwstania. Wieść o tym prędko rozeszła się nad Nilem. Wtedy myśleliśmy, że Anglicy pójdą dalej na południe i oswobodzą Chartum. Ludzie powtarzali: „Koniec, koniec!" A tymczasem Bóg zrządził inaczej.

– Jak? Co się stało? – pytał gorączkowo Idrys.

– Co się stało? – mówił z rozjaśnioną twarzą naczelnik. – Oto tymczasem Mahdi zdobył Chartum, a Gordonowi ucięto w czasie szturmu głowę. A że Anglikom tylko o Gordona chodziło, więc dowiedziawszy się o jego śmierci wrócili z powrotem na północ. Allach! widzieliśmy znów statki z ogromnymi żołnierzami płynące w dół rzeki, ale nie rozumieliśmy, co to znaczy. Anglicy dobre tylko nowiny rozgłaszają natychmiast, a złe taja. Niektórzy z naszych mówili, że Mahdi już zginął. Ale wreszcie prawda wyszła na jaw. Kraj ten należy jeszcze do rządu. W Wadi-Halfa i dalej, aż do trzeciej, a może i do czwartej katarakty, znajdują się jeszcze żołnierze chedywa, wszelako teraz, po odwrocie Anglików, my wierzymy już, że Mahdi podbije nie tylko Nubię i Egipt, nie tylko Mekkę i Medynę, ale i cały świat. Dlatego, zamiast was schwytać i wydać w ręce rządu, idziemy razem z wami do proroka.

– Więc przyszły rozkazy, by nas schwytać?

– Do wszystkich wiosek, do wszystkich szeików, do załóg wojskowych. Gdzie miedziany drut, po którym przelatują rozkazy z Kairu, nie dochodzi, tam przyjeżdżali zabtiowie (żandarmi) z oznajmieniem, że kto was schwyta, dostanie tysiąc funtów nagrody. *Maszallach*... to wielkie bogactwo!... wielkie!...

Idrys spojrzał podejrzliwie na mówiącego:

– Ale wy wolicie błogosławieństwo Mahdiego?

– Tak jest. A przy tym zdobył on tak ogromne łupy i tyle pieniędzy w Chartumie, że funty egipskie mierzy workami od obroków i rozdaje je między swych wiernych...

– Jednakże jeśli żołnierze egipscy są jeszcze w Wadi-Halfa i dalej, to mogą nas schwytać po drodze.

– Nie. Trzeba się tylko spieszyć póki się nie opamiętają. Oni teraz po odwrocie Anglików, potracili całkiem głowy – zarówno wierni rządowi szeikowie, jak żołnierze i zabtiowie. Wszyscy myślą, że Mahdi lada chwila nadejdzie, toteż ci z nas, którzy mu w duszy sprzyjali, uciekają teraz śmiało do niego i nikt ich nie ściga, albowiem w tych pierwszych chwilach nikt nie wydaje rozkazów i nikt nie wie, kogo słuchać.

– Tak – odpowiedział Idrys. – Ale prawdę rzekłeś, że trzeba się spieszyć, póki się nie opamiętają, gdyż do Chartumu jeszcze daleko...

Stasiowi, który wysłuchał dokładnie całej tej rozmowy, zabłysnął znów na chwilę nikły promyk nadziei. Jeśli żołnierze egipscy zajmują dotychczas rozmaite miejscowości pobrzeżne w Nubii, to wobec tego, że Anglicy zabrali wszystkie statki, muszą ustępować przed hordami Mahdiego lądem. A w takim razie może się zdarzyć, że karawana wpadnie na którykolwiek z cofających się oddziałów i zostanie otoczona. Staś wyliczył również, że nim wieść o zdobyciu Chartumu rozeszła się pomiędzy plemionami arabskimi mieszkającymi na północ do Wadi-Halfa, upłynęło niezawodnie sporo czasu, tym bardziej że rząd egipski i Anglicy ją taili – przypuszczał zatem, że i rozprzężenie, które musiało zapanować w pierwszej chwili wśród Egipcjan, już przeszło. Niedoświadczonemu chłopcu nie przyszło to jednak na myśl, że w każdym razie upadek Chartumu i śmierć Gordona każą ludziom zapomnieć o wszystkim innym i szeikowie wierni rządowi jako też miejscowe władze egipskie będą miały teraz co innego do roboty niż myśleć o ratowaniu dwojga białych dzieci.

I rzeczywiście Arabowie, którzy przyłączyli się do karawany, niezbyt obawiali się pogoni. Jechali wprawdzie z wielkim pośpiechem i nie żałowali wielbłądów, ale trzymali się blisko Nilu i często nocami skręcali do rzeki, by napoić zwierzęta i nabrać wody w skórzane worki. Czasem ośmielali się zajeżdżać nawet w dzień do wiosek. Dla bezpieczeństwa wysyłali zawsze naprzód na zwiady kilku ludzi, którzy pod pozorem zakupów żywności dowiadywali się, co słychać w okolicy, czy nie ma w pobliżu wojsk egipskich i czy mieszkańcy nie należą do wiernych „Turkom". Jeśli trafili na ludność sprzyjającą tajemnie Mahdiemu, wówczas cała karawana zjeżdżała do wsi – i często zdarzało się, że opuszczała ją zwiększona o kilku lub nawet kilkunastu młodych Arabów, którzy chcieli także uciekać do Mahdiego.

Idrys dowiedział się też, że prawie wszystkie oddziały egipskie stoją od strony Pustyni Nubijskiej, zatem po prawej, wschodniej stronie Nilu. Żeby uniknąć spotkania się z nimi, należało tylko trzymać się lewego brzegu i omijać znaczniejsze miasteczka i osady. Przysparzało to wprawdzie dużo drogi, albowiem rzeka począwszy od

Wadi-Halfa tworzy olbrzymi łuk, który schodzi daleko ku południu, a potem skręca znów na północny wschód, aż do Abu-Hammed, gdzie przybiera już zupełnie południowy kierunek, ale za to lewy brzeg, zwłaszcza od oazy Selima, prawie wcale nie był strzeżony, droga zaś upływała Sudańczykom wesoło wśród zwiększonej kompanii, przy obfitości wody i zapasów.

Minąwszy trzecią kataraktę przestali się nawet spieszyć – i jechali tylko nocami, ukrywając się we dnie wśród piaszczystych wzgórz i wąwozów, którymi cała pustynia była poprzecinana. Rozciągało się teraz nad nimi niebo bez jednej chmurki, szare na krańcach widnokręgu, w środku wydęte jakby olbrzymia kopuła, ciche i spokojne. Z każdym dniem jednak upał, w miarę jak posuwali się na południe, czynił się coraz straszliwszy i nawet w wąwozach w głębokim cieniu, żar dokuczał ludziom i zwierzętom. Noce natomiast były bardzo chłodne, roziskrzone od migotliwych gwiazd tworzących jakby mniejsze i większe stadka.

Staś spostrzegł, że to już nie są te same konstelacje, które świeciły nocami nad Port-Saidem. Marzył on o tym nieraz, żeby kiedy w życiu zobaczyć Południowy Krzyż – i wreszcie ujrzał go za El-Orde. Ale obecnie blask jego zwiastował mu tylko nieszczęście. Świeciło im także od kilku dni co noc blade, rozpierzchłe i smutne światło zodiakalne, które po zgaśnięciu zórz wieczornych do późnej godziny rozsrebrzało zachodnią stronę nieba.

Rozdział 15

We dwa tygodnie po wyruszeniu z okolic Wadi-Halfa karawana weszła w kraj zdobyty przez Mahdiego. Przebyli w skok pagórkowatą pustyni Gezire i w pobliżu Chendi, gdzie przedtem Anglicy znieśli doszczętnie Musę-uled-Helu, wjechali w okolice wcale już do pustyni niepodobne. Piasków ani osypisk nie było tu widać. Jak okiem sięgnąć rozciągał się step porośnięty w części zieloną trawą, w części dżunglą, wśród której rosły kępami kolczaste akacje, wydające znaną gumę sudańską, a tu i ówdzie pojedyncze, olbrzymie drzewa nabaku, tak rozłożyste, że pod ich konarami stu ludzi mogło znaleźć przed słońcem schronienie. Od czasu do czasu karawana mijała wysokie, podobne do słupów kopce termitów czyli termitiery, którymi cała podzwrotnikowa Afryka jest zasiana. Zieloność pastwisk i akacji mile nęciła oczy po jednostajnej, jałowej barwie piasków pustyni.

W miejscach, gdzie step był łąką, pasły się stada wielbłądów strzeżonych przez zbrojnych wojowników Mahdiego. Na widok karawany zrywali się oni jak ptaki drapieżne, biegli ku niej, otaczali ją ze wszystkich stron i potrząsając dzidami oraz wrzeszcząc wniebogłosy, wypytywali ludzi, skąd są, dlaczego ciągną z północy i dokąd dążą? Czasami przybierali postawę tak groźną, że Idrys musiał z największym pośpiechem odpowiadać na pytania, aby uniknąć napaści.

Staś, który wyobrażał sobie, że mieszkańcy Sudanu różnią się od wszystkich Arabów zamieszkujących Egipt tym tylko, że wierzą w Mahdiego i nie chcą uznać władzy chedywa, spostrzegł, że omylił się zupełnie. Ci, którzy zatrzymywali teraz co chwila karawanę, mieli po większej części skórę ciemniejszą nawet niż Idrys i Gebhr, a w porównaniu z dwoma Beduinami prawie czarną. Krew murzyńska przeważała w nich nad arabską. Twarze ich i piersi były tatuowane, a nakłucia przedstawiały albo rozmaite rysunki, albo napisy z Koranu. Niektórzy byli prawie nadzy, inni nosili dżiuby, czyli opończe z białej tkaniny bawełnianej naszywanej w różnobarwne łatki. Wielu miało gałązki z korala lub kawałki kości słoniowej przeciągnięte przez nozdrza, wargi i uszy. Przywódcy okrywali głowy białymi krymkami z takiejże tkaniny jak i opończe, prości wojownicy nosili głowy odkryte, lecz nie golone tak jak Arabowie w Egipcie, ale, przeciwnie, porośnięte ogromnymi, kręconymi kudłami, spalonymi często na kolor czerwony od wapna, którym namazywali czupryny dla ochrony przed robactwem. Broń ich stanowiły przeważnie dzidy, straszne w ich ręku, ale nie brakło im także i karabinów Remingtona, które zdobyli w zwycięskich walkach z armią egipską i po upadku Chartumu. Widok ich był w ogóle przerażający, a zachowanie względem karawany wrogie, albowiem posądzali, że składa się ona z kupców egipskich, którym w pierwszej chwili po zwycięstwie Mahdi zabronił wstępu do Sudanu.

Zwykle otoczywszy karawanę sięgali wśród wrzasku i gróźb dzidami ku piersiom ludzi lub mierzyli do nich z karabinów, na co Idrys odpowiadał krzykiem, że on i jego brat należą do pokolenia Dangalów, tego samego, do którego należy Mahdi, i że wiozą prorokowi białe dzieci jako niewolników. To jedno wstrzymywało dzicz od gwałtów. W Stasiu, gdy wreszcie zetknął się z tą okropną rzeczywistością, zamierała dusza na myśl, co czeka ich oboje w dniach następnych, a Idrys, który żył poprzednio długie lata w kraju ucywilizowanym, nie wyobrażał sobie nic podobnego. Rad też był, gdy pewnego wieczora ogarnął ich zbrojny oddział emira Nur-el-Tadhila i poprowadził do Chartumu.

Nur-el-Tadhil, zanim uciekł do Mahdiego, był przedtem oficerem egipskim w pułku murzyńskim chedywa, nie był więc tak dziki jak inni mahdyści i Idrys mógł się z nim łatwiej porozumieć. Ale i tu czekał go zawód. Wyobrażał on sobie, że przybycie jego z białymi dziećmi do obozu Mahdiego wzbudzi podziw, choćby tylko ze względu na szalone trudy i niebezpieczeństwo drogi. Spodziewał się, że mahdyści przyjmą go z zapałem, z otwartymi ramionami i że go odprowadzą w tryumfie do proroka, a ów obsypie go złotem i pochwałami, jako człowieka, który nie wahał się narazić głowy, by oddać usługę jego krewnej, Fatmie. Tymczasem mahdyści przykładali dzidy do piersi uczestników karawany, a Nur-el-Tadhil słuchał dość obojętnie opowiadań o podróży; w końcu zapytany, czy zna Smaina, męża Fatmy, rzekł:

– Nie, w Omdurmanie i w Chartumie znajduje się przeszło sto tysięcy wojowników, więc łatwo się nie spotkać i nie wszyscy oficerowie się znają. Państwo proroka jest ogromne, a przeto wielu emirów rządzi odległymi miastami, w Sennarze, w Kordofanie i Darfurze, i około Faszody. Być może, że tego Smaina, o którego się pytasz, nie ma obecnie przy boku proroka.

Idrysa dotknął pewien lekceważący ton, z jakim Nur mówił o „tym Smainie", więc odpowiedział z odcieniem niecierpliwości:

– Smain żonaty jest z siostrą cioteczną Mahdiego, a zatem dzieci Smaina są krewnymi proroka.

Nur-el-Tadhil wzruszył ramionami.

– Mahdi ma wielu krewnych i nie może o wszystkich pamiętać.

Czas jakiś jechali w milczeniu, po czym Idrys znów zapytał:

– Jak prędko dojedziemy do Chartumu?

– Przed północą – odpowiedział Tadhil spoglądając na gwiazdy, które poczęły ukazywać się na wschodniej stronie nieba.

– Czy o tak późnej godzinie będę mógł dostać żywności i obroków? Od ostatniego wypoczynku w południe nie jedliśmy nic…

– Dziś przenocuję i pożywię was w domu swoim, ale jutro w Omdurmanie sam musisz się starać o jadło – i z góry cię uprzedzam, że nie przyjdzie ci to łatwo.

– Dlaczego?

– Bo jest wojna. Ludzie od kilku lat nie obsiewali pól i żywili się tylko mięsem, więc gdy wreszcie zbrakło i bydła, przyszedł głód. Głód jest w całym Sudanie i worek durry kosztuje dziś więcej niż niewolnik.

– *Allach akbar!* – zawołał ze zdziwieniem Idrys. – Widziałem jednak na stepie stada wielbłądów i bydła.

– Te należą do proroka, do „szlachetnych" i do kalifów… Tak… Dangalowie, z których pokolenia wyszedł Mahdi, i Baggarowie, których naczelnikiem jest kalif

Abdullahi, mają jeszcze dość liczne stada, ale innym pokoleniom coraz trudniej żyć na świecie.

Tu Nur-el-Tadhil poklepał się po żołądku i rzekł:

– W służbie proroka mam wyższy stopień, więcej pieniędzy i wyższą władzę, ale brzuch miałem większy w służbie chedywa…

Lecz zmiarkowawszy, że może za dużo powiedział, po chwili dodał:

– Ale to wszystko przeminie, gdy prawdziwa wiara zwycięży.

Idrys, słuchając tych słów, mimo woli pomyślał, że jednak w Fajumie, w służbie u Anglików, nigdy głodu nie zaznał i o zarobki było mu łatwo – więc zasępił się mocno.

Po czym jął dalej pytać:

– Jutro przeprowadzisz nas do Omdurmanu?

– Tak jest. Chartum z rozkazu proroka ma być opuszczone i mało kto tam już mieszka. Burzą teraz co większe domy i cegłę wywożą wraz z innymi łupami do Omdurmanu. Prorok nie chce mieszkać w mieście splamionym przez niewiernych.

– Uderzę mu jutro czołem, a on każe zaopatrzyć mnie w żywność i obroki.

– Ha! Jeśli naprawdę należysz do Dangalów, to może będziesz dopuszczony przed jego oblicze. Ale wiedz o tym, że domu jego strzeże dzień i noc stu ludzi zaopatrzonych w korbacze i ci nie żałują razów tym, którzy by chcieli wejść bez pozwolenia do Mahdiego. Inaczej tłumy nie dałyby świętemu mężowi ani chwili wypoczynku… Allach! widziałem nawet i Dangalów z krwawymi pręgami na plecach.

Idrysa z każdą chwilą ogarniało większe rozczarowanie.

– Więc wierni – zapytał – nie widują proroka?

– Wierni widują go co dzień na placu modlitwy, gdy klęcząc na owczej skórze wznosi ręce do Boga lub gdy naucza tłumy i utrwala je w prawdziwej wierze. Ale dostać się do niego i mówić z nim jest trudno – i kto dostąpi tego szczęścia, wszyscy zazdroszczą mu, albowiem spływa na niego łaska boża, która gładzi poprzednie jego grzechy.

Zapadła głęboka noc, a z nią razem przyszedł i dojmujący chłód. W szeregach rozległo się parskanie koni, a przeskok od dziennego upału do zimna był tak mocny, że skóry rumaków poczęły dymić i oddział jechał jak we mgle. Staś pochylił się zza Idrysa ku Nel i zapytał:

– Nie zimno ci?

– Nie – odpowiedziała dziewczynka – ale… już nas nikt nie obroni… – i łzy stłumiły dalsze jej słowa.

Staś nie znalazł tym razem dla niej żadnej pociechy, bo i sam był przekonany, że nie masz dla nich ratunku. Oto wjechali w krainę nędzy, głodu, zwierzęcych okrucieństw i krwi. Byli jak dwa listki marne wśród burzy, która niosła śmierć i zniszczenie nie tylko pojedynczym głowom ludzkim, ale całym grodom i całym plemionom. Jakaż ręka mogła wyrwać z niej i ocalić dwoje małych bezbronnych dzieci?

Księżyc wytoczył się wysoko na niebo i zmienił jakby w srebrne pióra i gałązki mimozy i akacyj. W gęstych dżunglach rozlegał się tu i ówdzie przeraźliwy, a zarazem jakby radosny śmiech hien, które w tej krwawej krainie znajdowały aż nadto ludzkich trupów. Kiedy niekiedy oddział wiodący karawanę spotykał się z innymi patrolami i zamieniał z nimi umówione hasło. Przybyli wreszcie do wzgórz nadbrzeżnych i długim wąwozem dotarli do Nilu. Ludzie, konie i wielbłądy weszli na szerokie i płaskie dahabije i wkrótce ciężkie wiosła jęły miarowym ruchem rozbijać i łamać gładką toń rzeki usianą diamentami gwiazd.

Po upływie pół godziny w południowej stronie, w którą płynęły pod wodą dahabije, zabłysły światła, które, w miarę jak statki zbliżały się ku nim, zmieniały się w snopy czerwonego blasku leżące na wodzie. Nur-el-Tadhil trącił Idrysa w ramię, po czym wyciągnąwszy przed siebie rękę, rzekł:

– Chartum!

Rozdział 16

Stanęli na krańcu miasta. W domu, który poprzednio był własnością bogatego kupca włoskiego, a po zamordowaniu jego w czasie szturmu do miasta dostał się przy podziale łupów Tahdilowi. Żony emira zajęły się w dość ludzki sposób ledwie żywą ze zmęczenia Nel i chociaż w całym Chartumie dawał się uczuć brak żywności, znalazły dla małej dżanem trochę suszonych daktyli i trochę ryżu z miodem, po czym zaprowadziły ją na piętro i ułożyły do snu. Staś, który nocował między wielbłądami i końmi na dworze, musiał poprzestać na jednym sucharze, natomiast nie brakło mu wody, albowiem fontanna w ogrodzie nie została dziwnym trafem zrujnowana. Pomimo ogromnego znużenia długo nie mógł zasnąć, naprzód z powodu skorpionów włażących ustawicznie na wojłok, na którym leżał, a po wtóre, z powodu śmiertelnego niepokoju, że rozłączą go z Nel i że nie będzie mógł nad nią osobiście czuwać. Niepokój ten podzielał widocznie i Saba, który wietrzył naokół, a niekiedy wył, za co gniewali się żołnierze. Staś uspokajał go, jak umiał, w obawie, by nie czyniono mu krzywdy. Na szczęście, olbrzymi brytan wzbudził taki podziw samego emira i wszystkich derwiszów, że żaden nie podniósł nań ręki.

Idrys nie spał także. Od wczorajszego dnia czuł się niezdrów, a przy tym po rozmowie z Nur-el-Tadhilem stracił dużo złudzeń – i na przyszłość patrzył jakby przez grubą zasłonę. Rad był, że przeprawią się jutro do Omdurmanu oddzielonego tylko szerokością Białego Nilu; miał nadzieję, że odnajdzie tam Smaina, ale co dalej? W czasie drogi wszystko przedstawiało mu się jakoś wyraźniej i daleko wspanialej. Wierzył i on szczerze w proroka i serce ciągnęło go tym bardziej ku niemu, że pochodzili obaj z jednego pokolenia. Ale był przy tym, jak każdy prawie Arab, chciwy i ambitny. Marzył, iż obsypią go złotem i uczynią co najmniej emirem; marzył o wyprawach wojennych przeciw „Turkom", o zdobytych miastach i łupach. Tymczasem teraz, po tym, co słyszał od Tahdila, począł się obawiać, czy wszystkie jego czyny nie znikną tak wobec daleko większych zdarzeń, jak kropla deszczu ginie w morzu. „Może – myślał z goryczą – nikt nie zwróci uwagi na to, czegom dokonał, a Smain nie będzie nawet rad, żem mu przywiózł te dzieci". I gryzł się tą myślą. Jutrzejszy dzień miał rozproszyć lub potwierdzić jego obawy, więc czekał go niecierpliwie.

O szóstej rano wzeszło słońce i rozpoczął się ruch wśród derwiszów. Wkrótce pojawił się Tahdil i kazał im gotować się do drogi. Zapowiedział przy tym, że pójdą do przeprawy piechotą, przy jego koniu. Ku wielkiej radości Stasia Dinah sprowadziła z górnego piętra Nel, po czym ruszyli wałem wzdłuż całego miasta aż do miejsca, w którym stały łodzie przewozowe. Tadhil jechał naprzód konno. Staś prowadził za rękę Nel, za nimi szli Idrys, Gebhr i Chamis ze starą Dinah i z Sabą oraz trzydziestu żołnierzy emira. Reszta karawany pozostała w Chartumie.

Staś, rozglądając się wokół, nie mógł zrozumieć, jakim sposobem upadło miasto tak silnie obwarowane i leżące w widłach utworzonych przez Biały i Niebieski Nil, a za-

tem z trzech stron otoczone wodą, a dostępne tylko od
południa. Później dopiero dowiedział się od niewolników
chrześcijan, że rzeka wówczas opadła i odsłoniła szerokie
łachy piaszczyste, które ułatwiły przystęp do wałów. Załoga,
straciwszy nadzieję odsieczy i wycieńczona głodem, nie
mogła odeprzeć szturmu rozwścieczonej dziczy, i miasto
zostało zdobyte, po czym nastąpiła rzeź mieszkańców. Ślady
walki, lubo od szturmu upłynął miesiąc, widać było wszędzie wzdłuż wału, wewnątrz sterczały gruzy zburzonych
domów, na które zwrócił się pierwszy impet zdobywców,
a w fosie zewnętrznej pełno było trupów, których nikt nie
myślał grzebać. Zanim doszli do przeprawy, Staś naliczył
ich przeszło czterysta. Nie zarażały one jednak powietrza,
gdyż słońce sudańskie wysuszyło je na mumie, wszystkie
miały barwę szarego pergaminu, tak jednostajną, że ciał
Europejczyków, Egipcjan i Murzynów nie można było
odróżnić. Wśród trupów roiły się małe szare jaszczurki,
które przed nadchodzącymi ludźmi chowały się szybko
pod te szczątki ludzkie, często do ich ust lub między wyschnięte żebra.

Staś prowadził Nel tak, by jej zasłonić ten okropny
widok, i kazał jej patrzeć w drugą stronę, ku miastu. Ale
i od strony miasta działy się rzeczy, które napełniały oczy
i duszę dziewczynki przerażeniem. Widok „angielskich"
dzieci wziętych w niewolę i Saby prowadzonego na smyczy
przez Chamisa ściągał tłumy, które w miarę jak pochód
posuwał się do przeprawy, powiększały się z każdą chwilą.
Ciżba uczyniła się po pewnym czasie tak wielka, że trzeba
było się zatrzymać. Zewsząd ozwały się groźne okrzyki. Straszne, tatuowane twarze pochylały się nad Stasiem
i nad Nel. Niektórzy z dzikich wybuchali na ich widok

śmiechem i uderzali się z radości dłońmi po biodrach, inni złorzeczyli im, niektórzy ryczeli jak dzikie zwierzęta, wyszczerzając białe zęby i przewracając oczyma, w końcu poczęto im grozić i sięgać ku nim nożami. Nel, na wpół przytomna, w strachu tuliła się do Stasia, on zaś osłaniał ją, jak umiał, w przekonaniu, że nadchodzi ostatnia dla nich obojga godzina. Na szczęście, ów napór rozbestwionej ciżby sprzykrzył się w końcu i Tadhilowi. Kilkunastu żołnierzy otoczyło z jego rozkazu dzieci, pozostali zaś poczęli smagać bez miłosierdzia korbaczami wyjące gromady. Zbiegowisko rozproszyło się na przedzie, natomiast tłumy poczęły zbierać się za oddziałem i wśród dzikich wrzasków przeprowadziły go aż do łodzi.

Dzieci odetchnęły w czasie przewozu. Staś pocieszał Nel, że gdy derwisze oswoją się z ich widokiem, wówczas przestaną im grozić – i zapewniał, że Smain będzie ich oboje, a zwłaszcza ją, ochraniał i bronił, albowiem gdyby stało im się co złego, to nie miałby kogo oddać za swoje potomstwo. Była to prawda, ale dziewczynkę tak przeraziły poprzednie napaście, że chwyciwszy rękę Stasia nie chciała ani na chwilę jej puścić, powtarzając ciągle jakby w gorączce: „Boję się! Boję się!" On życzył sobie istotnie z całej duszy, by jak najprędzej dostali się w ręce Smaina, który znał ich od dawna i który w Port-Saidzie okazywał im wielką przyjaźń albo przynajmniej ją udawał. W każdym razie nie był to człowiek tak dziki jak inni Sudańczycy Dangalowie i niewola w jego domu mogła być znośniejsza…

Chodziło tylko o to, czy go znajdą w Omdurmanie. O tym samym rozmawiał Idrys z Nur-el-Tadhilem, gdyż ów przypomniał sobie wreszcie, że przed rokiem, bawiąc z polecenia kalifa Abdullahi daleko od Chartumu, w Kordofanie, słyszał o jakimś Smainie, który uczył derwiszów strzelać z armat zdobytych na Egipcjanach, a potem stał się wielkim łowcą niewolników. Nur wskazywał Idrysowi następny sposób odnalezienie emira:

– Gdy usłyszysz po południu głos umbai, bądź wraz z dziećmi na placu modlitwy, na który prorok udaje się codziennie, by budować wiernych przykładem pobożności i utwierdzać ich w wierze. Tam prócz świętej osoby Mahdiego zobaczysz wszystkich „szlachetnych", a także trzech kalifów oraz paszów i emirów; między emirami odnajdziesz Smaina.

– A co mam czynić i gdzie się podziać aż do czasu południowej modlitwy?

– Zostaniesz między mymi żołnierzami.

– A ty, Nur–el–Tadhilu, opuścisz nas?

– Ja udam się po rozkazy do kalifa Abdullahiego.

– Czy to największy z kalifów? Przybywam z daleka i jakkolwiek imiona wodzów obijały się o moje uszy, jednakże ty dopiero możesz mnie pouczyć o nich dokładniej.

– Abdullahi, mój wódz, to miecz Mahdiego.

– Niech Allach uczyni go synem zwycięstwa.

Przez czas jakiś łodzie płynęły w milczeniu. Słychać było tylko chrobot wioseł o brzegi łodzi, a niekiedy plusk wody uderzonej ogonem krokodyla. Dużo tych strasznych płazów napłynęło z południa aż pod Chartum, gdzie znalazły obfite pożywienie, albowiem rzeka roiła się od trupów nie tylko ludzi pomordowanych po zdobyciu miasta, ale i zmarłych z chorób grasujących wśród mahdystów, a szczególnie wśród ich niewolników. Rozkazy kalifów zabraniały wprawdzie „psuć wody" – ale nie baczono na nie, i ciała, których nie zdołały pożreć krokodyle, płynęły z wodą twarzami na dół do szóstej katarakty i nawet dalej, aż na Berber.

Ale Idrys myślał teraz o czym innym i po chwili znów rzekł:

– Dzisiejszego rana nie dostaliśmy nic do zjedzenia. Zali wytrzymamy do godziny modlitw o głodzie – i kto nas później pożywi?

– Nie jesteś niewolnikiem – odpowiedział Tadhil – i możesz pójść na rynek, gdzie kupcy rozkładają swoje zapasy. Tam dostaniesz suszonego mięsa i czasem dochnu (prosa), ale za grube pieniądze, gdyż, jak ci to mówiłem, głód panuje w Omdurmanie.

– A tymczasem źli ludzie porwą lub zabiją mi dzieci.

– Żołnierze je obronią, a jeśli dasz któremu pieniędzy, to ci chętnie sam pójdzie po żywność.

Idrysowi, który miał większą ochotę brać pieniądze niż je komukolwiek dawać, nie bardzo podobała się ta rada, ale nim zdobył się na odpowiedź, łodzie przybiły do brzegu.

Omdurman inaczej przedstawił się dzieciom niż Chartum. Tam były murowane domy piętrowe, była mudiria, to jest pałac gubernatora, w którym zginął bohaterski Gordon, był kościół, szpital, budynki misyjne, arsenał, wielkie koszary dla wojska i pełno większych i mniejszych ogrodów ze wspaniałą podzwrotnikową roślinnością. Omdurman zaś wyglądał raczej na wielkie obozowisko dzikich. Fort, który wznosił się w północnej stronie osady, został z rozkazu Gordona zburzony. Zresztą, jak okiem sięgnąć, miasto składało się z okrągłych stożkowatych chat sklecionych ze słomy dochnu. Wąskie, cierniowe płotki oddzielały te budy od siebie i od ulicy. Gdzieniegdzie widać było także namioty, widocznie zdobyte na Egipcjanach. Gdzie indziej kilka palmowych mat pod rozpiętym na bambusach kawałkiem brudnego płótna stanowiło całe mieszkanie. Ludność chroniła się pod dachy tylko w czasie deszczu lub wyjątkowych upałów, poza tym przesiadywała, paliła ognie, gotowała strawę, żyła i umierała na dworze. Toteż na ulicach było tak rojno, że miejscami oddział z trudnością przeciskał się przez tłumy. Omdurman był przedtem nędzną wioską, obecnie jednak, licząc z niewolnikami, skłębiło się w nim przeszło dwieście tysięcy ludzi. Nawet Mahdi i jego kalifowie zaniepokoili się tym zbiegowiskiem, któremu zagrażał głód i choroby. Wysyłano też ciągle nowe wyprawy w stronę północną na podbój okolic i miast wiernych jeszcze rządowi egipskiemu.

Na widok białych dzieci rozlegały się i tu także nieprzyjazne okrzyki, ale motłoch nie groził im przynajmniej śmiercią. Może nie śmiał tego uczynić tuż pod bokiem Mahdiego, a może bardziej przywykł do widoku jeńców, których wszystkich przeniesiono zaraz po zdobyciu Chartumu do Omdurmanu. Staś i Nel widzieli jednak piekło na ziemi. Widzieli Europejczyków i Egipcjan bitych do krwi korbaczami, głodnych, spragnionych, zgiętych pod ciężarami, które kazano im przenosić, lub pod wiadrami z wodą. Widzieli kobiety i dzieci europejskie, niegdyś wychowane w dostatku, obecnie żebrzące o garść durry lub skrawek suchego mięsa – okryte łachmanami, wychudłe, podobne do mar o sczerniałych z nędzy twarzach i obłąkanym wzroku, w którym zastygło przerażenie i rozpacz. Widzieli, jak dzicz wybuchała na ich widok śmiechem, jak popychała je i biła. Na wszystkich ulicach i uliczkach nie brakło widoków, od których oczy odwracały się ze zgrozą i wstrętem. W Omdurmanie srożyła się w okropny sposób dezynteria i tyfus, a przede wszystkim ospa. Chorzy, okryci wrzodami, leżeli u wejścia do chat, zarażając powietrze. Jeńcy dźwigali poobwijane w płótno trupy świeżo zmarłych, by je pochować w piasku za miastem, gdzie prawdziwym ich pogrzebem zajmowały się hieny. Nad miastem unosiło się stado sępów, od których skrzydeł padały na rozświecony piasek żałobne cienie. Staś widząc to wszystko pomyślał, że najlepiej i dla niego, i dla Nel byłoby jak najprędzej umrzeć.

Jednakże i w tym morzu nędzy i złości ludzkiej rozkwitało tam czasem miłosierdzie, jak blady kwiatek rozkwita na zgniłym bagnie. W Omdurmanie była garść Greków i Koptów, których Mahdi oszczędził, albowiem ich potrzebował. Ci nie tylko chodzili wolno, ale zajmowali się handlem i rozmaitymi sprawami, a niektórzy, tacy zwłaszcza, co udawali, że zmienili wiarę, byli nawet urzędnikami proroka i to dawało im wśród dzikich derwiszów znaczną powagę. Jeden z takich Greków zatrzymał oddział i począł wypytywać dzieci, skąd się tu wzięły. Dowiedziawszy się ze zdziwieniem, że dopiero co przybyły, a zostały porwane aż z Fajumu, obiecał wspomnieć o nich Mahdiemu i dowiadywać się o nie w przyszłości. Tymczasem pokiwał litośnie głową nad Nel i dał obojgu po sporej garści suszonych fig i po talarze srebrnym z wyobrażeniem Marii Teresy. Po czym przykazał żołnierzom, by nie ważyli się krzywdzić dziewczynki i odszedł powtarzając po angielsku: „Poor little bird!" (biedny mały ptaszek).

Rozdział 17

Przez kręte uliczki doszli na koniec do rynku, położonego w środku miasta. Po drodze widzieli wielu ludzi z obciętą jedną ręką lub jedną nogą. Byli to przestępcy, którzy zataili łupy, albo złodzieje. Kary wymierzane przez kalifów i emirów za nieposłuch lub przekroczenie praw ogłaszanych przez proroka były straszne i nawet za lekkie przewinienia, jak na przykład palenie tytoniu, bito do krwi i nieprzytomności korbaczami. Ale sami kalifowie stosowali się do przepisów tylko pozornie, w domach zaś pozwalali sobie na wszystko, tak że kary spadały tylko na biednych ludzi, którym zagrabiano za jednym zachodem całe mienie. Nie pozostawało im potem nic innego, jak żebrać, a ponieważ w ogóle w Omdurmanie brakło zapasów, więc przymierali głodem.

Pełno też żebraków roiło się koło straganów z żywnością. Pierwszym jednak przedmiotem, jaki zwrócił uwagę dzieci, była głowa ludzka zatknięta na wysokim bambusie wkopanym w środku rynku. Twarz tej głowy była wyschnięta i prawie czarna, natomiast włosy na czaszce i brodzie białe jak mleko. Jeden z żołnierzy objaśnił Idrysa, że to jest głowa Gordona. Stasia, gdy to usłyszał, ogarnął niezgłębiony żal, oburzenie i paląca chęć zemsty, a zarazem przestrach zmroził mu krew w żyłach. Tak więc skończył ów bohater, ów rycerz bez skazy i bojaźni, człowiek przy tym spawiedliwy i dobry, kochany nawet w Sudanie. I Anglicy nie przyszli mu na czas z pomocą, a potem cofnęli się, pozostawiając jego zwłoki bez chrześcijańskiego pogrzebu, na pohańbienie! Staś stracił w tej chwili wiarę w Anglików. Dotychczas mniemał naiwnie, że Anglia za najmniejszą krzywdę wyrządzoną jednemu z jej obywateli gotowa jest zawsze do wojny z całym światem. Na dnie duszy taiła mu się nadzieja, że i w obronie córki Rawlisona ruszą, po nieudanej pogoni, groźne zastępy angielskie, choćby do Chartumu i dalej. Teraz przekonał się, że Chartum i cały kraj jest w ręku Mahdiego i że rząd egipski również jak Anglia myślą raczej o tym, jakby obronić Egipt przed dalszymi zaborami, nie zaś o wydobyciu z niewoli jeńców europejskich.

Zrozumiał, że oboje z Nel wpadli w przepaść, z której nie masz wyjścia – i te myśli, w połączeniu z okropnościami, jakie widział na ulicach Omdurmanu, przybiły go ostatecznie. Zwykłą mu energię zastąpiło na chwilę zupełnie bierne poddanie się losowi i bojaźń przyszłości. Tymczasem począł prawie bezmyślnie rozglądać się po rynku i straganach, przy których Idrys targował się o żywność. Przekupnie, głównie zaś kobiety sudańskie i Murzynki, sprzedawały tu dżiuby, to jest białe płócienne chałaty ponaszywane w różnokolorowe płatki, gumę akacjową, wydrążone tykwy, paciorki szklane, siarkę i wszelkiego rodzaju maty. Straganów z żywnością było mało i naokół wszystkich cisnęły się tłumy. Mahdyści kupowali po wygórowanych cenach przeważnie suszone paski mięsa z bydła domowego tudzież z bawołów, antylop i żyraf. Daktyli, fig, manioku i durry brakło zupełnie. Sprzedawano tylko gdzieniegdzie wodę z miodem dzikich pszczół i ziarna dochnu rozmoczone w odwarze z owoców tamaryndy. Idrys wpadł w rozpacz, okazało się bowiem, że wobec cen targowych wyda wkrótce wszystkie otrzymane od Fatmy Smainowej pieniądze na życie, a potem będzie musiał chyba żebrać. Nadzieję miał tylko w Smainie i rzecz szczególna, że i Staś liczył obecnie jedynie na pomoc Smaina.

Po upływie godziny wrócił Nur-el-Tadhil od kalifa Abdullahiego. Widocznie spotkała go tam jakaś niemiła przygoda, gdyż wrócił w złym humorze. Toteż gdy Idrys zapytał go, czy nie dowiedział się czego o Smainie, odrzekł mu opryskliwie:

– Głupcze, czy myślisz, że kalif i ja nie mamy nic lepszego do roboty, jak szukać dla ciebie Smaina?

– Więc co teraz ze mną zrobisz?

– Rób sobie, co chcesz. Przenocowałem cię w domu moim i udzieliłem ci kilku dobrych rad, a teraz nie chcę o tobie nic wiedzieć.

– To dobrze, ale gdzie ja się na noc podzieję?

– Wszystko mi jedno.

I tak mówiąc zabrał żołnierzy i poszedł. Idrys zaledwie go uprosił, żeby mu odesłał na rynek wielbłądy i resztę karawany wraz z tymi Arabami, którzy przyłączyli się do niej między Assuanem a Wadi–Halfa. Ludzie ci nadeszli dopiero w południe i następnie pokazało się, że wszyscy razem wzięci nie wiedzą, co mają począć. Dwaj Beduini jęli się kłócić z Idrysem i Gebhrem twierdząc, że ci obiecywali im zgoła inne przyjęcie i że ich oszukali. Po długich sporach i naradach postanowili wreszcie zbudować na krańcu miasta szałasy z gałęzi i trzciny dochnu, by zapewnić sobie na noc schronienie, a resztę zdać na wolę opatrzności i – czekać.

Po zbudowaniu szałasów, która to czynność nie zabiera wcale Sudańczykom i Murzynom dłuższego czasu, udali się wszyscy prócz Chamisa, który miał sporządzić wieczerzę, na miejsce modłów publicznych. Łatwo im było trafić, gdyż dążyły tam tłumy z całego Omdurmanu. Plac był obszerny, okolony płotem cierniowym, a w części glinianym parkanem, który poczęto niedawno lepić. W środku wznosiło się drewniane podwyższenie. Prorok wstępował na nie wówczas, gdy chciał nauczać lud. Przed podwyższeniem rozesłano na ziemi skóry owcze dla Mahdiego, dla kalifów i znakomitych szeików. Po bokach pozatykane były chorągwie emirów, które łopotały na wietrze, mieniąc się i grając wszelkimi barwami jak wielkie kwiaty. Cztery strony placu otaczały zbite szeregi derwiszów. Naokół widać było sterczący, nieprzeliczony las dzid, w które byli uzbrojeni wszyscy niemal wojownicy.

Było to prawdziwe szczęście dla Idrysa i Gebhra oraz innych uczestników karawany, że poczytani za orszak jednego z emirów, mogli przedostać się do pierwszych rzędów zgromadzonego tłumu. Przybycie Mahdiego oznajmiły najprzód piękne i uroczyste dźwięki umbai, lecz gdy ukazał się na placu, rozległy się przeraźliwe głosy piszczałek, huk bębnów, grzechot kamieni potrząsanych w pustych tykwach i świstanie na słoniowych przednich zębach, co wszystko razem uczyniło piekielny hałas. Tłumy ogarnął nieopisany zapał. Jedni rzucali się na kolana, inni wrzeszczeli co sił: „O, zesłany od Boga! o, zwycięski! o, litościwy! o, łaskawy!" Trwało to dopóty, dopóki Mahdi nie wstąpił na kazalnicę. Wówczas zapadła cisza śmiertelna, on zaś podniósł ręce, przyłożył wielkie palce do uszu i przez jakiś czas modlił się.

Dzieci nie stały daleko i mogły mu się dobrze przypatrzyć. Był to człowiek w średnim wieku, dziwnie otyły, jakby rozpuchnięty, i prawie czarny. Staś, który miał wzrok nadzwyczaj bystry, dostrzegł, że twarz jego była tatuowana. W jednym uchu nosił dużą obrączkę z kości słoniowej. Przybrany był w białą dżiubę i białą krymkę na głowie, a nogi miał bose, gdyż wstępując na podwyższenie zrzucił czerwone ciżmy i zostawił je przy skórach owczych, na których miał się następnie modlić. W ubiorze jego nie było najmniejszego zbytku. Tylko chwilami wiatr przynosił od niego mocny zapach sandałowy, który wierni chciwie wciągali w nozdrza, przewracając przy tym z rozkoszy oczyma. W ogóle Staś wyobrażał sobie inaczej strasznego proroka, grabieżcę i mordercę tylu tysięcy ludzi, i patrząc teraz na tę tłustą twarz z łagodnym wejrzeniem, z załzawionymi oczyma i z uśmiechem jakby do ust przyrosłym, nie mógł po prostu wyjść ze zdziwienia. Myślał, że taki człowiek powinien nosić na ramionach głowę hieny lub krokodyla, widział natomiast przed sobą pyzatą dynię, podobną do rysunków przedstawiających księżyc w pełni.

Lecz prorok rozpoczął naukę. Głęboki i dźwięczny głos jego słychać było doskonale na całym placu, tak że każde słowo dochodziło do uszu wiernych. Mówił naprzód o karach, jakie Bóg wymierza tym, którzy nie słuchają przepisów Mahdiego, lecz zatajają łupy, upijają się merisą, kradną, oszczędzają w bitwach nieprzyjaciół i palą tytoń. Z powodu tych zbrodni Allach zsyła na grzeszników głód i tę chorobę, która zmienia twarz w plaster miodu. Doczesne życie jest jak dziurawy bukłak na wodę. Bogactwo i rozkosze wsiąkają w piasek, który zasypuje zmarłych. Jedynie wiara jest jako krowa dająca słodkie mleko. Ale raj otworzy się tylko dla zwycięzców. Kto zwycięża nieprzyjaciół, zdobywa sobie zbawienie. Kto umiera za wiarę, zmartwychwstaje na wieczność. Szczęśliwi, stokroć szczęśliwi ci, co już polegli!...

– Chcemy umrzeć za wiarę! – odpowiedziały jednym gromkim okrzykiem tłumy.

I za chwilę wszczął się znów piekielny hałas. Ozwały się głosy umbai i bębnów. Wojownicy uderzali mieczami o miecze i dzidami o dzidy. Zapał wojenny szerzył się jak płomień. Niektórzy wołali: „Wiara jest zwycięska!", inni: „Przez śmierć do raju!" Staś zrozumiał teraz, dlaczego tym dzikim zastępom nie mogły się oprzeć wojska egipskie.

Gdy uciszyło się nieco, prorok znów zabrał głos. Opowiadał o widzeniach, jakie miewa, i o posłannictwie, jakie od Boga otrzymał. Oto Allach kazał mu oczyścić wiarę i rozszerzyć po całym świecie. Kto go nie uzna za Mahdiego, odkupiciela, ten skazany jest na zatracenie. Koniec świata już bliski, ale przedtem obowiązkiem wiernych jest podbić Egipt, Mekkę i wszystkie te krainy, w których za morzami żyją poganie. Taka jest wola boża i nic nie zdoła jej zmienić. Dużo jeszcze krwi popłynie, wielu wojowników nie wróci do żon i dzieci, pod swe namioty, ale szczęścia tych, którzy legną, żaden język ludzki nie zdoła wysłowić.

Po czym wyciągnął ręce ku zgromadzonym i tak skończył:

– Więc oto ja, odkupiciel i sługa Boży, błogosławię wojnę świętą i was, wojownicy. Błogosławię wasze trudy, rany, śmierć, błogosławię zwycięstwo i płaczę z wami jak ojciec, który was umiłował…

I rozpłakał się. Ryk i wrzawa rozległy się, gdy zstępował z kazalnicy. Płacz stał się powszechny. Na dole dwaj kalifowie, Abdullahi i Ali-uled-Helu, wzięli proroka pod ręce i wprowadzili na owcze skóry, na których klęknął. Przez tę krótką chwilę Idrys wypytywał gorączkowo Stasia, czy wśród emirów nie ma Smaina.

– Nie! – odrzekł chłopiec, który na próżno szukał oczyma znajomej twarzy. – Nie widzę go nigdzie. Może poległ przy zdobyciu Chartumu.

Modlitwy trwały długo. Mahdi rzucał podczas nich rękoma i nogami jak pajac lub wznosił w zachwycie oczy, powtarzając: „Oto on! oto on!", i słońce poczęło już chylić się ku zachodowi, gdy podniósł się i poszedł ku domowi. Dzieci mogły się teraz przekonać, jaką czcią otaczają derwisze swego proroka, albowiem całe gromady ludzi rzuciły się w jego ślady i rozdrapywały ziemię w tych miejscach, których dotknęły jego stopy. Dochodziło przy tym do kłótni i bitew, a wierzono, że ziemia taka zabezpiecza zdrowych i uzdrawia chorych.

Plac modlitwy opróżniał się z wolna. Idrys sam nie wiedział, co z sobą zrobić, i już chciał wraz z dziećmi i z całą czeredą wrócić na noc do szałasów i Chamisa, gdy niespodzianie stanął przed nimi ten sam Grek, który rano dał po talarze i po garści daktyli Stasiowi i Nel.

– Mówiłem o was z Mahdim – rzekł po arabsku – i prorok chce was widzieć.

– Dzięki Allachowi i tobie, panie – zawoła Idrys. – Zali przy boku Mahdiego odnajdziemy i Smaina?

– Smain jest w Faszodzie – odpowiedział Grek.

Po czym zwrócił się w języku angielskim do Stasia:

– Być może, że prorok weźmie was w opiekę, gdyż starałem się go na to namówić. Powiedziałem mu, że sława jego miłosierdzia rozejdzie się wówczas wśród wszystkich białych narodów. Tu dzieją się straszne rzeczy i bez jego opieki zginiecie niezawodnie z głodu, z niewygód, z chorób lub z ręki szaleńców. Ale musicie sobie go zjednać, a to zależy od ciebie.

– Co mam czynić, panie? – zapytał Staś.

– Naprzód, gdy staniesz przed nim, rzuć się na kolana, a jeśli poda ci rękę, to ją ze czcią ucałuj i błagaj go, by was oboje wziął pod swoje skrzydła.

Tu Grek przerwał i zapytał:

– Czy nikt z tych ludzi nie rozumie po angielsku?

– Nie. Chamis został w szałasie, Idrys i Gebhr rozumieją tylko kilka pojedynczych słów, a inni i tego nie.

– To dobrze. Więc słuchaj dalej, albowiem trzeba wszystko przewidzieć. Otóż Mahdi zapyta cię prawdopodobnie, czy gotów jesteś przyjąć jego wiarę. Odpowiedz na to natychmiast, że tak – i że na jego widok od pierwszego rzutu oka spłynęło na ciebie nieznane światło łaski. Zapamiętaj sobie: „Nieznane światło łaski!…" To mu pochlebi i zaliczy cię może do mulazemów, to jest do swych sług osobistych. Będziecie mieli wówczas dostatek i wszelkie wygody, które uchronią was od chorób…. Gbybyś postąpił inaczej naraziłbyś siebie, to małe biedactwo, a nawet i mnie, który chce waszego dobra. Rozumiesz?

Staś ścisnął zęby i nie odrzekł nic, tylko twarz mu skrzepła i oczy zaświeciły ponuro, co widząc Grek mówił dalej:

– Ja wiem, mój chłopcze, że to jest rzecz przykra, ale nie ma innej rady! Ci, którzy ocaleli po rzezi w Chartumie, wszyscy przyjęli naukę Mahdiego. Nie zgodziło się na to kilku katolików misjonarzy i kilka zakonnic, lecz to jest co innego. Koran zabrania mordować kapłanów, więc choć los ich jest straszny, nie grozi im przynajmniej śmierć. Natomiast dla świeckich ludzi nie było innego ratunku. Powtarzam ci, że wszyscy przyjęli mahometanizm: Niemcy, Włosi, Koptowie, Anglicy, Grecy… ja sam…

I tu, jakkolwiek Staś upewniał go, że nikt w gromadzie nie rozumie po angielsku, zniżył jednakże głos:

– Nie potrzebuję ci przy tym mówić, że to nie jest żadne zaparcie się wiary, żadna zdrada, żadne odstępstwo. W duszy każdy pozostał tym, czym był, i Bóg to widzi... Przed przemocą trzeba się ugiąć, choćby pozornie... Obowiązkiem człowieka jest bronić życia i byłoby szaleństwem, a nawet grzechem narażać je – dla czego? Dla pozorów, kilku słów, których jednocześnie możesz się w duszy zaprzeć? A ty pamiętaj, że masz w ręku życie nie tylko swoje, ale i życie swojej małej towarzyszki, którym nie wolno ci rozporządzać. Oczywiście!... Mogę ci zaręczyć, że jeśli Bóg wybawi cię kiedy z tych rąk, to ani sam sobie nie będziesz miał nic do zarzucenia, ani nikt nie będzie ci robił wyrzutów – tak samo jak i nam wszystkim.

Grek mówiąc w ten sposób oszukiwał może własne sumienie, ale oszukało go także i milczenie Stasia, w końcu bowiem poczytał je za przestrach. Postanowił więc dodać chłopcu otuchy.

– Oto domy Mahdiego – rzekł. – Woli on mieszkać w tych drewnianych budach w Omdurmanie niż w Chartumie, chociaż tam mógłby zająć pałac Gordona. No, śmiało! Nie trać głowy! Na pytania odpowiadaj rezolutnie. Oni cenią tu odwagę. Nie myśl też, że Mahdi ryknie zaraz na ciebie jak lew. Nie! On uśmiecha się zawsze – nawet wtedy, kiedy nie zamyśla nic dobrego.

I to rzekłszy począł wołać gromady stojące przed domem, by rozstąpiły się przed „gośćmi" proroka.

Rozdział 18

Gdy weszli do izby, Mahdi leżał na miękkim tapczanie, otoczony przez żony, z których dwie wachlowały go wielkimi, strusimi piórami, a inne dwie drapały mu lekko podeszwy u nóg. Prócz żon byli obecni tylko: kalif Abdullahi i kalif Szeryf, gdyż trzeci, Ali-uled-Helu, wyprawiał w tym czasie wojska na północ, a mianowicie do Berberu i Abu-Hammed, które już przedtem zostały zdobyte przez derwiszów. Na widok wchodzących prorok odsunął żony i siadł na tapczanie. Idrys, Gebhr i dwaj Beduini padli na twarze, a potem uklękli ze skrzyżowanymi na piersiach rękoma. Grek skinął na Stasia, by uczynił to samo, ale chłopiec udając, że tego nie widzi skłonił się tylko i pozostał wyprostowany. Twarz mu zbladła, ale oczy świeciły mocno i z całej jego postawy i podniesionej hardo do góry głowy, z zaciśniętych ust, łatwo było poznać, że coś przeważyło się w nim, że niepewność i obawa przeszły, że powziął jakieś nieugięte postanowienie, od którego za nic nie odstąpi. Grek zrozumiał to widocznie, gdyż wielki niepokój odbił się w jego rysach. Mahdi objął oboje dzieci przelotnym spojrzeniem, rozjaśnił swą tłustą twarz zwykłym uśmiechem, po czym zwrócił się naprzód do Idrysa i Gebhra.

– Przybyliście z dalekiej północy – rzekł.

Idrys uderzył czołem o ziemię.

– Tak jest, o Mahdi! Należymy do pokolenia Dangalów, przeto porzuciliśmy nasze domy w Fajumie, aby klęknąć u twoich błogosławionych stóp.

– Widziałem was na pustyni. Straszna to droga, ale posłałem anioła, który was strzegł i ochraniał od śmierci z ręki niewiernych. Wyście go nie widzieli, ale on czuwał nad wami.

– Dzięki ci, odkupicielu.

– I przywieźliście Smainowi te dzieci, aby je zamienił na własne, które Turcy uwięzili wraz z Fatmą w Port-Saidzie.

– Tobie chcieliśmy służyć.

– Kto mnie służy, służy własnemu zbawieniu, więc otworzyliście sobie drogę do raju. Fatma jest moją krewną... Ale zaprawdę mówię wam, że gdy podbiję cały Egipt, wówczas krewna moja i jej potomstwo odzyskają i tak wolność.

– A więc uczyń z tymi dziećmi, co chcesz, błogosławiony!...

Mahdi przymknął powieki, potem je otworzył, uśmiechnął się dobrotliwie i skinął na Stasia:

– Zbliż się tu, chłopcze.

Staś postąpił kilka kroków energicznym, jakby żołnierskim chodem, skłonił się po raz drugi, potem wyprężył jak struna i patrząc wprost w oczy Mahdiego czekał.

– Czy radzi jesteście, że przyjechaliście do mnie? – zapytał Mahdi.

– Nie, proroku. Zostaliśmy porwani mimo naszej woli od naszych ojców.

Prosta ta odpowiedź uczyniła pewne wrażenie – i na przywykłym do pochlebstw władcy, i na obecnych. Kalif Abdullahi zmarszczył brwi. Grek przygryzł wąsy i począł wyłamywać sobie palce, Mahdi jednakże nie przestawał się uśmiechać.

– Ale – rzekł – jesteście za to u źródła prawdy. Czy chcesz się napić z tego źródła?

Nastała chwila milczenia, więc Mahdi sądząc, że chłopiec nie zrozumiał pytania, powtórzył je wyraźniej:

– Czy chcesz przyjąć moją naukę?

Na to Staś ręką, którą trzymał przy piersiach zrobił nieznaczny znak krzyża świętego, jakby z tonącego okrętu miał skoczyć w odmęt wodny.

– Proroku – rzekł – twojej nauki nie znam, więc gdybym ją przyjął, uczyniłbym to tylko ze strachu jak tchórz i człowiek podły. A czyż zależy ci na tym, by wiarę twoją wyznawali tchórze i ludzie podli?

I tak mówiąc patrzył wprost w oczy Mahdiego. Uczyniła się taka cisza, że słychać było brzęczenie much. Lecz stała się zarazem rzecz nadzwyczajna. Oto Mahdi zmieszał się i na razie nie umiał znaleźć odpowiedzi. Uśmiech zniknął mu z twarzy, na której odbiło się zakłopotanie i niechęć. Wyciągnąwszy rękę wziął tykwę napełnioną wodą z miodem i począł pić, ale widocznie dlatego tylko, by zyskać na czasie i pokryć zmieszanie.

A dzielny chłopak, nieodrodny potomek obrońców chrześcijaństwa, prawa krew zwycięzców spod Chocimia i Wiednia, stał z podniesioną głową czekając wyroku. Na wychudzonych, opalonych przez pustynny wicher policzkach wykwitły mu jasne rumieńce, oczy rozbłysły, a ciałem wstrząsnął dreszcz zapału. „Oto – mówił sobie – wszyscy inni przyjęli jego naukę, a jam nie zaparł się wiary ni duszy". I lęk przed tym, co mogło i miało nastąpić, przytaił mu się w tej chwili w sercu, natomiast zalała je radość i duma.

A tymczasem Mahdi postawił tykwę i zapytał:

– Więc odrzucasz moją naukę?

– Jestem chrześcijaninem jak mój ojciec…

– Kto zamyka uszy na głos boży – rzekł z wolna, zmienionym głosem Mahdi – jest tylko drzewem na opał.

Na to znany ze srogości i okrucieństwa kalif Abdullahi zabłysnął swymi białymi zębami jak dziki zwierz i ozwał się:

– Zuchwała jest mowa tego chłopca, przeto ukarz go, panie, lub pozwól, abym ukarał go ja.

„Stało się!" – pomyślał Staś.

Lecz Mahdi pragnął zawsze, by sława jego miłosierdzia rozchodziła się nie tylko między derwiszami, ale i w całym świecie, pomyślał więc, że wyrok zbyt surowy, zwłaszcza na małego jeszcze chłopca, mógłby zaszkodzić tej sławie.

Przez chwilę przesuwał paciorki różańca i myślał, a następnie rzekł:

– Nie. Te dzieci porwano dla Smaina, więc choć ja w żadne układy z niewiernymi wchodzić nie będę, trzeba odesłać je Smainowi. Taka jest moja wola.

– Stanie się wedle niej – odpowiedział kalif.

Lecz Mahdi wskazał mu Idrysa, Gebhra i Beduinów:

– Tych ludzi nagródź ode mnie, o Abdullahi, albowiem wielką i niebezpieczną odbyli podróż, aby służyć Bogu i mnie.

Po czym skinął na znak, że posłuchanie skończone, a zarazem rozkazał Grekowi, by wyszedł także. Ów, gdy znalazł się znowu w ciemnościach na placu modlitw, schwycił za ramię Stasia i począł nim potrząsać z gniewem i rozpaczą.

– Przeklęty! Zgubiłeś dziecko niewinne. – Mówił, wskazując Nel. – Zgubiłeś siebie, a może i mnie.

– Nie mogłem inaczej – odpowiedział Staś.

– Nie mogłeś! Wiedz, że skazani jesteście na długą podróż stokroć gorszą od pierwszej. I to jest śmierć – rozumiesz? W Faszodzie febra zabije was w ciągu tygodnia. Mahdi wie, dlaczego wysyła was do Smaina.

– W Omdurmanie pomarlibyśmy także.

– Nieprawda! Nie pomarlibyście w domu Mahdiego, w dostatku i wygodach. A on gotów był wziąć was pod swoje skrzydła. Wiem, że był gotów. Odpłaciłeś się także dobrze i mnie za to, żem się za was wstawiał. Ale róbcie teraz, co chcecie! Abdullahi wysyła pocztę wielbłądzią za tydzień do Faszody, a przez ten tydzień róbcie, co chcecie! Nie zobaczycie mnie więcej!...

I to powiedziawszy odszedł, ale po chwili znów wrócił. Był wielomówny jak wszyscy Grecy i potrzebował się wygadać. Chciał wylać żółć, która się w nim zebrała, na głowę Stasia. Nie był okrutny i nie miał złego serca, pragnął jednakże, by chłopiec zrozumiał jeszcze dokładniej okropną odpowiedzialność, jaką wziął na siebie nie posłuchawszy jego rad i przestróg.

– Kto by ci zabronił zostać w duszy chrześcijaninem? – mówił. – Myślisz, że ja nim nie jestem? Ale nie jestem głupcem. Tyś zaś wolał się popisać swoim fałszywym bohaterstwem. Oddawałem dotąd wielkie usługi białym jeńcom, a teraz nie będę mógł ich oddawać, bo Mahdi zagniewał się i na mnie. Wszyscy poginą. A twoja mała towarzyszka niedoli na pewno! Zabiłeś ją! W Faszodzie dorośli nawet Europejczycy giną z febry jak muchy, a cóż dopiero takie dziecko. A jeśli każą wam iść piechotą przy koniach i wielbłądach, to ona padnie pierwszego dnia. To tyś tego narobił. Cieszże się teraz... ty chrześcijaninie!

I oddalił się, a oni skręcili z placu modlitwy przez ciemne uliczki ku szałasom. Szli długo, gdyż miasto było rozciągnięte na ogromnej przestrzeni. Nel, zabiedzona przez trudy, głód, bojaźń i okropne wrażenia całego dnia, poczęła ustawać. Idrys i Gebhr popędzali ją, by szła prędzej. Lecz po pewnym czasie nogi omdlały zupełnie pod nią. Wtedy Staś wziął ją bez namysłu na ręce i niósł. Po drodze chciał do niej mówić, chciał się usprawiedliwić przed nią, że nie mógł inaczej postąpić, ale myśli zdrętwiały i jakby obumarły mu w głowie, tak że powtarzał tylko w kółko: „Nel! Nel! Nel!" – i tulił ją do siebie nie mogąc nic więcej powiedzieć. Po kilkudziesięciu krokach Nel usnęła mu z wyczerpania na ręku, więc szedł w milczeniu wśród ciszy uśpionych uliczek przerywanej tylko rozmową Idrysa i Gebhra.

A ich serca przepełniała radość, co było rzeczą pomyślną dla Stasia, inaczej bowiem może by znowu chcieli ukarać go za zuchwałe odpowiedzi Mahdiemu. Byli jednak tak zajęci tym, co ich spotkało, że nie mogli myśleć o niczym innym.

– Czułem się chory – mówił Idrys – ale widok proroka uzdrowił mnie.

– Jest on jak palma na pustyni i jako zimna woda w dzień upalny, a słowa jego są jako dojrzałe daktyle – odpowiedział Gebhr.

– Kłamał Nur-el-Tadhil mówiąc, że on nie dopuści nas przed swe oblicze. Dopuścił, pobłogosławił i kazał nas obdarzyć Abdullahiemu.

– Który obdarzy nas hojnie, albowiem wola Mahdiego jest święta.

– *Bismillah*! Niechaj tak będzie jak mówisz – ozwał się jeden z Beduinów.

A Gebhr począł marzyć o całych stadach wielbłądów, bydła rogatego, koni i o workach pełnych piastrów.

Z tych marzeń obudził go Idrys, który, wskazawszy na Stasia niosącego uśpioną Nel zapytał:

– A co uczynimy z tym szerszeniem i z tą muchą?

– Ha! Smain powinien wynagrodzić nas za nich osobno.

– Skoro prorok mówi, że na żadne układy z niewiernymi nie pozwoli, to Smainowi nic już na nich nie zależy.

– W takim razie żałuję, że nie dostali się w ręce kalifa, który byłby nauczył tego szczeniaka, co to jest szczekać przeciw prawdzie i bożemu wybrańcowi.

– Mahdi jest miłosierny – odpowiedział Idrys.

Po czym zastanowił się przez chwilę i rzekł:

– Jednakże Smain mając oboje w ręku będzie pewien, że ani Turcy, ani Anglicy nie zabiją jego dzieci i Fatmy.

– Więc może nas wynagrodzi?

– Tak. Niech ich poczta Abdullahiego zabierze do Faszody. Nam spadnie ciężar z głowy. A gdy Smain tu powróci, upomnimy się u niego o zapłatę.

– Mówisz zatem, że pozostaniemy w Omdurmanie?

– Allach! Nie dość ci drogi z Fajumu do Chartumu? Przyszedł czas na odpoczynek.

Szałasy były już niedaleko. Staś jednak zwolnił kroku, bo i jego siły poczęły się wyczerpywać. Nel, jakkolwiek lekka, ciążyła mu coraz bardziej. Sudańczycy, którym pilno było do snu, krzyczeli na niego, by pospieszał, a następnie popędzali go bijąc kułakami po głowie. Gebhr ukłuł go nawet boleśnie nożem w łopatkę. Chłopak znosił wszystko w milczeniu, ochraniając przede wszystkim swą małą siostrzyczkę, i dopiero gdy jeden z Beduinów pchnął go tak, że o mało nie padł, rzekł im przez zaciśnięte zęby:

– Mamy żywi dojechać do Faszody.

I słowa te powstrzymały Arabów, albowiem bali się przestąpić rozkazu Mahdiego. Jeszcze skuteczniej powstrzymywało ich jednak to, że Idrys dostał nagle zawrotu głowy tak silnego, że musiał wesprzeć się na ramieniu Gebhra. Po chwili zawrót przeszedł, ale Sudańczyk przestraszył się i rzekł:

– Allach! Coś ze mną niedobrze. Czy nie chwyta mnie jaka choroba?

– Widziałeś Mahdiego, więc nie zachorujesz – odpowiedział Gebhr.

Doszli wreszcie do szałasów. Staś, goniąc resztkami sił, oddał uśpioną Nel na ręce starej Dinah, która, lubo także niezdrowa, wymościła jednak dla swej panienki dość wygodne posłanie. Sudańczycy i Beduini, połknąwszy po kilka pasków surowego mięsa rzucili się jak kloce na wojłok. Stasiowi nie dano nic do jedzenia – tylko stara Dinah wsunęła mu w rękę garść rozmoczonej durry, której pewną ilość wykradła wielbłądom. Ale jemu nie było do snu, ani do jedzenia.

Brzemię bowiem, które zaciążyło na jego ramionach, było istotnie zbyt ciężkie. Czuł oto, że odrzuciwszy łaskę Mahdiego, za którą trzeba było zapłacić zaparciem się wiary i duszy, postąpił, jak był powinien, czuł, że ojciec byłby z jego postępku dumny i uszczęśliwiony, a jednocześnie myślał, że zgubił Nel, towarzyszkę niedoli, małą ukochaną siostrzyczkę, za którą byłby chętnie oddał ostatnią kroplę krwi.

Więc gdy wszyscy posnęli, porwał go ogromny płacz – i leżąc na kawałku wojłoku płakał długo jak dziecko, którym ostatecznie był jeszcze.

Rozdział 19

Odwiedziny u Mahdiego i rozmowa z nim widocznie nie uzdrowiły Idrysa, gdyż w nocy jeszcze zachorował ciężko, rano był już nieprzytomny. Chamis, Gebhr i dwaj Beduini zostali wezwani do kalifa, który trzymał ich kilka godzin i wychwalał ich odwagę. Ale wrócili w najgorszych humorach i ze złością w duszy, spodziewali się bowiem Bóg wie jakich nagród, a tymczasem Abdullahi dał na każdego po funcie egipskim i po koniu.

Beduini rozpoczęli kłótnię z Gebhrem, w której o mało nie przyszło do bitki, w końcu oświadczyli, że pojadą wraz z pocztą wielbłądzią do Faszody, by upomnieć się u Smaina o zapłatę. Przyłączył się do nich Chamis, który spodziewał się, że protekcja Smaina więcej mu przyniesie korzyści niż pobyt w Omdurmanie.

Dla dzieci rozpoczął się tydzień głodu i nędzy, gdyż Gebhr ani myślał ich żywić. Na szczęście Staś posiadał dwa talary z Marią Teresą, które dostał od Greka, poszedł więc na miasto kupić daktyli i ryżu. Sudańczycy nie sprzeciwiali się wcale tej wycieczce, wiedząc, że z Omdurmanu nie można już uciec i że w żadnym razie nie opuściłby małej bint. Nie obyło się jednak bez przygód, albowiem widok chłopca w europejskim ubraniu kupującego na rynku żywność ściągnął gromady półdzikich derwiszów, które przyjmowały go śmiechem i wyciem. Na szczęście wielu widziało, że wczoraj był u Mahdiego, i ci wstrzymywali tych, którzy chcieli się na niego porwać. Tylko dzieci rzucały nań piaskiem i kamieniami, ale on na to wcale nie zważał.

Na rynku ceny były wygórowane. Daktyli nie mógł Staś dostać zupełnie, a znaczną część ryżu odebrał mu „dla chorego brata" Gebhr. Chłopiec opierał się temu z całej siły, wskutek czego skończyło się na szarpaninie i bitwie, z których oczywiście słabszy wyszedł z mnóstwem sińców i guzów. Okazało się przy tym i okrucieństwo Chamisa. Okazywał on przywiązanie tylko do Saby i karmił go surowym mięsem. Natomiast na nędzę dzieci, które znał przecie od dawna i które zawsze były dla niego dobre, patrzył z największą obojętnością, a gdy Staś zwrócił się do niego z prośbą, by przynajmniej Nel udzielił trochę pokarmu, odpowiedział, śmiejąc się:

– Idź żebrać.

I doszło na koniec do tego, że Stać w następnych kilku dniach, chcąc ratować Nel od głodowej śmierci – żebrał. Nie zawsze było to bezskuteczne. Czasem jakiś dawny żołnierz lub oficer egipskiego chedywa dał mu parę piastrów lub kilka fig suszonych i obiecał wspomóc go jeszcze nazajutrz. Raz trafił na misjonarza i siostrę miłosierdzia, którzy wysłuchawszy jego historii zapłakali nad losem obojga dzieci – i lubo sami wycieńczeni głodem, podzielili się z nim wszystkim, co mieli. Obiecali mu też odwiedzić ich w szałasach i nazajutrz przyszli rzeczywiście w nadziei, że może uda im się zabrać dzieci, aż do czasu wyruszenia pocztą, do siebie. Ale Gebhr z Chamisem przepędzili ich korbaczami. Nazajutrz Staś spotkał ich jednak znowu i dostał od nich miarkę ryżu oraz dwa proszki chininy, które misjonarz polecił mu zachować jak najstaranniej, w przewidywaniu, że w Faszodzie niechybnie czeka ich oboje febra.

– Pojedziecie teraz – mówił – wzdłuż rozlewisk Białego Nilu, czyli wśród tak zwanych suddów. Rzeka, nie mogąc płynąć swobodnie przez zatory utworzone z roślin i z liści, które prąd wody znosi i osadza w płytszych miejscach, tworzy tam obszerne i zaraźliwe błota, wśród których febra nie oszczędza nawet Murzynów. Strzeżcie się szczególnie noclegów bez ognia, na gołej ziemi.

– My byśmy już chcieli umrzeć – odpowiedział prawie z jękiem Staś.

Na to misjonarz podniósł swą wynędzniałą twarz i przez chwilę modlił się, po czym przeżegnał chłopca i rzekł:

– Ufaj w Bogu. Nie wyparłeś się Go, więc miłosierdzie Jego i opieka będzie nad tobą.

Staś próbował nie tylko żebrać, ale i pracować. Widząc pewnego dnia gromady ludzi pracujące na placu modlitwy, przyłączył się do nich i jął nosić glinę na parkan, którym plac miał być otoczony. Śmiano się z niego i potrącano go, ale pod wieczór stary szeik pilnujący robót dał mu dwana-ście daktyli. Staś rad był z tej zapłaty niezmiernie, daktyle bowiem stanowiły obok ryżu jedyny zdrowy pokarm dla Nel, a było o nie coraz trudniej w Omdurmanie.

Przyniósł je więc z dumą małej siostrzyczce, której od-dawał wszystko, co mógł dostać, sam żywiąc się od tygodnia prawie wyłącznie durrą wykradaną wielbłądom. Nel cie-szyła się bardzo na widok ulubionych owoców, ale chciała, żeby się z nią podzielił. Więc wspiąwszy się na paluszki położyła mu ręce na ramionach i zadarłszy główkę poczęła patrzeć mu w oczy i prosić:

– Staś! Zjedz połowę, zjedz!

A on to odrzekł:

– Jadłem już, jadłem! O, taki jestem syty!

Uśmiechnął się, ale zaraz począł przygryzać wargi, by się nie rozpłakać, gdyż był po prostu głodny. Obiecywał sobie, że nazajutrz pójdzie znów na zarobek. Tymczasem stało się inaczej. Rano przyszedł mulazem od Abdullahiego z oznajmieniem, że poczta wielbłądzia wychodzi na noc do Faszody, i z rozkazem kalifa, by Idrys, Gebhr, Chamis i dwaj Beduini gotowali się wraz z dziećmi do drogi. Gebhra zdumiał i oburzył ten rozkaz, więc oświadczył, że nie pojedzie, gdyż brat jego chory i nie ma go kto pilnować, a gdyby nawet był zdrów, to i tak obaj postanowili zostać w Omdurmanie.

Lecz mulazem odpowiedział:

– Mahdi ma jedną tylko wolę, a Abdullahi, jego kalif, a mój pan, nie zmienia nigdy rozkazów. Brata twego będzie pilnował niewolnik, ty zaś pojedziesz do Faszody.

– Więc pójdę i oznajmię mu, że nie pojadę.

– Do kalifa wchodzą tylko ci, których on sam chce widzieć. A jeśli gwałtem wedrzesz się do niego bez pozwolenia, wyprowadzą cię – na szubienicę.

– *Allach akbar*! To powiedz mi wyraźnie, że jestem niewolnikiem.

– Milcz i słuchaj rozkazów! – odpowiedział mulazem.

Sudańczyk widział w Omdurmanie szubienice łamiące się pod ciężarem wisielców, które co dzień z wyroków srogiego Abdullahiego ubierano w nowe ciała – i zląkł się. To, co mu powiedział mulazem, że Mahdi ma tylko jedną wolę, a Abdullahi raz tylko rozkazuje – powtarzali wszyscy derwisze. Nie było więc rady i trzeba było jechać.

„Nie zobaczę już więcej Idrysa!" – myślał Gebhr. I w jego tygrysim sercu taiło się jednak jakieś przywiązanie do starszego brata, gdyż na myśl, że musi go opuścić w chorobie, ogarnęła go rozpacz. Próżno Chamis i Beduini przekładali mu, że może w Faszodzie będzie lepiej niż w Omdurmanie i że Smain prawdopodobnie wynagrodzi ich hojniej, niż to uczynił kalif. Żadne słowa nie mogły złagodzić żalu i złości Gebhra, która to złość odbijała się przeważnie na Stasiu.

Był to dla chłopca prawdziwie męczeński dzień. Nie pozwolono mu pójść na rynek, więc nie mógł nic zarobić ani uprosić, a musiał pracować jak niewolnik przy jukach, które przygotowywano do podróży, co przychodziło mu tym trudniej, że z głodu i zmęczenia osłabł bardzo. Był już pewien, że w drodze umrze, jeśli nie pod korbaczem Gebhra, to z wycieńczenia.

Na szczęście Grek, który miał dobre serce, przyszedł przed wieczorem odwiedzić dzieci i pożegnać, a zarazem opatrzyć je na drogę. Przyniósł im także kilka proszków chininy, a oprócz tego trochę paciorków szklanych i trochę żywności. Przede wszystkim jednak, dowiedziawszy się o chorobie Idrysa, zwrócił się do Gebhra oraz Chamisa i Beduinów.

– Wiedzcie – rzekł im – że przychodzę tu z rozkazu Mahdiego.

A gdy słysząc to uderzyli czołem, tak mówił dalej:

– Macie w drodze żywić dzieci i obchodzić się z nimi dobrze. Mają one zdać sprawę z waszego postępowania Smainowi. Smain zaś napisze o tym do proroka. Jeśli przyjdzie tu na was jakakolwiek skarga, następna poczta przyniesie wam wyrok śmierci.

Nowy pokłon był jedyną odpowiedzią na te słowa, przy czym Gebhr i Chamis mieli miny psów, którym założono kaganiec.

Grek zaś kazał im pójść precz, po czym tak odezwał się do po angielsku do dzieci:

– Zmyśliłem to wszystko, gdyż Mahdi nie wydał co do was żadnych nowych rozkazów. Ale ponieważ powiedział, że macie jechać do Faszody, więc trzeba, żebyście mogli do niej żywi dojechać. Liczę też i na to, że żaden z tych ludzi nie zobaczy już przed wyjazdem ani Mahdiego, ani kalifa.

Po czym rzekł do Stasia:

– Miałem do ciebie, chłopcze, urazę i mam ją jeszcze. Czy wiesz, że omal mnie nie zgubiłeś? Mahdi obraził się i na mnie i żeby uzyskać jego przebaczenie, musiałem znaczną część majątku oddać Abdullahiemu, a i to jeszcze nie wiem, czy uratowałem się na długo. W każdym razie nie będę mógł pomagać jeńcom tak, jak pomagałem dotychczas. Ale mi was żal, a zwłaszcza (i tu ukazał na Nel) jej… Mam córkę w tym samym wieku… którą kocham więcej niż własne życie… Dla niej uczyniłem wszystko to, com uczynił… Chrystus będzie mnie za to sądził… Nosi ona dotychczas pod suknią na piersiach srebrny krzyżyk… Na imię jej tak jak tobie, moja mała. Gdyby nie ona, wolałbym i ja umrzeć niż żyć w tym piekle.

I wzruszył się. Przez chwilę zamilkł, na koniec potarł ręką czoło i począł mówić o czymś innym.

– Mahdi wysyła was do Faszody w tej myśli, że tam pomrzecie. W ten sposób zemści się na was za twój, chłopcze, opór, który go dotknął głęboko, a nie straci sławy „miłosiernego". Taki on zawsze… Ale kto wie, komu pierwej śmierć przeznaczona! Abdullahi poddał mu myśl, żeby tym psom, którzy was porwali, kazał jechać z wami. Marnie ich wynagrodził, a teraz boi się, żeby się to nie rozgłosiło. Obaj z prorokiem wolą przy tym, by ci ludzie nie opowiadali, że w Egipcie są jeszcze wojska, armaty, pieniądze i Anglicy… Ciężka to będzie droga i daleka. Pojedziecie krajem pustym i niezdrowym, więc pilnujcie jak oka w głowie tych proszków, które wam dałem.

– Przykaż panie, jeszcze raz Gebhrowi, by nie ważył się głodzić i bić Nel – rzekł Staś.

– Nie bójcie się. Poleciłem was staremu szeikowi, który wiezie pocztę. To mój dawny znajomy. Dałem mu zegarek i tym zjednałem dla was jego opiekę.

Tak mówiąc począł się żegnać. Wziąwszy Nel na ręce, przycisnął ją do piersi i powtórzył:

– Niech Bóg błogosławi cię, moje dziecko!…

Tymczasem słońce zaszło i uczyniła się noc gwiaździsta. W ciemności ozwało się parskanie koni i stękanie obładowanych wielbłądów.

Rozdział 20

Stary szeik Hatim dotrzymał wiernie obietnicy danej Grekowi i opiekował się dziećmi starannie. Droga w górę Białego Nilu była ciężka. Jechali przez Ketainę, Ed-Ducim i Kanę, po czym minęli Abbę, lesistą wyspę nilową, na której przed wojną mieszkał w wypróchniałym drzewie Mahdi jako derwisz-pustelnik. Karawana często musiała okrążać obszerne, porośnięte papirusem rozlewiska, czyli tak zwane suldy, od których powiew przynosił zatrutą woń rozkładających się liści, naniesionych prądem wody. Angielscy inżynierowie poprzecinali byli w swoim czasie te zapory i statki parowe mogły wówczas chodzić z Chartumu do Faszody i dalej. Obecnie jednak rzeka zatkała się znowu i nie mogąc płynąć swobodnie, rozlewała się na obie strony. Okolica po prawym i lewym brzegu pokryta była wysoką dżunglą, wśród której wznosiły się kopce termitów i pojedyncze olbrzymie drzewa; gdzieniegdzie lasy dochodziły aż do rzeki. Na suchszych miejscach rosły gaje akacji. Przez pierwsze tygodnie spotykali osady i miasteczka arabskie, złożone z domów o dziwnych baniastych dachach uwitych ze słomy dochnu, lecz za Abbą, od osady Goz-Abu-Guma, wjechali w kraj czarnych. Był on jednak zupełnie pusty, gdyż derwisze wygarnęli prawie do szczętu miejscową murzyńską ludność i sprzedawali ją na targach Chartumu, Omdurmanu, Dary, Faszeru, El-Obeidu i innych miast sudańskich, darfurskich i kordofańskich. Tych mieszkańców, którzy zdołali się ukryć przed niewolą w gąszczach, w lasach, wyniszczył głód i ospa, która rozpanoszyła się z niebywałą siłą wzdłuż Białego i Niebieskiego Nilu. Sami derwisze mówili, że wymierały na nią „całe narody". Dawne plantacje sorga, manioku i bananów pokryła dżungla. Tylko zwierz dziki, nie ścigany przez nikogo, rozmnożył się obficie. Nieraz pod zorzą wieczorną dzieci widziały z daleka gromady słoni, podobne do ruchomych skał, dążące powolnym krokiem do znanych sobie wodopojów. Na widok ich Hatim, dawny handlarz kością słoniową, cmokał, wzdychał i tak w zaufaniu mówił do Stasia:

– *Maszallach*! Ile tu bogactwa! Ale teraz nie warto polować, bo Mahdi zabronił kupcom egipskim przyjeżdżać do Chartumu i nie ma komu sprzedawać kłów, chyba emirom na umbaje.

Prócz słoni spotykano także żyrafy, które ujrzawszy karawanę uciekały pospiesznie ciężkim kłusem, kiwając długimi szyjami, jakby były kulawe. Za Goz-Abu-Guma pojawiały się coraz częściej bawoły i całe stada antylop. Ludzie z karawany, gdy im brakło świeżego mięsa, polowali na nie – wszelako prawie zawsze bezskutecznie, albowiem czujne i chybkie zwierzęta nie dawały się podejść ani otoczyć.

Żywności w ogóle było skąpo, gdyż z powodu wyludnienia kraju nie można było dostać ani prosa, ani bananów, ani ryb, których w dawnych czasach dostarczali karawanom Murzyni z pokoleń Szylluk i Dinka, wymieniając je chętnie na paciorki szklane i drut mosiężny. Hatim nie dał jednak dzieciom mrzeć głodem, a co więcej trzymał krótko Gebhra i gdy znów raz na noclegu uderzył Stasia przy zdejmowaniu siodeł z wielbłądów, kazał go rozciągnąć na ziemi i wyliczyć mu po trzydzieści razów w każdą piętę bambusem. Okrutny Sudańczyk przez dwa dni mógł chodzić tylko na palcach i przeklinał chwilę, w której opuścił Fajum, i mścił się na młodym, darowanym sobie niewolniku, imieniem Kali.

Staś na początku prawie rad był, że opuścili zapowietrzony Omdurman i że widzi kraje, o których marzył zawsze. Jego silny organizm wytrzymywał dotychczas doskonale trudy podróży, a obfitsze pożywienie wróciło mu energię. Nieraz znów w czasie drogi i na postojach szeptał do ucha siostrzyczce, że uciec można i znad Białego Nilu i że wcale nie zaniechał tego zamiaru. Lecz niepokoiło go jej zdrowie. Po trzech tygodniach od dnia wyjazdu z Omdurmanu Nel nie zapadła wprawdzie jeszcze na febrę, ale twarz jej schudła i zamiast opalić się stawała się coraz przezroczystsza, a jej małe rączki wyglądały jakby ulepione z wosku. Nie brakło jej starań, ani nawet takich wygód, jakie Staś i Dinah mogli jej przy pomocy Hatima zapewnić, ale brakło zdrowego powietrza pustyni. Wilgotny i upalny klimat w połączeniu z trudami drogi podkopywał coraz bardziej siły wątłego dziecka.

Staś począwszy od Goz-Abu-Guma dawał jej codziennie po pół proszka chininy i martwił się okropnie na myśl, że nie starczy mu na długo tego lekarstwa, którego nigdzie nie będzie można później dostać. Ale na to nie było rady, należało bowiem przede wszystkim zapobiegać febrze. Chwilami brała go rozpacz. Łudził się tylko nadzieją, że Smain, jeśli zechce wymienić ich oboje na własne dzieci, to musi wyszukać dla nich jakiejś zdrowszej niż Faszoda okolicy.

Lecz nieszczęście zdawało się ciągle ścigać swe ofiary. Na dzień przed przybyciem do Faszody Dinah, która jeszcze w Omdurmanie czuła się słabą, zemdlała nagle przy rozwiązywaniu tobołka z rzeczami Nel zabranymi z Fajumu i spadła z wielbłąda. Staś i Chamis docucili się jej z największą trudnością. Nie odzyskała jednak przytomności, a raczej odzyskała ją dopiero wieczorem, po to tylko, by pożegnać ze łzami w oczach swą ukochaną panienkę i umrzeć. Gebhr chciał koniecznie obciąć jej po śmierci uszy, aby pokazać Smainowi na dowód, że skończyła w drodze, i zażądać osobnej i za jej porwanie zapłaty. Tak czyniono zmarłym w czasie podróży niewolnikom. Ale Hatim, na prośbę Stasia i Nel, nie zgodził się na to, więc pochowano ją uczciwie, a mogiłę jej zabezpieczono przed hienami za pomocą kamieni i cierni. Dzieci uczuły się jeszcze samotniejsze, straciły w niej bowiem jedyną bliską i przywiązaną duszę. Był to szczególnie okrutny cios dla Nel, toteż Staś na próżno starał się ją utulić przez całą noc i dzień następny.

Nadszedł szósty dzień podróży. Nazajutrz w południe karawana dotarła do Faszody, ale znalazła tylko zgliszcza. Mahdyści biwakowali pod gołym niebem lub w sklecionych naprędce szałasach z trawy i gałęzi. Trzy dni temu osada zgorzała była całkowicie. Pozostały jedynie osmalone dymem ściany glinianych okrągłych chat i stojąca tuż nad wodą wielka drewniana szopa, która za czasów egipskich służyła jako skład kości słoniowej, a w której mieszkał obecnie wódz derwiszów, emir Seki-Tamala. Był to znakomity między mahdystami człowiek, skryty nieprzyjaciel kalifa Abdullahiego, ale natomiast osobisty przyjaciel Hatima. Ten przyjął gościnnie u siebie starego szeika wraz z dziećmi, zaraz jednak na wstępie powiedział im niepomyślną nowinę.

Oto Smaina nie zastaną w Faszodzie. Przed dwoma dniami udał się na wschód i południe od Nilu na wyprawę po niewolników i nie wiadomo, kiedy wróci, gdyż najbliższe okolice były już wyludnione, tak że ludzkiego towaru należało szukać bardzo daleko. Blisko Faszody leżała wprawdzie Abisynia, z którą derwisze byli również w wojnie. Ale Smain mając tylko trzystu ludzi nie mógł odważyć się na przekroczenie jej granic, strzeżonych obecnie pilnie przez wojowniczych mieszkańców i przez żołnierzy króla Jana.

Wobec tego Seki-Tamala i Hatim poczęli zastanawiać się, co zrobić z dziećmi. Narada toczyła się głównie przy wieczerzy, na którą emir zaprosił także Stasia i Nel.

– Ja – mówił do Hatima – muszę wkrótce wyruszyć ze wszystkimi ludźmi na dalekę wyprawę na południe przeciw Eminowi paszy, który siedzi w Lado mając tam parowce i wojsko. Taki rozkaz przywiozłeś mi, Hatimie... Ty musisz wracać do Omdurmanu, więc w Faszodzie nie zostanie jedna żywa dusza. Mieszkać tu nie ma gdzie, jeść nie ma co i panują choroby. Wiem wprawdzie, że biali nie chorują na ospę, ale febra zabije te dzieci w ciągu miesiąca.

– Kazano mi je przywieźć do Faszody – odpowiedział Hatim – więc je przywiozłem i mógłbym się o nie więcej nie troszczyć. Ale polecił mi je przyjaciel mój, Grek Kaliopuli, dlatego nie chciałbym, by pomarły.

– A to się stanie z pewnością.

– Co zatem robić?

– Zamiast pozostawiać je w pustej Faszodzie, odeślij je do Smaina wraz z tymi ludźmi, którzy przywieźli je z Omdurmanu. Smain poszedł ku górom, do suchego i wysokiego kraju, gdzie febra nie zabija tak ludzi jak nad rzekę.

– Jakże odnajdą Smaina?

– Śladem ognia. Będzie on palił dżunglę; raz dlatego by napędzać zwierzynę do skalistych wąwozów, w których łatwo ją otoczyć i wybić, a po wtóre, by wypłaszać z gąszczów pogan, którzy się pokryli przed pościgiem... Smaina nietrudno znaleźć.

– Czy go jednak dogonią?

– Będzie on czasem spędzał i po tygodniu w jednej okolicy, ponieważ musi wędzić mięso. Choćby wyjechali za dwa i trzy dni, dogonią go z pewnością.

– Ale dlaczego mają go gonić? On przecież wróci i tak do Faszody.

– Nie. Jeśli połów niewolników uda mu się, poprowadzi ich do miast na targi...

– Co robić?

– Pamiętaj, że gdy obaj odjedziemy z Faszody, dzieci, choćby ich nie zabiła febra, umrą tu z głodu.

– Na proroka! To prawda!

I rzeczywiście nie było innej rady, jak wysłać dzieci na nową tułaczkę. Hatim, który okazał się zupełnie dobrym człowiekiem, troszczył się tylko o to, czy Gebhr, którego okrucieństwo poznał w czasie drogi, nie będzie znęcał się nad nimi. Ale groźny Seki-Tamala, wzbudzający strach nawet we własnych żołnierzach, kazał przywołać Sudańczyka i zapowiedział mu, że ma odwieźć dzieci żywe i zdrowe do Smaina, a zarazem obchodzić się z nimi dobrze, gdyż inaczej zostanie powieszony. Dobry Hatim uprosił jeszcze emira, by darował małej Nel niewolnicę, która by jej służyła i opiekowała się nią w drodze i w obozie Smaina. Nel ucieszyła się bardzo tym podarkiem, zwłaszcza gdy okazało się, że niewolnica jest młodą dziewczyną z pokolenia Dinka, o miłych rysach i słodkim wyrazie twarzy.

Staś wiedział, że Faszoda to śmierć, więc nie prosił bynajmniej Hatima, by nie wyprawiano ich w nową, trzecią z kolei podróż. W duszy myślał też, że jadąc na wschód i południe zbliżyć się muszą bardzo do południowych granic abisyńskich i że będzie można uciec. Miał nadzieję, że na suchych wyżynach Nel uchroni się może od febry, i z tych wszystkich przyczyn chętnie i gorliwie zajął się przygotowaniami do drogi.

Gebhr, Chamis i dwaj Beduini nie byli także przeciwni wyprawie licząc i na to, że przy boku Smaina uda im się upolować sporą ilość niewolników, a potem sprzedać ich korzystnie na targach. Wiedzieli, że handlarze niewolników dochodzą czasem do wielkich majątków, w każdym razie woleli jechać niż pozostawać na miejscu pod ręką Hatima i Seki-Tamali.

Przygotowania zabrały jednak sporo czasu, zwłaszcza, że dzieci musiały wypocząć. Wielbłądy nie mogły już być użyte do tej podróży, więc Arabowie, a z nimi Staś i Nel mieli jechać konno, Kali zaś, niewolnik Gebhra i Mea, tak nazwana z porady Stasia służąca Nel, iść piechotą przy koniach. Hatim wystarał się też o osła, który niósł namiot przeznaczony dla dziewczynki i żywność dla dzieci na trzy dni. Więcej nie mógł jej udzielić Seki-Tamala. Dla Nel urządzono coś w rodzaju kobiecego siodła z wojłoku, mat palmowych i bambusów.

Trzy dni spędziły dzieci dla odpoczynku w Faszodzie, lecz niezmierna ilość komarów nad rzeką czyniła tu pobyt wprost nieznośnym. W dzień pojawiały się roje wielkich niebieskich much, nie gryzących wprawdzie, ale tak uprzykrzonych, że właziły w uszy, obsiadały oczy i wpadały nawet w usta. Staś słyszał jeszcze w Port-Saidzie, że komary i muchy roznoszą febrę i zarazki zapalenia oczu; w końcu więc sam prosił Seki-Tamalę, by ich jak najprędzej wyprawił, zwłaszcza, że zbliżała się wiosenna pora dżdżysta.

Rozdział 21

— Stasiu, dlaczego my jedziemy i jedziemy, a Smaina jak nie ma, tak nie ma?

– Nie wiem. Zapewne idzie szybko naprzód, żeby jak najprędzej dojść do okolic, w których będzie mógł nałapać Murzynów. Czy chciałabyś, żebyśmy się już połączyli z jego oddziałem?

Dziewczynka skinęła swoją główką na znak, że bardzo jej o to chodzi.

– Co ci na tym zależy? – zapytał Staś.

– Bo może Gebhr nie będzie śmiał przy Smainie tak okropnie bić tego biednego Kali.

– Smain pewnie nie lepszy. Oni wszyscy nie mają miłosierdzia dla swoich niewolników.

– Tak?

I dwie łezki stoczyły się po jej wychudłych policzkach.

Było to dziewiątego dnia podróży. Gebhr, który teraz był wodzem karawany, odnajdował na początku łatwo ślady pochodu Smaina. Wskazywały jego drogę szlaki wypalonej dżungli i obozowiska pełne ogryzionych kości i rozmaitych szczątków. Ale po upływie pięciu dni trafiono na niezmierną przestrzeń spalonego stepu, na którym wiatr rozniósł pożar na wszystkie strony. Ślady stały się mętne i zawiłe, gdyż widocznie Smain rozdzielił swój oddział na kilkanaście mniejszych, by ułatwić im otaczanie zwierzyny i zdobywanie żywności. Gebhr nie wiedział, w jakim kierunku iść, i często zdarzało się, że karawana po długim kołowaniu wracała na to samo miejsce, z którego wyszła. Potem trafili na lasy, a po przebyciu ich weszli w kraj skalisty, gdzie grunt pokrywały płaskie głazy lub drobne kamienie rozrzucone na wielkich rozległościach tak gęsto, że dzieciom przypominały się bruki miejskie. Roślinności było tam skąpo. Tylko gdzieniegdzie w rozpadlinach skał rosły euforbie, starce, mimozy, a rzadziej jeszcze wysmukłe jasnozielone drzewa, które Kali nazywał w języku ki-swahili „m'ti" i których liśćmi karmiono konie. W okolicy brakło całkiem rzeczułek i strumieni, na szczęście poczęły już od czasu do czasu padać deszcze, więc znajdowano wodę we wgłębieniach i wydrążeniach skał.

Zwierzynę wypłoszyły oddziały Smaina i karawana byłaby marła głodem, gdyby nie mnóstwo pentarek, które co chwila zrywały się spod nóg koni, a pod wieczór obsiadały drzewa tak gęsto, że dość było strzelić w odpowiednim kierunku, ażeby kilka spadło na ziemię. Nie były przy tym wcale płochliwe i pozwalały się zajść blisko, a podrywały się tak ciężko i opieszale, że Saba, biegnący przed karawaną, chwytał je i dusił prawie każdego dnia.

Chamis zabijał ich po kilkanaście dziennie ze starej kapiszonowej strzelby, którą był wyszachrował od jednego z podwładnych Hatimowi derwiszów podczas drogi z Omdurmanu do Faszody. Śrutu jednak nie posiadał już więcej jak na dwadzieścia nabojów i niepokoił się myślą, co będzie, gdy cały zapas się wyczerpie. Wprawdzie mimo przepłoszenia zwierzyny pojawiały się niekiedy wśród skał stadka arieli, pięknych antylop, pospolitych w całej środkowej Afryce, ale do arieli trzeba było strzelać ze sztucera, oni zaś nie umieli użyć strzelby Stasia, a Gebhr nie chciał mu jej dać do ręki.

Sudańczyk również począł niepokoić się długą drogą. Przychodziło mu chwilami do głowy, by wracać do Faszody, w razie bowiem gdyby się rozminęli ze Smainem, mogli się zabłąkać w dzikich okolicach, w których, nie mówiąc o głodzie, groziły im napady dzikich zwierząt i dzikszych jeszcze Murzynów, dyszących zemstą za łowy, które na nich wyprawiano. Ale ponieważ nie wiedział, że Seki-Tamala wybiera się przeciw Eminowi, gdyż rozmowa o tym odbywała się nie przy nim, więc brał go strach na myśl, że przyjdzie mu stanąć przed obliczem potężnego emira, który kazał mu odwieźć dzieci do Smaina i dał mu do niego list, zapowiedziawszy przy tym, że jeśli nie wywiąże się należycie z obowiązku – pójdzie na powróz. Wszystko to razem wzięte przepełniało mu duszę goryczą i złością. Nie śmiał jednak mścić się za swe zawody na Stasiu i Nel, natomiast plecy biednego Kalego broczyły co dzień krwią pod korbaczem. Młody niewolnik zbliżał się do srogiego pana zawsze z drżeniem i z trwogą. Ale na próżno obejmował jego nogi i całował ręce, na próżno padał przed nim na twarz. Kamiennego serca nie wzruszała ni pokora, ni jęki, i korbacz rozdzierał z lada powodu, a czasem i bez powodu, ciało nieszczęśliwego chłopca. Na noc wkładano mu nogi w drewnianą deskę z otworami, by nie uciekł. W dzień szedł na powrozie przy koniu Gebhra, co nadzwyczaj bawiło Chamisa. Nel oblewała łzami niedolę Kalego, Staś burzył się w sercu i kilkakrotnie ujmował się za nim zapalczywie, ale gdy spostrzegł, że to podnieca jeszcze Gebhra, zaciskał tylko zęby i milczał.

Lecz Kali rozumiał, że tych dwoje ujmuje się za nim i pokochał ich swym zbolałym, biednym sercem głęboko.

Od dwu dni jechali skalistym wąwozem o wysokich, stromych skałach. Z naniesionych i porozrzucanych bezładnie kamieni łatwo było poznać, że w czasie pory dżdżystej wąwóz napełniał się wodą, ale obecnie dno jego było zupełnie suche. Pod ścianami rosło po obu stronach trochę trawy, dużo cierni, a nawet gdzieniegdzie i drzewa. Gebhr zapuścił się w tę kamienną gardziel dlatego, że szła ustawicznie w górę, sądził więc, że doprowadzi go do jakiej wyżyny, z której łatwo mu będzie dostrzec w dzień dymy, a w nocy ogniska obozu Smaina. Miejscami wąwóz stawał się tak ciasny, że tylko dwa konie mogły iść w pobok, miejscami rozszerzał się w małe, okrągłe doliny, otoczone jakby wysokimi kamiennymi murami, na których siedziały wielkie pawiany igrając z sobą, szczekając i pokazując karawanie zęby.

Była godzina piąta po południu. Słońce zniżyło się już ku zachodowi. Gebhr myślał o noclegu; chciał tylko dotrzeć do jakiejś dolinki, w której można by urządzić zeribę, to jest otoczyć karawanę wraz z końmi płotem z kolczastych mimoz i akacji, chroniących od napadu dzikich zwierząt. Saba biegł naprzód, poszczekując na małpy, które na jego widok rzucały się niespokojnie, i raz w raz znikał w zakrętach wąwozu. Echo powtarzało rozgłośnie jego szczekanie.

Nagle jednak umilkł, a po chwili przybiegł pędem do koni ze zjeżoną sierścią na grzbiecie i wtulonym pod siebie ogonem. Beduini i Gebhr zrozumieli, że musiało go coś przestraszyć, ale spojrzawszy po sobie i chcąc przekonać się, co to być mogło, ruszyli dalej. Lecz przejechawszy mały zakręt, zdarli konie i stanęli w jednej chwili jak wryci na widok, który uderzył ich oczy.

Oto na niewielkiej skale, leżącej w samym środku dość szerokiego w tym miejscu wąwozu, leżał lew.

Dzieliło ich od niego najwyżej sto kroków. Potężny zwierz, ujrzawszy jeźdźców i konie podniósł się na przednie łapy i począł na nich patrzeć. Nisko stojące już słońce oświecało jego ogromną głowę, kudłate piersi – i w tym czerwonym blasku podobny był do jednego z takich sfinksów, jakie zdobią wejścia do starożytnych świątyń egipskich.

Konie jęły przysiadać na zadach, kręcić się i cofać. Zdumieni i przerażeni jeźdźcy nie wiedzieli, co począć, więc z ust do ust przelatywały trwożne i bezradne słowa: „*Allach! Bismillach! Allach akbar!*"

A król puszczy patrzał na nich z góry, nieruchomy, jakby odlany z brązu.

Gebhr i Chamis słyszeli od kupców przybywających z kością słoniową i gumą z Sudanu do Egiptu, że lwy kładą się czasem na drodze karawan, które wobec tego muszą po prostu zbaczać. Lecz tu nie było gdzie zboczyć. Wypadało chyba zawrócić i uciekać! Tak, ale w takim razie było rzeczą niemal pewną, że straszny zwierz rzuci się za nimi w pogoń.

Znów zatem zabrzmiały gorączkowe pytania:

– Co robić?

– Co robić?

– Allach! Może ustąpi.

– Nie ustąpi.

I znowu zapadła cisza. Słychać było tylko chrapanie koni i przyspieszony oddech piersi ludzkich.

– Spuść Kalego z powroza – ozwał się nagle do Gebhra Chamis – a my uciekajmy na koniach, wówczas lew jego pierwszego dogoni i jego tylko zabije.

– Uczyń tak! – powtórzyli Beduini.

Lecz Gebhr odgadł, że w takim razie Kali wdrapie się w mgnieniu oka na ścianę skalną, a lew pogna za końmi, przeto do głowy wpadł mu inny, okropny pomysł. Oto zarżnie chłopca i rzuci go przed siebie, a wtedy zwierz skoczywszy za nimi ujrzy na ziemi krwawe ciało i zatrzyma się, by je pożreć.

Więc przyciągnął Kalego powrozem do siodła i już podniósł nóż, gdy w tej samej sekundzie Staś chwycił go za szeroki rękaw dżiuby.

– Co robisz łotrze?

Gebhr począł się szarpać i gdyby chłopiec chwycił był go za rękę, wyrwałby się natychmiast, ale z rękawem nie poszło tak łatwo, więc szarpiąc się począł jednocześnie charczeć słtumionym ze wściekłości głosem:

– Psie, jeśli jego nie starczy, zakłuję i was! Allach! Zakłuję, zakłuję!

A Staś pobladł śmiertelnie, albowiem błyskawicą przebiegła mu myśl, że lew goniąc przede wszystkim za końmi, może istotnie pominąć w pędzie trupa Kalego, a w takim razie Gebhr z największą pewnością zarżnie kolejno ich oboje.

Więc ciągnąc ze zdwojoną siłą za rękaw krzyknął:

– Daj mi strzelbę!… Zabiję lwa!

Beduinów zdumiały te słowa, ale Chamis, który widział jeszcze w Port–Saidzie, jak Staś strzela, począł natychmiast wołać:

– Daj mu strzelbę! On zabije lwa!

Gebhr przypomniał sobie od razu strzały na jeziorze Karoun i wobec straszliwego niebezpieczeństwa prędko zaniechał oporu. Z wielkim nawet pośpiechem podał chłopcu sztucer, a Chamis otworzył co duchu pudło z nabojami, z którego Staś zaczerpnął pełną garścią.

Potem zeskoczył z konia, wsunął ładunki w lufy i ruszył naprzód.

Przez pierwszych kilka kroków był jakby odurzony i widział tylko siebie i Nel z szyjami poderżniętymi nożem Gebhra. Ale wnet bliższe i straszniejsze niebezpieczeństwo kazało mu zapomnieć o wszystkim innym. Miał przed sobą lwa! Na widok zwierza pociemniało mu w oczach. Poczuł zimno na policzkach i w nosie, poczuł, że ma nogi ma jak ołowiane i że brak mu tchu. Po prostu bał się. W Port-Saidzie czytywał, nawet i w czasie lekcji, o polowaniach na lwy, ale co innego było oglądać obrazki w książkach, a co innego stanąć oko w oko z potworem, który teraz oto patrzył na niego jakby ze zdziwieniem, marszcząc swe szerokie, podobne do tarczy czoło.

Arabowie przytaili dech w piersiach, albowiem nigdy w życiu nie widzieli nic podobnego. Z jednej strony mały chłopiec, który wśród wysokich skał wydawał się jeszcze mniejszy, z drugiej potężny zwierz, złoty w promieniach słońca, wspaniały, groźny – „pan z wielką głową", jak mówią Sudańczycy.

Staś przemógł całą siłą woli bezwładność nóg i posunął się dalej. Jeszcze przez chwilę wydało mu się, że serce podchodzi mu aż do gardła – i trwało to dopóty, dopóki nie podniósł strzelby do twarzy. Wówczas trzeba było myśleć o czym innym. Czy zbliżyć się więcej, czy już strzelać? Gdzie mierzyć? Im mniejsza odległość, tym strzał pewniejszy… A zatem dalej! Dalej! Kroków czterdzieści jeszcze za dużo… trzydzieści! – dwadzieścia! Już powiew przynosi ostry zwierzęcy swąd…

Chłopiec stanął.

„Kula między oczy albo po mnie! – pomyślał. – W imię Ojca i Syna!…"

A lew podniósł się, przeciągnął grzbiet i zniżył głowę. Wargi poczęły mu się odchylać, brwi nasunęły się na oczy. Ta drobna jakaś istotka ośmieliła się podejść zbyt blisko – więc gotował się do skoku przysiadając, z drganiem ud, na tylnych łapach…

Lecz Staś przez jedno mgnienie oka dostrzegł, że muszka sztucera przypada na czole zwierza, i pociągnął za cyngiel.

Huknął strzał. Lew wspiął się tak, że przez chwilę wyprostował się na całą wysokość, po czym runął na wznak, czterema łapami do góry.

I w ostatniej konwulsji stoczył się ze skały na ziemię.

Staś trzymał go jeszcze przez kilka minut pod strzałem, lecz widząc, że drgawki ustają i że płowe cielsko wyprężyło się bezwładnie, otworzył strzelbę i założył nowy ładunek.

Ściany skaliste rozbrzmiewały jeszcze gromkim echem. Gebhr, Chamis i Beduini nie mogli zrazu dojrzeć co się stało, gdyż poprzedniej nocy padał deszcz i z powodu wilgoci powietrza dym zasłonił wszystko w ciasnym wąwozie. Dopiero gdy dym opadł, poczęli krzyczeć z radości i chcieli skoczyć ku chłopcu, ale na próżno, gdyż żadna siła nie mogła zmusić koni do kroku naprzód.

A Staś zawrócił, objął wzrokiem czterech Arabów i wpił oczy w Gebhra.

– Ach, dość! – rzekł zaciskając zęby. – Przebrałeś miarę. Nie zamordujesz ani Nel, ani nikogo więcej!

I nagle uczuł, że nos i policzki bledną mu znowu, ale było to inne zimno, płynące nie ze strachu, lecz ze strasznego i nieubłaganego postanowienia, od którego serce w piersiach czyni się na razie żelazne.

– Tak! To przecie katy, łotry, mordercy, a Nel w ich ręku!...

– Nie zamordujesz jej – powtórzył.

Zbliżył się ku nim – znów stanął – i nagle z błyskawiczną szybkością podniósł strzelbę do twarzy.

Dwa strzały jeden za drugim targnęły echem wąwozu: Gebhr runął na ziemię jak wór piasku, a Chamis pochylił się w kulbace i uderzył krwawym czołem o kark koński.

Dwaj Beduini wydali okropny krzyk przerażenia i zeskoczywszy z koni rzucili się ku Stasiowi. Zakręt był za nimi niedaleko i gdyby byli uciekali za siebie, czego Staś życzył sobie w duszy, byliby mogli uchronić się przed śmiercią. Ale zaślepionym trwogą i wściekłością wydało się, że dopadną chłopca wpierw, nim zdoła zmienić naboje i zadźgają go nożami. Głupcy! Ledwie przybiegli kilkanaście kroków, szczęknęła znowu złowroga strzelba, wąwóz odegrzmiał echem nowych strzałów i obaj padli twarzami na ziemię, rzucają się i tłukąc jak wyjęte z wody ryby.

Jeden – gorzej w pośpiechu strzelony – podniósł się jeszcze i wsparł na rękach, ale w tej chwili Saba zatopił mu kły w karku.

Nastała śmiertelna cisza.

Przerwały ją dopiero jęki Kalego, który rzucił się na kolana i wyciągnąwszy przed się ręce krzyczał w łamanym języku ki-swahili:

– Bwana kubwa! (Panie wielki) Zabić lwa, zabić złych ludzi, ale nie zabijać Kalego!

Staś jednak nie zważał na jego wołanie. Czas jakiś stał jak błędny, po czym spostrzegłszy zbielałą twarzyczkę Nel i jej na wpół przytomne rozszerzone z przerażenia oczy skoczył ku niej:

– Nel! Nie bój się!... Nel! Jesteśmy wolni!

Jakoż byli istotnie wolni, ale i zabłąkani w dzikiej bezludnej puszczy, w czeluściach „czarnego lądu".

Rozdział 22

Zanim Staś i młody Murzyn poodciągali na boki wąwozu zabitych Arabów i ciężkie cielsko lwa, słońce zniżyło się jeszcze i wkrótce miała zapaść noc. Ale niepodobna było nocować w sąsiedztwie trupów, więc chociaż Kali ukazując na zabitego zwierza głaskał się po piersiach i powtarzał mlaskając językiem „Msuri nyama" (dobre, dobre mięso), Staś nie dał mu się zająć „nyamą", a natomiast kazał łapać mu konie, które pouciekały po strzałach. Czarny chłopak wywiązał się z tego nadzwyczaj zręcznie, zamiast bowiem gonić je wąwozem, w którym to razie byłyby uciekały coraz dalej, wdrapał się na górę i skracając sobie drogę przez wymijanie zakrętów, zabiegł spłoszonym rumakom drogę od przodu. W ten sposób schwytał z łatwością dwa, a dwa inne napędził na Stasia. Tylko koni Gebhra i Chamisa nie można już było odszukać, ale i tak pozostały cztery, nie licząc objuczonego namiotem i rzeczami kłapoucha, który wobec tragicznych wypadków okazał prawdziwie filozoficzny spokój. Znaleziono go za zakrętem szczypiącego dokładnie, ale bez pośpiechu, trawę rosnącą na dnie wąwozu.

Mierzyny sudańskie przyzwyczajone są w ogóle do widoku dzikich zwierząt, ale boją się lwów, było więc sporo trudności z przeprowadzeniem ich obok skały, przy której czerniała kałuża krwi. Konie chrapały rozdymając nozdrza i wyciągając szyje ku zakrwawionym kamieniom, wszelako gdy osioł postrzygłszy tylko nieco uszyma przeszedł spokojnie, przeszły i one. Noc była tuż, ujechali jednak około kilometra i zatrzymali się dopiero w miejscu, w którym wąwóz rozszerzał się znów w małą, amfiteatralną dolinkę, porośniętą gęsto cierniem i krzewami kolczastej mimozy.

– Panie – rzekł młody Murzyn – Kali napalić ogień, duży ogień!

I wziąwszy sudański szeroki miecz, który zdjął był z trupa Gebhra, począł ścinać nim ciernie, a nawet i większe drzewka. Po napaleniu ognia ścinał jeszcze, póki nie nagromadził tak wielkiego zapasu, że mogło wystarczyć go na całą noc.

Po czym obaj ze Stasiem ustawili namiocik Nel pod wysoką, prostopadłą ścianą doliny, a następnie otoczyli go półkolistym, szerokim i wysokim kolczastym płotem, czyli tak zwaną zeribą.

Staś wiedział z opisów afrykańskich wędrówek, że podróżnicy ubezpieczają się w ten sposób przed napadami dzikich zwierząt. Konie jednak nie mogły się za płotem pomieścić, więc chłopcy, rozkulbaczywszy je i zdjąwszy z nich naczynia blaszane i worki popętali je tylko, by nie oddaliły się zanadto w poszukiwaniu trawy lub wody. Mea znalazła zresztą wodę w pobliżu, we wgłębieniu skalnym, tworzącym jakby mały basen, pod przeciwległymi skałami. Było jej sporo, tak że starczyło i dla koni, i na ugotowanie pentarek, zastrzelonych rano przez Chamisa. W jukach, które wraz z namiotem dźwigał osioł, znalazło się około trzech garncy durry i kilka garści soli oraz wiązka suszonych korzeni manioku.

Starczyło więc na obfitą wieczerzę. Korzystali z niej jednak przeważnie tylko Kali i Mea. Młody Murzyn, którego Gebhr głodził w okropny sposób, zjadł taką ilość pokarmu, jaka mogła nasycić dwóch ludzi. Ale też był za to całym sercem wdzięczny swoim nowym państwu i natychmiast po wieczerzy padł na twarz przed Stasiem i Nel na znak, że pragnie do końca życia zostać ich niewolnikiem, a następnie złożył równie pokorną czołobitność strzelbie Stasia rozumiejąc widocznie, że bezpieczniej jest zjednać sobie łaskę tak groźnego narzędzia. Po czym oświadczył, że podczas snu „pana wielkiego" i bibi będzie czuwał na przemian z Meą, by ogień nie zgasł – i siadł przy nim w kucki mrucząc z cicha coś w rodzaju piosenki, w której powtarzały się co chwila wyrazy: *„Simba kufa! simba kufa!"*, co znaczy w języku ki–swahili: lew zabity.

Ale „panu wielkiemu" ani małej bibi nie było do snu. Nel na wielkie prośby Stasia przełknęła zaledwie parę kawałków pentarki i kilka ziarenek rozgotowanej durry. Mówiła, że nie chce się jej ani jeść, ani spać, tylko pić. Stasia chwyciła obawa, czy nie dostała gorączki, ale przekonał się, że ręce ma chłodne, nawet aż nadto zimne. Namówił ją jednak, aby weszła pod namiot, gdzie przygotował dla niej posłanie, obszukawszy wpierw starannie, czy w trawie nie ma skorpionów. Sam usiadł na kamieniu ze sztucerem w ręku, by bronić jej od napadu dzikich zwierząt, w razie gdyby ogień okazał się niedostateczną obroną. Ogarnęło go niezmierne zmęczenie. W duszy powtarzał sobie: „Zabiłem Gebhra i Chamisa, zabiłem Beduinów, zabiłem lwa i jesteśmy wolni… Ale było to tak, jakby te słowa szeptał mu kto inny i jakby on sam nie rozumiał dobrze, co to znaczy. Miał tylko poczucie, że są wolni, ale że stało się zarazem coś okropnego, co napełniało go niepokojem i przygniatało mu piersi jak ciężki kamień. Wreszcie myśli poczęły mu drętwieć. Długi czas patrzył na wielkie ćmy krążące nad płomieniem, a w końcu jął kiwać się i drzemać. Kali drzemał także, ale budził się co chwila i dorzucał gałęzi do ognia.

Noc uczyniła się głęboka i co rzadko zdarza się pod zwrotnikami, bardzo cicha. Słychać było tylko trzask płonących cierni i syczenie płomienia, który rozświecał zatoczone półkolem wiszary skalne. Księżyc nie rozjaśniał głębin wąwozu, ale w górze migotały roje nieznanych gwiazd. Powietrze stało się tak chłodne, że Staś zbudził się, otrząsnął senne odrętwienie i począł troszczyć się o to, czy chłód nie dokuczy małej Nel.

Lecz uspokoił się przypomniawszy sobie, że zostawił jej pod namiotem na wojłokach pled, który Dinah zabrała jeszcze z Fajumu. Przyszło mu też na myśl, że jadąc od samego Nilu ciągle, lubo nieznacznie pod górę, musieli przez tyle dni zajechać już dość wysoko, a zatem do krajów, w których febra nie grozi już tak jak w niskim łożysku rzeki. Dojmujący chłód nocny zdawał się potwierdzać to przypuszczenie.

I myśl ta dodała mu otuchy. Podszedł na chwilę pod namiot, by posłuchać, czy Nel śpi spokojnie, po czym wrócił, siadł bliżej ognia i znów począł drzemać, a nawet zasnął głęboko.

Nagle zbudziło go warczenie Saby, który poprzednio ułożył się do snu tuż przy jego nogach.

Kali ocknął się także i obaj poczęli spoglądać niespokojnie na brytana, który wyciągnięty jak struna, nastawił uszy i łopocąc nozdrzami wietrzył w stronę, z której przybyli, wpatrując się zarazem w ciemność. Sierść zjeżyła mu się na karku i grzbiecie, a piersi wzdymały się od powietrza, które warcząc wciągał w płuca.

Młody niewolnik dorzucił co prędzej suchych gałęzi na ogień.

– Panie – szeptał – wziąć strzelbę! wziąć strzelbę!

Staś wziął strzelbę i wysunął się przed ogień, by widzieć lepiej mroczną głąb wąwozu. Warczenie Saby zmieniło się w urywane poszczekiwanie. Przez długą chwilę nie było nic słychać, po czym jednakże do uszu Kalego i Stasia doleciał z odległości głuchy tętent, jakby jakieś wielkie zwierzęta biegły szybko w stronę ognia. Tętent ów odbijał się wśród ciszy echem o skalne ściany i stawał się coraz głośniejszy.

Staś zrozumiał, że zbliża się śmiertelne niebezpieczeństwo. Ale co to być mogło? Może bawoły, może jaka para nosorożców, która szuka wyjścia z wąwozu? W takim razie, jeśli huk strzału nie spłoszy ich i nie zawróci, nic nie uratuje karawany, albowiem zwierzęta te, nie mniej złośliwe i napastnicze od drapieżnych, nie boją się ognia – i roztratują wszystko po drodze...

Gdyby to był jednak jaki oddział Smaina, który, natknąwszy się na trupy w wąwozie, ściga morderców? Staś sam nie wiedział, co byłoby lepsze – prędka śmierć czy nowa niewola? Przebiegło mu przy tym przez głowę, że jeżeli sam Smain znajdzie się w oddziale, to może ich oszczędzi, ale jeśli go nie ma, to derwisze albo zamordują ich natychmiast, albo, co gorzej, umęczą ich przed śmiercią w okrutny sposób. „Ach – pomyślał – daj Boże, żeby to były zwierzęta, nie ludzie!”

Tymczasem tętent rósł i zmienił się w grzmot kopyt – aż na koniec z ciemności wyłoniły się błyszczące oczy, rozdęte chrapy i rozwiane w biegu grzywy.

– Konie! – zawołał Kali.

Jakoż były to konie Gebhra i Chamisa. Przybiegły oba w dzikim pędzie, gnane widocznie trwogą, lecz wpadłszy w krąg światła i ujrzawszy swoich popętanych towarzyszów wspięły się na zadnich nogach, po czym parskając zaryły się kopytami w ziemię i pozostały przez chwilę nieruchome.

Lecz Staś nie odjął strzelby od twarzy. Był pewien, że za końmi wychyli się lada chwila kudłata głowa lwa lub płaska czaszka pantery. Ale czekał na próżno. Konie uspokajały się z wolna, a co więcej, Saba przestał po niejakim czasie wietrzyć, natomiast okręciwszy się kilkakrotnie na miejscu, jak to zwykle czynią psy, położył się, zwinął w kółko i zamknął oczy. Widocznie, jeśli jaki zwierz drapieżny ścigał konie, to poczuwszy dym lub zobaczywszy odblask ognia na skałach, cofnął się z daleka.

– Musiało jednak coś mocno je nastraszyć – rzekł do Kalego Staś – skoro nie bały się przebiec obok trupów ludzi i lwa.

– Panie – rzekł chłopak – Kali domyślać się, co się stało. Dużo hien i szakali wejść do wąwozu i iść do trupów. Konie przed nimi uciekać, ale hieny ich nie gonić, bo one jeść Gebhra i tamtych innych...

– Być może; ale ty teraz idź, rozsiodłaj konie, zabierz naczynia i worki i przynieś tu. A nie bój się, bo strzelba cię obroni.

– Kali się nie bać – odpowiedział chłopak.

I rozsunąwszy nieco cierni przy samej skale, wysunął się za zeribę, a tymczasem wyszła z namiotu Nel.

Saba podniósł się natychmiast i trącając ją nosem, upominał się o zwykłe pieszczoty. Ale ona wyciągnąwszy zrazu rękę, cofnęła ją natychmiast jakby ze wstrętem.

– Stasiu, co się stało – spytała.

– Nic. Przybiegły tamte konie. Czy to ich tętent cię rozbudził?

– Obudziłam się już przedtem i chciałam nawet wyjść z namiotu, ale…

– Ale co?

– Myślałam, że się może rozgniewasz.

– Ja? Na ciebie?

A Nel uniosła oczy i poczęła na niego spoglądać jakimś szczególnym wzrokiem, takim, jakim nie patrzyła na niego nigdy przedtem. Po twarzy Stasia przemknęło wielkie zdziwienie, albowiem w jej słowach i spojrzeniu wyczytał wyraźnie obawę.

„Ona się mnie boi" – pomyślał.

I w pierwszej chwili odczuł jakby przebłysk zadowolenia. Pochlebiła mu myśl, że po tym czego dokonał, nawet Nel uważa go nie tylko za człowieka zupełnie dorosłego, ale za groźnego wojownika rozsiewającego wokół trwogę. Ale trwało to krótko, albowiem niedola rozwinęła w nim umysł i dar spostrzegawczy, pomiarkował przeto, że w zaniepokojonych oczach dziewczynki widać obok trwogi jakby odrazę do tego, co się stało, do tej przelanej krwi i do tej okropności, której była dziś świadkiem – przypomniał sobie, jak przed chwilą cofnęła rękę nie chcąc pogłaskać Saby, który dodusił jednego z Beduinów. Tak! Staś sam czuł przecie w piersiach zmorę. Inna rzecz była czytać w Port–Saidzie o traperach amerykańskich zabijających na Dalekim Zachodzie tuzinami czerwonoskórych Indian, a inna dokonać tego osobiście i widzieć żywych przed chwilą ludzi chrapiących w drgawkach wśród kałuż krwi. Tak! Nel ma niezawodnie w sercu pełno lęku, ale zarówno i odrazy, która w niej pozostanie na zawsze. „Będzie się mnie bała – pomyślał Staś – ale w głębi serca, mimo woli nie przestanie mi tego mieć za złe i to będzie moja zapłata za to wszystko, com dla niej zrobił".

Na tę myśl wielka gorycz wezbrała mu w piersiach, albowiem zdawał sobie doskonale sprawę, że gdyby nie Nel, to już dawno albo zostałby zabity, albo byłby uciekł. Dla niej więc przecierpiał to wszystko, co przecierpiał, a te męki i głody na to tylko się przydały, że oto teraz stoi przed nim spłoszona, jakby nie ta sama, mała siostrzyczka i wznosi ku niemu oczy nie z dawną ufnością, ale ze zdziwionym lękiem. Staś uczuł się nagle bardzo nieszczęśliwy. Po raz pierwszy w życiu zrozumiał, co to jest rozżalenie. Łzy napływały mu mimo woli do oczu i gdyby nie to, że „groźnemu wojownikowi" żadną miarą nie wypadało się rozpłakać, byłby to może uczynił. Pohamował się jednak i zwróciwszy do dziewczynki zapytał:

– Czy ty się boisz, Nel?…

A ona odpowiedziała cicho:

– Jakoś… tak straszno!

Na to Staś kazał Kalemu przynieść wojłoki spod siodeł i nakrywszy jednym z nich kamień, na którym poprzednio drzemał, drugi rozesłał na ziemi i rzekł:

– Siądź tu przy mnie koło ognia… Prawda, jaka noc chłodna? Jeśli sen cię zmorzy to oprzesz o mnie głowę i zaśniesz.

Nel zaś powtórzyła:

– Jakoś tak straszno!…

Staś owinął ją starannie pledem i przez czas jakiś siedzieli w milczeniu, wsparci o siebie i oświeceni różowym blaskiem, który pełgał po skałach i iskrzył się migotliwie na blaszkach miki, którymi upstrzone były kamienne złomy.

Za zeribą słychać było parskanie koni i chrzęst trawy w ich zębach.

– Słuchaj, Nel – ozwał się Staś – ja musiałem to zrobić… Gebhr zagroził, że nas zakłuje, jeśli lew nie poprzestanie na Kalim i będzie dalej ich gonił. Słyszałaś?… Pomyśl, że zagroził tym nie tylko mnie, ale i tobie. I byłby to zrobił! Ja powiem ci szczerze, że gdyby nie ta groźba, to jednak, choć myślałem już o tym dawniej, nie byłbym do nich strzelał. Myślę, że nie mógłbym… Ale on przebrał miarę. Widziałaś, jak okropnie znęcał się przedtem nad Kalim. A Chamis? Jakże on nikczemnie nas zaprzedał. Przy tym czy wiesz, co by się stało, gdyby oni nie byli znaleźli Smaina? Oto Gebhr zacząłby się znęcać tak samo nad nami… nad tobą. Okropność pomyśleć, że biłby cię korbaczem i byłby nas oboje zamęczył, a po naszej śmierci wróciłby sobie do Faszody i powiedział, żeśmy pomarli z febry… Ja, Nel, nie z żadnego okrucieństwa tak zrobiłem, ale musiałem myśleć o tym, jakby cię uratować… O ciebie tylko mi chodziło…

I w głosie jego odbiło się wyraźnie to rozżalenie, które przepełniało mu serce. Nel zrozumiała to widocznie, gdyż przytuliła się do niego mocniej, on zaś opanowawszy chwilowe wzruszenie tak mówił dalej:

– Ja się przecie nie zmienię i będę cię strzegł i pilnował jak poprzednio. Póki oni żyli, nie było żadnej nadziei ratunku. Teraz możemy uciec do Abisynii. Abisyńczycy są czarni i dzicy, ale chrześcijanie i nieprzyjaciele derwiszów. Byleś była zdrowa, to nam się to uda, bo do Abisynii nie jest bardzo daleko. A choćby nam się nawet nie udało, choćbyśmy wpadli w ręce Smaina, to nie myśl, że on się będzie na nas mścił. On nigdy w życiu nie widział ani Gebhra, ani Beduinów; znał tylko Chamisa, ale co mu tam Chamis! Możemy przy tym nie mówić wcale Smainowi, że Chamis z nami był. Jeśli nam się uda przedostać do Abisynii, to będziemy ocaleni, a jeśli nie, to i w takim razie nie będzie ci gorzej, tylko lepiej, bo takich okrutników jak tamci nie ma chyba więcej na świecie... Nie bój się ty mnie, Nel!...

I chcąc wzbudzić jej zaufanie, a zarazem dodać otuchy, począł ją głaskać po płowej główce. Dziewczynka słuchała podnosząc nieśmiało na niego oczy. Widoczne było, że chce coś powiedzieć, ale ociąga się i waha – i obawia. Na koniec schyliła głowę, tak że włosy zakryły całkiem jej twarz, i zapytała jeszcze ciszej niż poprzednio i trochę drżącym głosem:

– Stasiu...

– Co, kochanie?

– A oni tu nie przyjdą?

– Kto? – zapytał ze zdziwieniem Staś.

– Tamci... zabici?

– Co tym mówisz, Nel?...

– Boję się! boję się!...

I pobladłe usta poczęły jej się trząść.

Zapadło milczenie. Staś nie wierzył, by zabici mogli zmartwychwstać, ale ponieważ była noc i ciała ich leżały niedaleko, więc uczyniło mu się jakoś dziwnie nieswojo: dreszcz przebiegł mu po plecach.

– Co ty mówisz, Nel? – powtórzył. – To Dinah nauczyła cię bać się duchów... Umarli nie...

I nie skończył, bo w tej chwili stało się coś przerażającego. Oto wśród ciszy nocnej w głębinach wąwozu, w tej

stronie, gdzie leżały trupy, rozległ się nagle jakiś nieludz-
ki okropny śmiech, w którym drgała rozpacz i radość,
i okrucieństwo, i ból, i łkanie, i szyderstwo – rozdzierający
i spazmatyczny śmiech obłąkanych lub potępieńców.

Nel krzyknęła i z całych sił objęła Stasia ramionami.
A jemu wszystkie włosy stanęły dębem. Saba zerwał się
i począł warczeć.

Lecz siedzący opodal Kali podniósł spokojnie głowę
i rzekł prawie wesoło:

– To hieny śmiać się z Gebhra i z lwa.

Rozdział 23

Wielkie wypadki poprzedniego dnia i wrażenia nocne tak wymęczyły Stasia i Nel, że gdy wreszcie zmorzył ich sen, zasnęli oboje kamiennym snem i dziewczynka dopiero koło południa ukazała się przed namiotem. Staś zerwał się nieco wcześniej z wojłoku rozciągniętego blisko ognia i w oczekiwaniu na towarzyszkę kazał Kalemu zająć się śniadaniem, które ze względu na późną godzinę miało być zarazem obiadem.

Jasne światło dnia rozpędziło nocne strachy; oboje zbudzili się nie tylko wypoczęci, ale i pokrzepieni na duchu. Nel wyglądała lepiej i czuła się silniejsza, że zaś oboje chcieli odjechać jak najdalej od miejsca, w którym leżeli postrzelani Sudańczycy, więc zaraz po posiłku siedli na koń i ruszyli przed siebie.

O tej porze dnia wszyscy podróżnicy po Afryce zatrzymują się na południowy wypoczynek i nawet karawany złożone z Murzynów chronią się pod cień wielkich drzew, są to bowiem tak zwane „białe godziny" – godziny upału i milczenia, podczas których słońce praży niemiłosiernie i spoglądając z wysoka, zdaje się szukać, kogo by zabić. Wszelki zwierz zaszywa się wówczas w największe gąszcze; ustaje śpiew ptaków, ustaje brzęczenie owadów i cała natura zapada w ciszę, przytaja się, jakby chcąc uchronić się przed okiem złego bóstwa. Lecz oni jechali wąwozem, w którym jedna ze ścian rzucała głęboki cień, więc mogli się posuwać naprzód nie narażając się na spiekotę. Staś nie chciał opuszczać wąwozu naprzód dlatego, że na górze mogli być dostrzeżeni z dala przez oddziały Smaina, a po wtóre, że łatwiej w nim było znaleźć w rozpadlinach skalnych wodę, która w miejscach odkrytych wsiąkała w ziemię lub zmieniała się pod wpływem promieni słonecznych w parę.

Droga ciągle, lubo nieznacznie, szła w górę. Na ścianach skalnych widać było miejscami żółte złogi siarki. Woda w szczelinach przejęta była także jej zapachem, co obojgu dzieciom przypominało w niemiły sposób Omdurman i mahdystów, którzy namaszczali głowy tłuszczem ugniecionym z proszkiem siarczanym. W innych natomiast miejscach czuć było koty piżmowe, a tam, gdzie z wysokich wiszarów spadały aż na dół wąwozu przepyszne kaskady lianów, rozchodziła się upajająca woń wanilii. Mali wędrowcy chętnie zatrzymywali się w cieniu tych kotar haftowanych kwieciem purpurowym i lila, które wraz z liśćmi dostarczało pokarmu dla koni.

Zwierząt nie było widać, tylko gdzieniegdzie na zrębach skał siedziały w kucki małpy, podobne na tle nieba do takich fantastycznych bożyszcz pogańskich, jakie w Indiach zdobią krawędzie świątyń. Wielkie grzywiaste samce pokazywały Sabie zęby lub wyciągały w trąbkę paszczę na znak zdumienia i gniewu, podskakując jednocześnie, mrugając oczyma i drapiąc się po bokach. Ale Saba, przyzwyczajony już do ich ciągłego widoku, niewiele zwracał na te groźby uwagi.

Jechali raźnie. Radość z odzyskanej wolności spędziła z piersi Stasia tę zmorę, która dławiła go w nocy. Głowę miał obecnie zajętą tylko myślą, co dalej czynić, jak wyprowadzić Nel i siebie z okolic, w których groziła im ponowna niewola u derwiszów, jak radzić sobie podczas długiej podróży przez puszczę, by nie umrzeć z głodu i pragnienia, i na koniec: dokąd iść? Wiedział jeszcze od Hatima, że z Faszody w linii prostej do granicy abisyńskiej nie ma więcej niż pięć dni drogi – i wyrachował, że wyniesie to około stu mil angielskich. Otóż od wyjazdu ich z Faszody upłynęło blisko dwa tygodnie, jasną więc było rzeczą, że nie szli tą najkrótszą drogą, lecz w poszukiwaniu Smaina musieli skręcić znacznie na południe. Przypomniał sobie, że w szóstym dniu podróży przebyli rzekę, która nie była Nilem, a potem, zanim kraj zaczął się wznosić, przejeżdżali koło jakichś dużych błot. W szkole w Port-Saidzie uczono bardzo dokładnie geografii Afryki i Stasiowi została w pamięci nazwa Ballor, oznaczająca rozlewisko mało znanej rzeki Sobbat, wpadającej do Nilu. Nie był wprawdzie pewny, czy pominęli te właśnie rozlewiska, ale przypuszczał, że tak było. Przyszło mu do głowy, że Smain chcąc nałapać niewolników nie mógł ich szukać wprost na wschód od Faszody, gdyż kraj był tam już całkowicie wyludniony przez derwiszów i ospę, lecz musiał iść ku południowi, w okolice dotychczas przez wyprawy nie nawiedzane. Staś wywnioskował z tego, że idą śladami Smaina – i ta myśl przestraszyła go w pierwszej chwili.

Począł więc zastanawiać się, czy nie należy porzucić wąwozu, który skręcał coraz wyraźniej na południe, i iść wprost na wschód. Lecz po chwili rozwagi zaniechał tego zamiaru. Owszem, ciągnąć w trop za bandą Smaina na odległość dwóch czy trzech dni – wydawało mu się najbezpieczniej, gdyż było zupełnie nieprawdopodobne, by Smain wracał z towarem ludzkim tą samą kołującą drogą, zamiast skierować się wprost do Nilu. Staś zrozumiał też, że do Abisynii można się było przedostać tylko od strony południowej, w której kraj ten styka się z dziką puszczą, nie zaś od granicy wschodniej, pilnie strzeżonej przez derwiszów.

I wskutek tych myśli postanowił zapuścić się jak najdalej w stronę południową. Można tam było wprawdzie natknąć się na Murzynów, bądź zbiegłych znad brzegów Białego Nilu, bądź miejscowych. Ale z dwojga złego Staś wolał mieć do czynienia z czarnymi niż z mahdystami. Liczył przy tym i na to, że na wypadek spotkania zbiegów lub osad miejscowych Kali i Mea mogą mu być pomocni. Na młodą Murzynkę dość było spojrzeć, aby odgadnąć, że należy do plemienia Dinka lub Szylluk, miała bowiem niezmiernie długie i cienkie nogi, jakimi odznaczają się oba te szczepy zamieszkujące pobrzeża Nilu i brodzące na podobieństwo żurawi lub bocianów po jego rozlewiskach. Kali natomiast, lubo pod ręką Gebhra stał się podobny do kościotrupa, miał zupełnie inną postać. Był krępy i mocno zbudowany; ramiona miał silne, a stopy w porównaniu ze stopami Mei stosunkowo małe.

Ponieważ nie mówił prawie wcale po arabsku, a źle językiem ki-swahili, którym można było rozmówić się prawie w całej Afryce i którego Staś wyuczył się jako tako od Zanzibarytów pracujących przy kanale, widoczne więc było, że pochodził z jakichś odległych stron.

Staś postanowił wybadać go z jakich.

– Kali, jak się zowie twój naród? – zapytał.

– Wa-hima – odpowiedział młody Murzyn.

– Czy to jest duży naród?

– Wielki, który wojuje ze złymi Samburu i zabiera im bydło.

– A gdzie leży twoja wieś?

– Daleko! daleko!... Kali nie wie gdzie.

– Czy w takim kraju jak ten?

– Nie. Tam jest wielka woda i góry.

– Jak nazywacie tę wodę?

– Nazywamy ją „Ciemna Woda".

Staś pomyślał, że chłopiec może pochodzić z okolic Albert-Nianza, które było dotychczas w rękach Emina-paszy, więc chcąc to sprawdzić pytał dalej:

– Czy nie mieszka tam biały naczelnik, który ma czarne dymiące łodzie i wojsko?

– Nie. Starzy mówić u nas, że widzieli białych ludzi (tu Kali rozstawił palce) raz, dwa, trzy!... Tak. Było trzech w długich białych sukniach. Szukali kłów... Kali ich nie widział, bo nie był jeszcze na świecie, ale ojciec Kalego przyjmować ich i dać im dużo kłów.

– Czym jest twój ojciec?

– Królem Wa-hima.

Stasiowi pochlebiło to trochę, że ma za sługę króle-wicza.

– Czy chciałbyś zobaczyć ojca?

– Kali chcieć zobaczyć matkę.

– A co byś uczynił, gdybyśmy spotkali Wa-hima, i co by oni uczynili?

– Wa-hima paść na twarz przed Kalim.

– Więc zaprowadź nas do nich, to wówczas ty zosta-niesz z nimi i będziesz panował po ojcu, a my pójdziemy dalej aż do morza.

– Kali do nich nie trafić i nie zostać, bo Kali kocha pana wielkiego i córkę księżyca.

Staś zwrócił się wesoło do towarzyszki i rzekł:

– Nel, zostałaś córką księżyca!

Lecz spojrzawszy na nią posmutniał nagle, przyszło mu bowiem na myśl, że zbiedzona dziewczynka wygląda ze swoją bladą i przezroczystą twarzyczką istotnie więcej na księżycową niż na ziemską istotę.

Młody Murzyn zamilkł na chwilę, po czym powtórzył:

– Kali kochać bwana kubwa, bo bwana kubwa nie zabić Kalego, tylko Gebhra, a Kalemu dać dużo jeść.

I począł gładzić się po piersiach powtarzając z widoczną rozkoszą:

– Mnóstwo mięsa, mnóstwo mięsa!

Staś chciał jeszcze dowiedzieć się, jakim sposobem chłopiec dostał się w niewolę, ale pokazało się, że od czasu gdy pewnej nocy złapano go przy dołach wykopanych na zebry, przechodził przez tyle rąk, iż z odpowiedzi jego nie było można wcale wywnioskować, przez jakie kraje i którędy prowadzono go aż do Faszody. Zastanowiło Stasia to tylko, co mówił o „Ciemnej Wodzie", gdyby bowiem pochodził z okolic Albert-Nianza, Albert-Edward-Nianza albo Wiktoria-Nianza, przy którym leżały państwa Unioro i Uganda, byłby niewątpliwie coś słyszał o Eminie-paszy, o jego wojskach i o parowcach, które wzbudzały podziw i strach w Murzynach. Tanganika była zbyt odległa, pozostało zatem tylko przypuszczenie, że naród Kalego ma swe siedziby gdzieś bliżej. Z tego powodu spotkanie się z ludźmi Wa-hima nie było całkiem niepodobne.

Po kilku godzinach jazdy słońce poczęło się zniżać. Upał zmniejszył się znacznie. Trafili na szeroką dolinę, w której była woda i rosło kilkanaście dzikich fig, więc zatrzymali się, by dać wytchnienie koniom i pokrzepić się zapasami.

Ponieważ ściany skaliste były w tym miejscu niższe, Staś rozkazał Kalemu, by wydostał się na górę i zobaczył, czy w okolicy nie widać jakich dymów.

Kali spełnił rozkaz i w mgnieniu oka znalazł się na krawędzi skał. Rozejrzawszy się dobrze na wszystkie strony, zsunął się po grubej łodydze liany i oświadczył, że dymu nie ma, ale jest nyama. Łatwo było się domyślić, że mówi nie o pentarkach, lecz o grubszej jakiejś zwierzynie; wskazawszy bowiem na strzelbę Stasia przyłożył następnie palce do głowy na znak, że jest to zwierzyna rogata.

Staś wdrapał się z kolei na górę i wychyliwszy ostrożnie głowę ponad krawędź, począł patrzeć przed siebie. Nic nie zasłaniało mu widoku w dal, gdyż dawna, wysoka dżungla była spalona, a nowa która puściła się już ze sczerniałej ziemi, miała zaledwie kilka cali wysokości. Jak okiem sięgnąć, widać było rzadko rosnące wielkie drzewa z osmalonymi przez ogień pniami. Pod cieniem jednego z nich pasło się stadko antylop gnu, podobnych z kształtów ciała do koni, a z głów do bawołów. Słońce, przedzierając się przez liście baobabu, rzucało drgające świetliste plamy na ich brunatne grzbiety. Było ich dziewięć sztuk. Odległość wynosiła nie więcej jak sto kroków, ale wiatr wiał od zwierząt ku wąwozowi, pasły się więc spokojnie, nie podejrzewając niebezpieczeństwa. Staś, chcąc zaopatrzyć karawanę w mięso, strzelił do najbliżej stojącej sztuki, która runęła jak piorunem rażona na ziemię. Reszta stada pierzchła, a wraz z nią i wielki bawół, którego nie dostrzegli poprzednio, gdyż leżał ukryty za kamieniem. Chłopiec, nie z potrzeby, ale prze żyłkę myśliwską, upatrzywszy chwilę, w której zwierz zwrócił się nieco bokiem, posłał i za nim kulę. Bawół zachwiał się silnie po strzale, pociągnął zadem, ale pobiegł dalej i nim Staś zdążył zmienić naboje, znikł w nierównościach gruntu.

Zanim dym się rozwiał, Kali siedział już na antylopie i rozcinał jej brzuch nożem Gebhra. Staś podszedł ku niemu chcąc się bliżej zwierzęciu przypatrzyć – i wielkie było jego zdziwienie, gdy po chwili młody Murzyn podał mu zakrwawionymi rękoma dymiącą jeszcze wątrobę antylopy:

– Dlaczego mi to dajesz? – zapytał.

– Msuri, msuri! Bwana kubwa jeść zaraz.

– Zjedzże sam! – odpowiedział Staś oburzony propozycją.

Kali nie dał sobie tego dwa razy powtarzać, lecz natychmiast począł rwać zębami wątrobę i łykać z chciwością surowe kawały, a widząc, że Staś patrzy na niego z obrzydzeniem, nie przestawał między jednym a drugim łykiem powtarzać: „Msuri! msuri!"

Zjadł w ten sposób przeszło pół wątroby, po czym zabrał się do oprawienia antylopy. Czynił to nadzwyczaj szybko i umiejętnie, tak, że niebawem skóra była zdjęta i udziec oddzielony od grzbietu. Wówczas Staś zdziwiony nieco, że Saba nie znalazł się przy tej robocie, gwizdnął na niego, by zaprosić go na walną ucztę z przednich części zwierzęcia.

Lecz Saba nie pojawił się wcale, natomiast schylony nad antylopą Kali podniósł głowę i rzekł:

– Wielki pies polecieć za bawołem.

– Widziałeś? – zapytał Staś.

– Kali widzieć.

To rzekłszy założył na głowę polędwicę antylopy, a dwa duże udźce na ramiona i ruszył do wąwozu. Staś gwizdnął jeszcze kilka razy i czekał, ale widząc, że czyni to na próżno, poszedł za nim. W wąwozie Mea zajęta już była ścinaniem cierni na zeribę. Nel zaś skubiąc swymi małymi paluszkami ostatnią pentarkę zapytała:

– Czy to na Sabę gwizdałeś? On poleciał za wami.

– Poleciał za bawołem, którego postrzeliłem, i jestem bardzo niespokojny – odpowiedział Staś. – To są zwierzęta ogromnie zawzięte, a tak silne, że lew nawet boi się na nie napadać. Z Sabą może być źle, jeśli rozpocznie walkę z takim przeciwnikiem.

– Usłyszawszy to Nel zaniepokoiła się bardzo i oświadczyła, że nie pójdzie spać, póki Saba nie wróci. Staś widząc jej zmartwienie zły był na siebie, że nie zataił przed nią niebezpieczeństwa, i począł ją pocieszać.

– Poszedłbym za nimi ze strzelbą – mówił – ale muszą już być bardzo daleko, a wkrótce zapadnie noc i ślady staną się niewidzialne. Bawół jest mocno strzelony i mam nadzieję, że padnie. W każdym razie osłabi go utrata krwi i jeśli nawet rzuci się na Sabę, to Saba potrafi uciec... Tak! Wróci może dopiero w nocy, ale wróci na pewno.

I mówiąc to sam nie bardzo wierzył we własne słowa, pamiętał bowiem to, co czytywał o niesłychanej mściwości afrykańskiego bawołu, który nawet ciężko ranny obiega kołem i zasadza się przy ścieżce, którą idzie myśliwy, a potem atakuje niespodzianie, porywa go na rogi i wyrzuca w górę. Z Sabą mogło się łatwo wydarzyć coś podobnego, nie mówiąc o innych niebezpieczeństwach, które groziły mu w powrotnej drodze – w nocy.

Jakoż niebawem noc zapadła. Kali i Mea urządzili zeribę, rozpalili ogień i zajęli się wieczerzą. Saba nie wracał.

Nel strapiona była coraz więcej i w końcu zaczęła płakać.

Staś zmusił ją nieledwie, żeby się położyła, obiecując, że będzie czekał na Sabę, a jak tylko się rozwidni, pójdzie sam go szukać i przyprowadzi. Nel poszła wprawdzie pod namiot, ale co chwila wychylała główkę spod jego skrzydeł pytając, czy pies nie wrócił. Sen zmorzył ją dopiero po północy, gdy Mea wyszła, by zastąpić Kalego, który czuwał nad ogniem.

– Czemu córka księżyca płakać? – zapytał Stasia młody Murzyn, gdy obaj pokładli się do snu na czaprakach. – Kali tego nie chce.

– Żal jej Saby, którego bawół pewno zabił.

– A może nie zabił – odrzekł czarny chłopak.

Po czym umilkli i Staś głęboko zasnął. Było jednak jeszcze ciemno, gdy się obudził, albowiem począł mu dokuczać chłód. Ogień przygasł. Mea, która miała go pilnować, zdrzemnęła się i od pewnego czasu przestała dorzucać chrustu na węgle.

Wojłok, na którym spał Kali, był pusty.

Staś sam dorzucił paliwa, po czym trącił Murzynkę i spytał:

– Gdzie jest Kali?

Chwilę patrzyła na niego nieprzytomnie, po czym roztrzeźwiwszy się należycie, rzekła:

– Kali wziął miecz Gebhra i poszedł za zeribę. Myślałam, że chce naciąć więcej chrustu, ale on wcale nie wrócił.

– Dawno wyszedł?

– Dawno.

Staś czekał przez pewien czas, ale gdy Murzyna nie było długo widać, mimo woli zadał sobie pytanie:

– Uciekł?

I serce ścisnęło mu się przykrym uczuciem, jakie budzi zawsze niewdzięczność ludzka. Przecie on ujmował się za tym Kalim i bronił go wówczas, gdy Gebhr znęcał się nad nim po całych dniach, a następnie ocalił mu życie. Nel była zawsze dla niego dobra i płakała nad jego niedolą, a oboje obchodzili się z nim jak najlepiej. On zaś uciekł! Sam przecie mówił, że nie wie, w której stronie leżą osady Wa-hima,i że nie zdołałby do nich trafić, a jednak uciekł! Stasiowi znów przypomniały się podróże afrykańskie czytane w Port-Saidzie i opowiadania podróżników o głupocie Murzynów, którzy porzucają ładunki i uciekają nawet wówczas, gdy ucieczka grozi im niechybną śmiercią. Oczywiście, że i Kali, mając za całą broń tylko sudański miecz Gebhra, musi umrzeć z głodu lub – o ile nie wpadnie w ponowną niewolę u derwiszów – stać się łupem dzikich zwierząt.

– Ach! Niewdzięcznik i głupiec!

Staś począł następnie rozmyślać i nad tym, o ile podróż bez Kalego będzie trudniejsza dla nich i kłopotliwsza, a praca cięższa. Poić konie i pętać na noc, rozpinać namiot, budować zeribę, pilnować w czasie drogi, by nie poginęły zapasy i juki z rzeczami, obdzierać i dzielić zabitą zwierzynę – wszystko to, w braku młodego Murzyna, miało teraz spaść na niego, a on przyznawał w duchu, że o niektórych czynnościach, na przykład o obdzieraniu ze skóry zwierzyny, nie ma najmniejszego pojęcia.

„Ha! trudno – rzekł – trzeba!…"

Tymczasem słońce wysunęło się zza widnokręgu i – jak zawsze bywa pod zwrotnikami – dzień zrobił się w jednej chwili. Nieco później woda do mycia, którą Mea przygotowała na noc dla panienki, poczęła chlupać pod namiotem, co znaczyło, że Nel wstała i ubiera się. Jakoż wkrótce ukazała się ubrana już, ale z grzebieniem w ręku i nastroszoną jeszcze czuprynką.

– A Saba? – zapytała.

– Nie ma go dotąd.

Usta dziewczynki poczęły zaraz drgać.

– Może jeszcze wróci – rzekł Staś. – Pamiętasz, że na pustyni nie bywało go czasem po dwa dni, a potem zawsze nas doganiał.

– Mówiłeś, że pójdziesz go poszukać?...

– Nie mogę.

– Dlaczego, Stasiu?

– Bo nie mogę zostawić cię tylko z Meą w wąwozie.

– A Kali?

– Kalego nie ma.

I zamilkł nie wiedząc sam, czy ma jej powiedzieć całą prawdę; ale ponieważ rzecz nie mogła się ukryć, więc pomyślał, że lepiej jest wyjawić ją od razu.

– Kali zabrał miecz Gebhra – rzekł – i w nocy poszedł nie wiadomo dokąd. Kto wie, czy nie uciekł. Murzyni często tak robią, nawet na własną zgubę. Żal mi go... Ale może jeszcze zrozumie, że głupstwo zrobił, i...

Dalsze słowa przerwało mu radosne szczekanie Saby, które napełniło cały wąwóz. Nel rzuciła grzebień na ziemię i chciała biec na spotkanie – wstrzymały ją jednak ciernie zeriby.

Staś począł je co prędzej rozrzucać, zanim wszelako otworzył przejście, naprzód zjawił się Saba, a za nim Kali, tak świecący i mokry od rosy, jakby po największym deszczu.

Radość ogromna ogarnęła oboje dzieci i gdy Kali, nie mogąc złapać tchu ze zmęczenia, znalazł się za płotem zeriby, Nel zarzuciła mu swoje białe rączki na czarną szyję i uściskała go z całej siły.

A on rzekł:

– Kali nie chce widzieć bibi płakać, więc Kali znaleźć psa.

– Dobry Kali! – odpowiedział Staś klepiąc go po ramieniu. – A nie bałeś się spotkać w nocy lwa albo pantery?

– Kali bać się, ale Kali pójść – odpowiedział chłopak.

Słowa te zjednały mu jeszcze bardziej serca dzieci. Staś na prośby Nel wydobył z jednego toboła sznurek szklanych paciorków, w które przy wyjeździe z Omdurmanu zaopatrzył ich Grek Kaliopuli, i przyozdobił nim wspaniale szyję Kalego, ów zaś, uszczęśliwiony z podarku, spojrzał zaraz z wielką dumą na Meę i rzekł:

– Mea nie mieć paciorków, a Kali mieć, bo Kali jest „wielki świat".

W ten sposób zostało nagrodzone poświęcenie czarnego chłopca. Saba natomiast otrzymał ostrą burę, z której po raz wtóry od czasu służby u Nel dowiedział się, że jest zupełnie brzydki i że jeśli jeszcze raz zrobi coś podobnego, to będzie prowadzony na sznurku jak małe szczenię. On słuchał tego kiwając w dość dwuznaczny sposób ogonem. Nel jednak twierdziła, iż widać mu było z oczu, że się wstydzi, i że z pewnością się zaczerwienił, czego nie można było zobaczyć tylko dlatego, że ma paszczę pokrytą sierścią.

Potem nastąpiło śniadanie złożone z wybornych dzikich fig i z combra gnu, a podczas śniadania Kali opowiadał swe przygody. Staś zaś tłumaczył je nie rozumiejącej języka ki-swahili Nel na angielski. Bawół, jak się pokazało, uciekł daleko. Kalemu trudno było znaleźć ślad, ponieważ noc była bezksiężycowa. Na szczęście dwa dni przedtem padał deszcz i ziemia nie była zbyt twarda, skutkiem czego racice ciężkiego zwierzęcia wybijały w niej zagłębienia. Kali szukał ich za pomocą palców u nóg i szedł długo. Bawół padł wreszcie i musiał paść nieżywy, gdyż nie było żadnych śladów walki między nim a Sabą. Gdy Kali ich znalazł, Saba zżarł już był większą część przedniej łopatki bawołu, ale choć więcej już jeść nie mógł, nie pozwalał jednak zbliżyć się do mięsa dwom hienom i kilkunastu szakalom, które stały naokół czekając, aż silniejszy drapieżnik ukończy ucztę i odejdzie.

Chłopiec skarżył się, że pies warczał także i na niego, ale on wówczas zagroził mu gniewem „pana wielkiego" i bibi, po czym wziął go za obrożę i odciągnął od bawołu, a puścił dopiero w wąwozie.

Na tym skończyło się opowiadanie nocnych przygód Kalego, po czym wszyscy w dobrych humorach siedli na konie i pojechali dalej.

Jedna tylko długonoga Mea, lubo cicha i pokorna, spoglądała z zazdrością na naszyjnik młodego Murzyna i na obrożę Saby i myślała ze smutkiem w duszy:

„Oni obaj są «wielki świat», a ja mam tylko mosiężną obrączkę na jednej nodze".

Rozdział 24

Przez następne trzy dni jechali wciąż wąwozem i zawsze w górę. Dni były przeważnie upalne, noce na przemian chłodne i parne. Zbliżała się pora dżdżysta. Zza widnokręgu wysuwały się tu i ówdzie chmury, białe jak mleko, ale głębokie i zawalne. Stronami widać było już smugi dżdżu i dalekie tęcze. Nad ranem trzeciego dnia jedna z takich chmur pękła nad ich głowami jak beczka, z której zleciała obręcz, i pokropiła ich ciepłym i obfitym, ale na szczęście krótkotrwałym deszczem. Potem pogoda uczyniła się jednak piękna i mogli jechać dalej. Pentarki ukazywały się znów w takiej ilości, że Staś strzelał do nich nie zsiadając z konia i zabił w ten sposób pięć sztuk, co licząc nawet z Sabą aż nadto starczyło na jednorazowy posiłek. Podróż w odświeżonym powietrzu nie była wcale uciążliwa, a obfitość zwierzyny i wody usuwała obawę głodu i pragnienia. W ogóle szło im łatwiej, niż się spodziewali, toteż Stasia nie opuszczał dobry humor i jadąc obok dziewczynki gwarzył z nią wesoło, a chwilami i żartował:

– Wiesz co, Nel – mówił, gdy na chwilę zatrzymali konie pod wielkim drzewem chlebowym, z którego Kali z Meą obcinali podobne do ogromnych melonów owoce – czasem mi się zdaje, że ja jestem błędny rycerz.

– A co to jest błędny rycerz? – zapytała Nel zwracając ku niemu swą śliczną główkę.

– Dawno, dawno temu, w średnich wiekach, byli tacy rycerze, którzy jeździli po świecie i szukali przygód. Walczyli z olbrzymami i smokami i wiesz, każdy miał swoją damę, którą opiekował się i której bronił.

– To ja jestem taka dama?

Staś zastanowił się przez chwilę, po czym odrzekł:

– Nie – tyś na to za mała. Tamte wszystkie były dorosłe.

I ani przez głowę mu nie przeszło, że może żaden błędny rycerz nie uczynił tyle dla swej damy, ile on dla tej małej siostrzyczki – po prostu wydawało mu się, że to, co uczynił, rozumiało się samo przez się.

Lecz Nel uczuła się pokrzywdzona jego słowami, więc wysunąwszy z nadąsaną minką usta rzekła:

– A mówiłeś w pustyni, że postąpiłam jak osoba trzynastoletnia? Aha!

– No to raz. Ale masz lat osiem.

– To za dziesięć lat będą miała osiemnaście!

– Wielka rzecz! A ja dwudziesty czwarty! W takim wieku człowiek nie myśli już o żadnych damach, bo ma co innego do roboty. Rozumie się!

– A co będziesz robił?

– Będę inżynierem albo marynarzem, albo jeśli w Polsce będzie wojna, to pojadę się bić jak mój ojciec.

Ona zaś spytała niespokojnie:

– Ale wrócisz do Port-Saidu?

– Pierwej musimy tam powrócić oboje.

– Do tatusia! – odpowiedziała dziewczynka.

I oczy jej zamgliły się smutkiem i tęsknotą. Na szczęście nadleciało w tej chwili stadko prześlicznych papug, szarych, z różowymi głowami i różową podszewką pod spodem skrzydeł. Dzieci zapomniały natychmiast o poprzedniej rozmowie i poczęły śledzić oczyma ich lot.

Stadko zakręciło nad grupą euforbii i spadło na rosnący opodal sykomor, wśród którego gałęzi rozległy się zaraz głosy podobne do gadatliwej narady lub kłótni.

– To są papugi, które najłatwiej uczą się mówić – rzekł Staś. – Gdy zatrzymamy się gdzie na dłużej, postaram się złapać taką dla ciebie.

– O Stasiu! Dziękuję! – odpowiedziała z radością Nel.

– Będzie się nazywała Daisy...

Tymczasem Mea i Kali, naobcinawszy owoców z chlebowca, obładowali nimi konie i mała karawana ruszyła dalej. Po południu zaczęło się jednak znów chmurzyć i chwilami przelatywały krótkie dżdże napełniając wodą wszystkie załamy i wgłębienia gruntu. Kali przepowiadał wielką ulewę, więc Stasiowi przyszło do głowy, że wąwóz, który zacieśniał się znów coraz bardziej, nie będzie dość bezpiecznym na noc schronieniem, albowiem zmienić się może w potok. Z tego powodu postanowił nocować na górze, a postanowienie to ucieszyło i Nel, zwłaszcza gdy wysłany na zwiady Kali powrócił i oświadczył, że niedaleko znajduje się lasek złożony z rozmaitych drzew, a w nim dużo małych małpek, nie tak brzydkich i złych jak pawiany, które spotykali dotychczas.

Trafiwszy zatem na miejsce, w którym ściany skalne były niskie i rozchylały się łagodnie, wyprowadzili konie i zanim się ściemniło, roztasowali się na nocleg. Namiot Nel stanął w miejscu wysokim i suchym, pod wielkim kopcem termitów, który zamykał całkiem przystęp z jednej strony i ułatwiał przez to robotę zeriby.

Blisko wznosiło się potężne drzewo o szeroko rozpostartych konarach, te zaś okryte gęstym liściem, mogły dać dobrą ochronę od deszczu. Przed zeribą rosły pojedyncze kępy drzew, a dalej zbity i powiązany pnączami las, ponad którym wystrzelały wysoko korony jakichś dziwacznych palm, podobne jakby do olbrzymich wachlarzy albo do rozwiniętych pawich ogonów.

Staś dowiedział się od Kalego, że przed drugą porą dżdżystą, a więc w jesieni, niebezpiecznie jest nocować pod tymi palmami, albowiem dojrzałe wówczas, ogromne ich owoce obrywają się niespodzianie i spadają ze znacznej wysokości z taką siłą, że mogą zabić człowieka, a nawet i konia. Obecnie jednak owoce były dopiero w zawiązku, i z dala, zanim słońce zaszło, widać było pod koronami śmigające małe małpeczki, które w wesołych skokach uganiały się wzajem za sobą.

Staś wraz z Kalim przygotowali wielki zapas drzewa, tak aby starczyło go na całą noc, a ponieważ chwilami zrywały się silne podmuchy gorącego wiatru, więc wzmocnili zeribę kołkami, które młody Murzyn pozaostrzał mieczem Gebhra i pozatykał w ziemię. Ostrożność ta nie była wcale zbyteczna, gdyż silny wicher mógł porozrzucać kolczaste gałęzie, z których wzniesiona była zeriba, i ułatwić napad drapieżnikom.

Jednakże zaraz po zachodzie słońca wiatr ustał, natomiast powietrze stało się parne i ciężkie. W przerwach między chmurami przeświecały z początku tu i ówdzie gwiazdy, ale następnie noc zapadła zupełnie czarna, tak że na krok nie było nic widać. Mali wędrowcy zgromadzili się przy ogniu, nasłuchując wrzasków i skrzeczenia małp, które w pobliskim lesie czyniły prawdziwy jarmark. Wtórowało im skomlenie szakali i rozmaite inne nieznane głosy, w których znać było niepokój i strach przed tym, co pod osłoną ciemności grozi w puszczy każdej żywej istocie.

Nagle zrobiło się cicho jak makiem siał, albowiem w mrocznych głębinach rozległo się stękanie lwa.

Konie, które pasły się opodal wśród młodej dżungli, poczęły zbliżać się do światła, podskakując na spętanych przednich nogach, waleczny zaś zwykle Saba zjeżył sierść i z wciśniętym ogonem tulił się do ludzi szukając widocznie ich opieki.

Stękanie rozległo się znowu – rzekłbyś, spod ziemi – głębokie, ciężkie, wysilone, jakby zwierz z trudnością wydobywał je ze swych potężnych płuc. Szło nisko nad ziemią, na przemian wzmagało się i cichło, przechodząc chwilami w głuche, ogromnie posępne jęki.

– Kali! Dorzuć do ognia! – ozwał się Staś.

Murzyn dorzucił tak skwapliwie na ognisko naręcze gałęzi, że naprzód buchnęły całe snopy iskier, po czym dopiero strzelił w górę wysoki płomień.

– Stasiu, lew nas nie napadnie?… prawda? – szeptała Nel pociągając chłopca za rękaw.

– Nie. Nie napadnie. Patrz, jaka zeriba wysoka…

I mówiąc tak, wierzył istotnie, że niebezpieczeństwo im nie grozi, ale lękał się o konie, które coraz bliżej cisnęły się do płotu i mogły go stratować.

Tymczasem stękanie przeszło w przeciągły, grzmiący ryk, od którego truchleje wszelkie żywe stworzenie, a ludziom, nawet nie znającym trwogi, drgają tak nerwy, jak drgają szyby od dalekich strzałów armatnich.

Staś rzucił przelotnie spojrzenie na Nel i widząc jej trzęsącą się bródkę i wilgotne oczy rzekł:

– Nie bój się! Nie płacz!

A ona odpowiedziała tak samo jak niegdyś w pustyni:

– Ja nie chcę płakać… tylko mi się… oczy pocą! Oj!

Ostatni wykrzyk wyrwał jej się z ust dlatego, że w tej chwili od strony lasu zagrzmiał ryk jeszcze potężniejszy od pierwszego, bo bliższy. Konie poczęły wprost pchać się na zeribę i gdyby nie długie i twarde jak stal kolce akacjowych gałęzi, byłyby ją przełamały. Saba warczał i zarazem drżał jak liść, Kali zaś jął powtarzać przerywanym głosem:

– Panie! Dwa! Dwa!… Dwa!…

A lwy, poczuwszy się wzajem, nie ustawały teraz ryczeć i straszliwy koncert trwał w ciemościach ciągle, albowiem gdy jeden zwierz milknął, poczynał drugi. Staś nie mógł wkrótce rozpoznać, skąd dochodzą ich głosy, gdyż echo powtarzało je w wąwozie, skała odsyłała je skale, szły górą i dołem, napełniały las, dżunglę, nasycały całą ciemność grzmotem i trwogą.

Jedna tylko rzecz zdawała się chłopcu pewna, a mianowicie, że zbliżały się coraz bardziej. Kali zmiarkował również, że lwy obiegają obozowisko zataczając coraz mniejsze kręgi, że powstrzymywane od napadu tylko blaskiem płomienia, wypowiadają rykiem swe niezadowolenie i obawę.

Widocznie jednak i on sądził, że niebezpieczeństwo grozi jedynie koniom, gdyż rozstawiwszy palce rzekł:

– Lwy zabić jeden, zabić dwa – nie wszystkie! Nie wszystkie!…

– Dorzuć do ognia! – powtórzył Staś.

Buchnął znów żywszy płomień; ryki ustały nagle. Ale Kali podniósł głowę i patrząc w górę począł nasłuchiwać.

– Co tam? – zapytał Staś.

– Deszcz! – odrzekł Murzyn.

Staś nastawił nastawił z kolei uszu. Konary drzewa osłaniały namiot i całą zeribę, więc na ziemię nie spadła jeszcze żadna kropla, ale w górze słychać było szelest liści. Ponieważ parnego powietrza nie poruszał najmniejszy powiew, łatwo się było domyślić, że to deszcz poczyna szemrać w gęstwinie.

Szelest wzmagał się z każdą chwilą i po niejakim czasie dzieci ujrzały krople spływające z liści, podobne przy blasku ognia do wielkich, różowych pereł. Jak przepowiedział Kali, rozpoczynała się ulewa. Szelest zmienił się w szum. Spadało coraz więcej kropel, a wreszcie przez gęstwinę poczęły przenikać całe sznurki wody.

Ognisko pociemniało. Próżno Kali dorzucał całe naręcza. Z wierzchu mokre gałęzie dymiły tylko, a od spodu syczały węgle – i płomień co się wzmógł, to przygasał.

– Gdy ulewa zaleje ogień będzie nas broniła jeszcze zeriba – rzekł Staś dla uspokojenia Nel.

Po czym wprowadził dziewczynkę pod namiot i otulił ją pledem, ale sam wyszedł co prędzej, gdyż krótkie, urywane ryki ozwały się na nowo. Tym razem rozległy się one znacznie bliżej i brzmiała w nich jakby radość.

Ulewa potężniała z każdą chwilą. Deszcz dudnił po twardych liściach nabaku i pluskał. Gdyby ognisko nie było pod ochroną konarów, byłoby zgasło od razu, ale i tak unosił się nad nim przeważnie dym, wśród którego przebłyskiwały wąskie, błękitne płomyki. Kali dał za wygraną i nie dokładał więcej suszu. Natomiast zarzuciwszy naokoło drzewa powróz, wspinał się za pomocą niego coraz wyżej po pniu.

– Co robisz? – zawołał Staś.

– Kali włazić na drzewo.

– Po co? – krzyknął chłopiec, oburzony samolubstwem Murzyna.

Jasna, przeraźliwa błyskawica rozdała ciemność, a odpowiedź Kalego zgłuszył nagły grzmot, który wstrząsnął niebem i puszczą. Jednoczenie zerwał się wicher, targnął konarami drzewa, rozmiótł w mgnieniu oka ognisko, porwał rozżarzone jeszcze pod popiołem węgle i wraz ze snopami iskier poniósł je w dżunglę.

Nieprzebita ciemność ogarnęła chwilowo obozowisko. Straszna podzwrotnikowa burza rozszalała się na ziemi i niebie. Grzmot następował po grzmocie, błyskawica po błyskawicy. Krwawe zygzaki piorunów rozdzierały czarne jak kir niebo. Na pobliskich skałach pojawiła się dziwna błękitna kula, która przez czas jakiś toczyła się wzdłuż wąwozu, a następnie buchnęła oślepiającym światłem i pękła z hukiem tak okropnym, iż zdawało się, że skały rozsypią się w proch od wstrząśnienia.

Potem znów nastała ciemność.

Staś zląkł się o Nel i poszedł omackiem do namiotu. Namiot osłonięty kopcem termitów i olbrzymim pniem, stał jeszcze, ale pierwsze silniejsze uderzenie wichru mogło potargać sznury i ponieść go Bóg wie dokąd. A wicher to opadał, to zrywał się ze wściekłą siłą, niosąc fale dżdżu i całe chmary liści i gałęzi nałamanych w pobliskim lesie. Stasia ogarnęła rozpacz. Nie wiedział czy zostawić Nel w namiocie, czy ją z niego wyprowadzić. W pierwszym razie mogła zaplątać się w sznury i zostać porwana wraz ze zwojami płótna, w drugim groziło jej przemoczenie i także porwanie, gdyż i Staś, lubo bez porównania silniejszy, z największym trudem utrzymywał się na nogach.

Sprawę rozstrzygnął wicher, który chwilę później porwał dach namiotu. Płócienne ściany nie dawały już żadnego schronienia. Nie pozostawało nic innego, jak czekać na przejście burzy, w ciemnościach, wśród których krążyły dwa lwy.

Staś przypuszczał, że może i one schroniły się w pobliskim lesie przed nawałnicą, ale był zupełnie pewien, że po jej przejściu wrócą. Grozę położenia zwiększało i to, że wiatr rozmiótł do szczętu zeribę.

Wszystko groziło zgubą. Strzelba Stasia nie mogła przydać się na nic. Jego energia również. Wobec burzy, piorunów, huraganu, dżdżu, ciemności i wobec lwów, które przytaiły się może o kilka kroków, czuł się bezbronny i bezradny. Szarpane wichrem płócienne ściany namiotu oblewały ze wszystkich stron wodą, więc otoczywszy ramieniem Nel wyprowadził ją z namiotu, po czym oboje przytulili się do pnia nabaku czekając śmierci lub bożego zmiłowania.

A wtem, między jednym a drugim uderzeniem wiatru doszedł ich głos Kalego zaledwie dosłyszalny wśród pluskania dżdżu:

– Panie wielki, na drzewo, na drzewo!

I jednocześnie koniec spuszczonego z góry mokrego sznura dotknął ramienia chłopca.

– Przywiązać bibi, a Kali ją wciągnąć! – wołał dalej Murzyn.

Staś nie wahał się ani chwili. Otuliwszy Nel wojłokiem, by powróz nie wpił się w jej ciało, obwiązał ją nim w pasie, następnie podniósł na wyciągniętych ramionach w górę i zawołał:

– Ciągnij!

Pierwsze konary drzewa wyrastały dość nisko, więc powietrzna podróż Nel trwała krótko. Kali chwycił ją niebawem swymi silnymi rękoma i umieścił między pniem a olbrzymim konarem, gdzie było dość miejsca nawet i na pół tuzina takich drobnych istotek. Żaden wiatr nie mógł jej stamtąd wydmuchnąć, a prócz tego, chociaż po całym drzewie spływała woda, jednakże gruby na kilkanaście stóp pień chronił ją przynajmniej od nowych fal deszczu, niesionych przez wicher ukośnie.

Zabezpieczywszy małą bibi Murzyn spuścił znów powróz dla Stasia, lecz ów jak kapitan, który z tonącego okrętu ustępuje ostatni, kazał włazić przed sobą Mei.

Kali nie potrzebował jej wcale ciągnąć, gdyż w jednej chwili wdrapała się po powrozie z taką wprawą i zręcznością, jakby była rodzoną siostrą szympansa. Stasiowi poszło znacznie trudniej, lecz i on dość był na to dobrym gimnastykiem, by przezwyciężyć ciężar ciała oraz strzelby i kilkunastu naboi, którymi napełnił kieszenie.

W ten sposób wszyscy czworo znaleźli się na drzewie.

Staś tak przyzwyczaił się myśleć w każdym położeniu o Nel, że i teraz zajął się przede wszystkim sprawdzeniem, czy jej nie grozi upadek, czy ma dosyć miejsca i czy może wygodnie się położyć. Uspokojony pod tym względem, począł łamać głowę, jakby zabezpieczyć ją od deszczu. Ale na to nie było rady. Zbudować jakiś daszek nad jej głową byłoby łatwo w dzień, ale teraz otaczała ich taka ciemność, że nie widzieli się wzajem wcale. Gdybyż przynajmniej ta burza przeszła i gdyby udało się rozpalić ogień, można by osuszyć ubranie Nel! Staś z rozpaczą myślał, że przemoczona do ostatniej nitki dziewczynka dostanie niezawodnie nazajutrz pierwszego ataku febry.

Bał się, że nad ranem, po burzy, zrobi się chłodno, jak bywało poprzednich nocy. Dotychczas jednak uderzenia wiatru były raczej gorące i deszcz jak ugrzany. Dziwiła tylko Stasia jego uporczywość, gdyż wiedział, że burze podzwrotnikowe im bardziej szaleją, tym trwają krócej.

Po długim dopiero czasie ucichły grzmoty i uderzenia wiatru osłabły, ale deszcz padał ciągle, mniej wprawdzie ulewny niż poprzednio, ale ciężki i tak gęsty, że liście nabaku nie dawały żadnej przed nim ochrony. Z dołu dochodził szum wody, jakby cała dżungla zmieniła się w jedno jezioro. Staś pomyślał, że w wąwozie czekałaby ich śmierć niechybna. Ogromnym żalem przejmowała go też myśl co się stanie z Sabą – i nie śmiał mówić o nim z Nel. Miał wszelako trochę nadziei, że zmyślny pies znajdzie bezpieczny przytułek wśród skał sterczących nad wąwozem. Nie było jednak możności przyjść mu z jakąkolwiek pomocą.

Siedzieli więc jedno przy drugim wśród rozłożystych konarów, moknąc i czekając dnia. Po upływie jeszcze kilku godzin powietrze poczęło się ochładzać i deszcz na koniec ustał. Woda spłynęła też już widocznie po pochyłości na niższe miejsca, gdyż nie było słychać plusku ni szumu. Staś zauważył poprzednich dni, że Kali umie rozniecić ogień nawet i z mokrych gałęzi, przyszło mu więc do głowy, by kazać Murzynowi zejść i spróbować, czy mu się to nie uda i tym razem. Lecz w chwili, w której zwrócił się do niego, stało się coś takiego, co wszystkim czworgu zmroziło krew w żyłach.

Oto głęboką ciszę nocną rozdarł nagle kwik koński, straszny, przeraźliwy, pełen bólu, trwogi i śmiertelnego przerażenia. Zakotłowało się coś w ciemności, rozległ się krótki charkot, następnie głuche jęki, chrapanie, drugi kwik koński, jeszcze przeraźliwszy, po czym wszystko umilkło.

– Lwy, panie wielki! Lwy zabijać konie! – szeptał Kali.

Było coś tak okropnego w tym nocnym napadzie, w tej przemocy potworów i w tym nagłym morderstwie bezbronnych zwierząt, że Staś struchlał na chwilę i zapomniał o strzelbie. Na co zresztą przydałoby się strzelać wśród takiej ćmy? Chyba na to, by ci mordercy, jeśli światło i huk ich przestraszy, porzucili zabite już konie, a pognali za tymi, które rozproszyły się i odleciały od obozowiska tak daleko, jak na spętanych nogach mogły odlecieć.

Stasia przeszły ciarki na myśl, co by się stało, gdyby byli pozostali na dole. Przytulona do niego Nel dygotała tak, jakby już chwycił ją pierwszy atak febry, ale drzewo zabezpieczało ich przynajmniej od napadu. Kali ocalił im po prostu życie.

Była to jednak straszna noc – najstraszniejsza w całej podróży.

Siedzieli jak zmokłe ptaki na gałęzi, nasłuchując co się dzieje na dole. A tam przez jakiś czas trwało głębokie milczenie, lecz niebawem ozwały się pomruki, odgłos jakby chłeptania, cmokanie oddzieranych kawałów mięsa oraz chrapliwy oddech i postękiwanie potworów.

Woń surowizny i krwi doszła aż do drzewa, gdyż lwy ucztowały nie więcej jak o dwadzieścia kroków od zeriby.

I ucztowały tak długo, że Stasia porwała w końcu złość. Chwycił strzelbę i wypalił w kierunku odgłosów.

Ale odpowiedział mu tylko urywany, gniewliwy ryk, po czym rozległ się trzask gruchotanych w potężnych szczękach kości. W głębi połyskiwały błękitno i czerwono oczy hien i szakali czekających na swoją kolej.

I tak upływały długie godziny nocy.

Rozdział 25

Słońce wzeszło nareszcie i rozświeciło dżunglę, kępy drzew i las. Lwy znikły, zanim pierwszy promień zabłysnął na widnokręgu. Staś kazał Kalemu rozniecić ogień, a Mei wydobyć rzeczy Nel ze skórzanego worka, w którym były upakowane, wysuszyć je i przebrać dziewczynkę jak najprędzej. Sam wziąwszy strzelbę poszedł zwiedzić obozowisko, a zarazem przypatrzyć się spustoszeniu, jakiego narobiła burza i dwaj nocni mordercy.

Zaraz za zeribą, z której zostały tylko kołki, leżał pierwszy koń zżarty prawie do połowy, o sto kroków drugi, ledwie napoczęty, a zaraz za nim trzeci z wyszarpanym brzuchem i ze zgruchotanym łbem. Wszystkie straszny przedstawiały widok, oczy bowiem miały otwarte, pełne zakrzepłego przerażenia i wyszczerzone zęby. Ziemia była stratowana, w zagłębieniach całe kałuże krwi. Stasia porwała taka złość, że w tej chwili prawie życzył sobie, żeby zza jakiejś kępy wychyliła się kudłata głowa ociężałego po nocnej uczcie rozbójnika i żeby mógł wpakować w nią kulę. Ale musiał odłożyć zemstę na czas późniejszy, obecnie bowiem miał co innego do roboty. Należało odnaleźć i połapać pozostałe konie. Chłopiec przypuszczał, że musiały schronić się w lesie, również jak i Saba, którego trupa nigdzie nie było widać. Nadzieja, że wierny towarzysz niedoli nie padł ofiarą drapieżników, uradowała tak Stasia, że nabrał lepszej otuchy, a jego radość powiększyło jeszcze odnalezienie osła. Pokazało się, że mądry kłapouch nie chciał nawet utrudzać się zbyt daleką ucieczką. Zaszył się po prostu na zewnątrz zeriby w kąt utworzony przez kopiec termitów i drzewo – i tam mając zabezpieczoną głowę i boki czekał, co się stanie dalej, gotów w danym razie odeprzeć napad za pomocą bohaterskiego wierzgania. Ale lwy najwidoczniej nie dostrzegły go wcale, więc gdy słońce wzeszło i niebezpieczeństwo minęło, uważał za stosowne położyć się i odpocząć po dramatycznych wrażeniach nocnych.

Staś krążąc koło obozowiska odnalazł wreszcie na rozmiękłej ziemi wyciski kopyt końskich. Ślady szły w stronę lasu, a potem skręcały ku wąwozowi. Była to okoliczność pomyślna, albowiem połapanie koni w wąwozie nie przedstawiało wielkich trudności. O kilkanaście kroków dalej znalazło się w trawie pęto, które jeden z koni zerwał w ucieczce. Ten musiał odbiec tak daleko, że na razie można go było uważać za straconego. Natomiast dwa inne dostrzegł Staś za niską skałą, nie w samym parowie, lecz na jego brzegu. Jeden z nich tarzał się, drugi szczypał młodą, jasnozieloną trawę. Oba wyglądały niesłychanie zmęczone jakby po długiej drodze. Ale światło dzienne wygnało trwogę z ich serc, gdyż powitały Stasia krótkim, przyjaznym rżeniem. Koń, który się tarzał, zerwał się na nogi, przy czym chłopiec zauważył, że i ten wyswobodził się także z pęt, na szczęście jednak wolał widocznie zostać przy towarzyszu niż uciekać, gdzie go oczy poniosą.

Staś zostawił oba pod skałą i poszedł na brzeg wąwozu, by przekonać się, czy dalsza nim podróż jest możliwa. Jakoż obaczył, że z powodu wielkiego spadku woda już spłynęła i że dno jest prawie suche. Po chwili uwagę jego zwrócił jakiś białawy przedmiot zaplątany w pnącze zwieszające się z przeciwnej ściany skalnej. Pokazało się, że był to dach namiotu, który uderzenie wichru przyniosło aż tutaj i wbiło w gęstwinę, tak że woda nie mogła go porwać. Namiot zapewniał, bądź co bądź, małej Nel lepsze schronienie niż sklecony naprędce z gałęzi szałas, więc odnalezienie tej zguby uradowało Stasia mocno.

Ale radość jego zwiększyła się jeszcze, gdy z niszy skalnej ukrytej nieco wyżej pod lianami wyskoczył Saba trzymający w zębach jakieś zwierzę, którego głowa i ogon zwieszały się po obu stronach jego paszczy. Potężny pies wydrapał się w mgnieniu oka na górę i złożył u stóp Stasia pręgowaną hieną z pogruchotanym grzbietem i odgryzioną nogą, po czym jął machać ogonem i poszczekiwać radośnie, jakby chciał mówić: „Stchórzyłem, wyznaję, przed lwami, ale co prawda, to i wy siedzieliście na drzewie jak pentarki. Patrz jednak, żem nie zmarnował nocy".

I tak dumny był z siebie, że Staś ledwie zdołał go skłonić, by zostawił na miejscu cuchnące zwierzę i nie zanosił go w podarunku Nel.

Gdy powrócili obaj, w obozie palił się już suty ogień, a w naczyniach wrzała woda, w której gotowały się ziarna durry, dwie pentarki, i wędzone paski polędwicy z gnu. Nel była już przebrana w suchą odzież, ale wyglądała tak mizernie i blado, że Staś zląkł się o nią i wziąwszy ją za rękę, by przekonać się, czy nie ma gorączki, zapytał:

– Nel, co tobie jest?

– Nic, Stasiu, tylko mi się bardzo chce spać.

– Wierzę! Po takiej nocy! Ręce, chwała Bogu, masz zimne. Ach! Co to była za noc! Oczywiście, że ci się chce spać. I mnie także. Ale czy nie czujesz się chora?

– Boli mnie trochę głowa.

Staś położył jej dłoń na czole. Główka była zimna tak jak i ręce, to jednak dowodziło właśnie ogromnego wyczerpania i osłabienia, więc chłopiec westchnął i rzekł:

– Zjesz coś ciepłego, a potem zaraz położysz się spać i będziesz spała aż do wieczora. Dziś pogoda przynajmniej piękna i nie będzie tak jak wczoraj.

A Nel spojrzała na niego ze strachem.

– Ale my tu nie będziemy nocowali?

– Tu nie, bo tu leżą zagryzione konie; wybierzemy jakie inne drzewo lub też pojedziemy do wąwozu i tam urządzimy taką zeribę, jakiej świat nie widział. Będziesz tak spała spokojnie jak w Port-Saidzie.

Lecz ona założyła rączki i poczęła go prosić ze łzami, żeby jechali dalej, gdyż w tym strasznym miejscu nie będzie mogła oka zmrużyć i zachoruje z pewnością. I tak go błagała, tak powtarzała patrząc mu w oczy: „Co, Stasiu? – dobrze?" – że zgodził się na wszystko.

– Więc pojedziemy wąwozem – rzekł – bo tam jest cień. Przyrzeknij mi tylko, że jeśli ci zbraknie sił albo będzie ci słabo, to mi powiesz…

– Nie zbraknie, nie zbraknie! Przywiążesz mnie do siodła i usnę w drodze doskonale.

– Nie. Siądę na tego samego konia i będę cię trzymał, Kali i Mea pojadą na drugim, a osioł poniesie namiot.

– Dobrze! dobrze!

– Zaraz po śniadaniu musisz się trochę przespać. Nie możemy i tak wyruszyć przed południem, ponieważ jest dużo roboty. Trzeba połapać konie, złożyć namiot, urządzić inaczej juki. Część rzeczy zostawimy, bo teraz mamy wszystkiego dwa konie. Zejdzie nam na tym parę godzin, a ty tymczasem prześpisz się i wzmocnisz. Dziś będzie upał, ale pod drzewem cienia nie zabraknie.

– A ty i Mea, i Kali? Mnie tak przykro, że ja jedna będę spała, a wy się musicie męczyć.

– Owszem, znajdzie się i dla nas czas. O mnie się nie troszcz. Ja w Port-Saidzie w czasie egzaminów nie sypiałem często po całych nocach, o czym nawet i mój ojciec nie wiedział… Koledzy nie sypiali także. Ale co mężczyzna, to nie taka mała mucha jak ty. Nie masz pojęcia, jak dziś wyglądasz… zupełnie jak szklana! Zostały tylko oczy i czupryna, a twarzy wcale nie ma.

Mówił żartobliwie, ale w duszy się bał, gdyż przy mocnym świetle dziennym Nel miała twarz po prostu chorą i po raz pierwszy zrozumiał jasno, że jeśli dalej tak pójdzie, to biedne dziecko nie tylko może, ale i musi umrzeć. I na tę myśl zadygotały pod nim nogi, albowiem poczuł nagle, że w razie jej śmierci on także nie miałby ani po co żyć, ani po co wracać do Port-Saidu.

„Bo cóż bym wtedy miał do roboty?" – pomyślał.

Na chwilę odwrócił się, by Nel nie dostrzegła w jego oczach żalu i lęku, a następnie poszedł do złożonych pod drzewem rzeczy, odrzucił wojłok, którym była okryta szkatułka z nabojami, otworzył ją i począł czegoś szukać.

Chował tam w małej szklanej flaszce ostatni proszek chininy i strzegł go jak oka w głowie na „czarną godzinę„, to jest na wypadek, gdyby Nel dostała febry. Ale teraz był prawie pewien, że po takiej nocy pierwszy atak przyjdzie niezawodnie, więc postanowił mu zapobiec. Czynił to z ciężkim sercem, myśląc o tym, co będzie później, i gdyby nie to, że mężczyźnie i naczelnikowi karawany nie wypadało płakać, byłby się nad tym ostatnim proszkiem rozpłakał.

Więc chcąc pokryć wzruszenie przybrał wielce surową minę i wróciwszy do dziewczynki rzekł:

– Nel, weź przed jedzeniem resztę chininy.

Ona zaś spytała:

– A jeśli ty dostaniesz febry?

– To się będę trząsł. Weź, mówię ci.

Wzięła bez dalszego oporu, albowiem od czasu jak pozabijał Sudańczyków, bała się go trochę mimo wszelkich starań, jakimi ją otaczał, i dobroci, jaką jej okazywał. Zasiedli potem do śniadania i po zmęczeniu nocnym gorący rosół z pentarki smakował im wybornie. Nel zasnęła zaraz po posiłku i spała przez kilka godzin. Staś, Kali i Mea urządzili przez ten czas karawanę, przynieśli z wąwozu wierzch namiotu, posiodłali konie, objuczyli i osła – i zakopali pod korzeniami nabaku te rzeczy, których nie mogli zabrać. Sen morzył ich przy tej robocie okropnie, ale Staś z obawy, by nie zaspać, pozwolił sobie i im na kolejną tylko drzemkę.

Była może godzina druga, gdy wyruszyli w dalszą drogę. Staś trzymał przed sobą Nel, Kali jechał z Meą na drugim koniu. Nie zjechali jednak od razu do parowu, ale posuwali się między jego brzegiem a lasem. Młoda dżungla podrosła przez tę jedną dżdżystą noc bardzo znacznie, grunt jednak pod nią był czarny i nosił ślady ognia. Łatwo było odgadnąć, że albo przechodził tędy ze swoim oddziałem Smain, albo że pożar, przygnany z daleka wichrem, leciał suchą dżunglą i wreszcie trafiwszy na wilgotny las przesunął się niezbyt szerokim szlakiem między nim a wąwozem i poszedł dalej. Stasiowi chciało się sprawdzić, czy na tym szlaku nie znajdą się jakie ślady obozowisk Smaina albo wyciski kopyt – i z przyjemnością przekonał się, że nic podobnego nie było widać. Kali, który się na takich rzeczach znał dobrze, twierdził stanowczo, że ogień musiał być przyniesiony przez wiatr i że od tego czasu upłynęło już dni kilkanaście.

– To dowodzi – zauważył Staś – że Smain ze swoimi mahdystami jest już Bóg wie gdzie – i że w żadnym razie nie wpadniemy w jego ręce.

Po czym oboje z Nel zaczęli przypatrywać się ciekawie roślinności, ponieważ dotychczas nigdy nie przejeżdżali tak blisko podzwrotnikowego lasu. Jechali teraz samym jego brzegiem, aby mieć nad głową cień. Ziemia tu była wilgotna i miękka, zarośnięta ciemnozielonawą trawą, mchami i paprocią. Gdzieniegdzie leżały stare, spróchniałe pnie, pokryte, jakby kobiercem, prześlicznymi storczykami o pstrych, podobnych do motyli kwiatach, z również pstrym dzbankiem w środku korony. Gdzie dochodziło słońce, tam ziemia złociła się od innych dziwnych storczyków, drobnych i żółtych, w których dwa płatki kwiatu wznosząc się po bokach płatka trzeciego czyniły podobieństwo do głowy zwierzątka o dużych, ostro zakończonych uszach. W niektórych miejscach las podszyty był krzakami dzikiego jaśminu, upiętymi w girlandy z cienkich pnączy kwitnących różowo. Płytkie parowy i wgłębienia porastały paprocie zbite w jeden nieprzenikniony gąszcz: to niskie i rozłożyste, to wysokie z pniami poobwijanymi jakby kądzielą, sięgające aż do pierwszych konarów drzew i rozpostarte pod nimi w delikatną, zieloną koronkę. W głębi nie było jednolitych drzew: daktylowce, rafie, palmy wachlarzowe, sykomory, chlebowce, euforbie, olbrzymie odmiany senecjonów, akacji, drzewa o uliścieniu ciemnym i lśniącym, i jasnym lub czerwonym jak krew, rosły obok siebie, pień przy pniu, splątane gałęziami, z których strzelały kwiaty żółte i purpurowe, podobne do świeczników. W niektórych ostępach nie było wcale widać drzew, gdyż od ziemi aż do wierzchołków pokrywały je pnącza przerzucając się z pnia na pień, tworząc jakby wielkie litery: W i M, zwieszając się na kształt festonów, firanek i całych kotar. Liany kauczukowe dusiły wprost w tysiącznych wężowych skrętach drzewa i zmieniały je w piramidy zasypane białym kwieciem jak śniegiem. Naokół większych lian obwijały się mniejsze i gmatwanina stawała się tak niesłychana, że przetwarzała się niemal w ścianę, przez którą ani człowiek, ani zwierz nie zdołałby się przedrzeć. Miejscami tylko, gdzie przedzierały się słonie, których sile nic nie potrafi się oprzeć, były powybijane w gąszczu jakby głębokie, i kręte korytarze.

Śpiewu ptaków, który tak umila lasy europejskie, nie było wcale słychać, natomiast wśród wierzchołków drzew rozlegały się najdziwaczniejsze wołania, podobne do odgłosu, jaki wydaje piła, to do bicia w kotły, to do klekotania bocianów, to do skrzypienia starych drzwi, to do klaskania w ręce, do miauczenia kotów lub nawet do głośnej podnieconej rozmowy ludzkiej. Niekiedy wzbijało się ponad drzewa stadko papug szarych, zielonych, białych lub gromadka jaskrawo upierzonych tukanów, o cichym, falistym locie. Na śnieżnym tle kauczukowych pnączy migały niekiedy jak leśne duchy małe mapłki żałobniczki, czarne zupełnie, z wyjątkiem białego ogona, białych pasów po bokach i takichże faworytów otaczających twarz barwy węgla.

Dzieci patrzyły z podziwem na ten dziewiczy las, na który może jeszcze nigdy nie spojrzały oczy białego człowieka. Saba dawał co chwila nurka w gąszcze, skąd dochodziło jego wesołe szczekanie. Małą Nel pokrzepiła chinina, śniadanie i wypoczynek. Twarzyczka jej ożywiła się i nabrała lekkich kolorów, oczki patrzyły weselej. Co chwila wypytywała Stasia o nazwy rozmaitych drzew i ptaków, a on odpowiadał, jak umiał. Na koniec oświadczyła, że chce zejść z konia i nazbierać dużo kwiatów.

Lecz chłopak uśmiechnął się i odrzekł:

– Zaraz by cię tam zjadły siafu.

– Co to siafu? Czy co gorszego od lwa?

– I gorszego i nie gorszego. To są mrówki kąsające ogromnie. Pełno ich na gałęziach z których spadają ludziom na plecy jak deszcz ognisty. Ale chodzą i po ziemi. Spróbuj tylko zsiąść z konia i pójść trochę w las, a zaraz zaczniesz podskakiwać i piszczeć jak małpka. Nawet od lwa łatwiej się obronić. Czasem idą w ogromnych szeregach i wtedy wszystko im ustępuje z drogi.

– Ale ty dałbyś sobie z nimi radę?

– Ja? Rozumie się!

– A jak?

– Za pomocą ognia albo ukropu.

– Ty to sobie zawsze potrafisz poradzić – rzekła z głębokim przekonaniem. Stasiowi pochlebiły wielce te słowa, więc odpowiedział zarozumiale, ale zarazem i wesoło:

– Byleś była tylko zdrowa, to resztę możesz zdać na mnie.

– Mnie już nawet i głowa nie boli.

– Chwała Bogu! Chwała Bogu!

Tak rozmawiając minęli las, który jednym tylko bokiem dochodził do parowu. Słońce stało jeszcze wysoko na niebie i dopiekało potężnie, gdyż pogoda uczyniła się wspaniała i na niebie nie było żadnej chmurki. Konie oblały się potem, a Nel poczęła bardzo narzekać na gorąco. Z tego powodu Staś, upatrzywszy odpowiednie miejsce skręcił do wąwozu, w którym zachodnia ściana rzucała głęboki cień. Było tam chłodniej i woda, pozostała we wgłębieniach po wczorajszej ulewie, była również stosunkowo chłodna. Nad głowami małych podróżników przelatywały ciągle z jednego brzegu parowu na drugi tukany o purpurowych głowach, niebieskich piersiach i żółtych skrzydłach, więc chłopiec jął opowiadać Nel to, co o ich obyczajach wiedział z książek.

– Wiesz – mówił – są takie tukany, które w porze lęgu wyszukują dziuplę w drzewie; tam samica znosi jaja i siada na nich, a samiec oblepia otwór gliną, tak że tylko jej głowę widać, i dopiero gdy pisklęta się wylęgną, tłucze swoim wielkim dziobem glinę i wypuszcza samicę na wolność.

– A co ona przez ten czas je?

– Samiec ją karmi. Lata ciągle naokoło i przynosi jej rozmaite jagody.

– A czy jej pozwala spać? – pytała dalej sennym głosem. Staś uśmiechnął się.

– Jeśli pani tukanowa ma taką ochotę jak ty w tej chwili, to jej pozwala.

Jakoż w chłodnym wąwozie począł dziewczynkę morzyć nieprzeparty sen, gdyż od rana do wczesnego popołudnia za mało jej było wypoczynku. Staś miał szczerą chęć pójść za jej przykładem, lecz nie mógł, ponieważ musiał ją trzymać obawiając się, by nie spadła, a przy tym było mu ogromnie niewygodnie siedzieć po męsku na płaskim i szerokim siodle, jakie Hatim wraz z Seki-Tamalą urządzili dla małej jeszcze w Faszodzie. Nie śmiał jednak poruszać się i prowadził konia jak najwolniej, by jej nie rozbudzić.

Ona tymczasem, przechyliwszy się w tył, oparła mu główkę na ramieniu i rozespała się na dobre.

Ale oddychała tak równo i spokojnie, że Staś przestał żałować ostatniego proszku chininy. Czuł słuchając jej oddechu, że niebezpieczeństwo febry zostało na razie usunięte, i tak począł rozmyślać:

„Wąwóz idzie ciągle w górę, a teraz nawet dość stromo. Jesteśmy coraz wyżej i kraj jest coraz suchszy. Trzeba tylko będzie znaleźć jakie miejsce wyniosłe, doskonale zasłonięte, przy bystrej wodzie, tam się rozgospodarzyć, dać małej parę tygodni wypoczynku, a może i przeczekać całą massikę. Niejedna nie wytrzymałaby i dziesiątej części tych trudów, ale trzeba, aby wypoczęła! Po takiej nocy inna dostałaby natychmiast febry, a ona – jak to sobie śpi doskonale! Chwała Bogu!"

I myśli te wprawiły go w doskonały humor, toteż spoglądając z góry na główkę Nel opartą na jego piersiach mówił sobie wesoło, ale zarazem nie bez pewnego zdziwienia:

„Szczególna jednak rzecz, jak ja tę małą muchę lubię! Co prawda lubiłem ją zawsze, ale teraz to coraz więcej!"

I nie wiedząc, jak sobie ten osobliwy objaw wytłumaczyć, wpadł na następujące przypuszczenie:

„To pewno dlatego, żeśmy tyle razem przeszli i że ona jest na mojej opiece".

Tymczasem trzymał tę „muchę„ z wielką ostrożnością prawą rękę za pasek, żeby mu nie zleciała z siodła i nie potłukła sobie noska. Posuwali się noga za nogą i w milczeniu, tylko Kali podśpiewywał sobie pod nosem na chwałę Stasia:

– Pan wielki zabić Gebhra, zabić lwa i bawołu! *Yah*! Pan wielki zabić jeszcze dużo lwów! *Yah*! Mnóstwo mięsa! Mnóstwo mięsa! *Yah*! *Yah*!...

– Kali – zapytał cicho Staś – czy Wa-hima polują na lwy?

– Wa-hima bać się lwów, ale Wa-hima kopać głębokie doły i jeśli lew w nocy wpadnie, to Wa-hima śmiać się.

– Cóż wtedy robicie?

– Wa-hima rzucać dużo oszczepów, aż lew jak jeż. Wtedy go wyciągnąć z dołu i zjeść. Lew dobry.

I wedle swego zwyczaju pogładził się po żołądku.

Stasiowi nie bardzo podobał się ten sposób polowania, więc począł wypytywać, jaka inna zwierzyna znajduje się w kraju Wa-hima, i rozmawiali dalej o antylopach, strusiach, żyrafach i nosorożcach dopóty, dopóki do uszu ich nie doszedł szum wodospadu.

– Co to? – zawołał Staś – rzeka przed nami i wodospad?

Kali pokiwał głową na znak, że widocznie tak jest.

I przez czas jakiś jechali bardziej sporym krokiem nasłuchując szumu, który stawał się coraz wyraźniejszy.

– Wodospad! – powtórzył zaciekawiony Staś.

Lecz zaledwie minęli jeden i drugi zakręt, gdy nagle przeszkoda nie do przebycia zatamowała im dalszą drogę.

Nel, którą poprzednio uśpił ruch koński, rozbudziła się zaraz.

– Czy już stajemy na nocleg? – zapytała.

– Nie, ale patrz! – odpowiedział Staś – Skała zamyka wąwóz.

– To cóż zrobimy?

– Przecisnąć się obok niej niepodobna, bo tu ciasno, więc trzeba się będzie trochę wrócić, wydostać na górę i objechać przeszkodę, ale do wieczora jeszcze ze dwie godziny, a zatem mamy czas. Niech też i konie trochę odetchną. Słyszysz wodospad?

– Słyszę.

– Zatrzymamy się przy nim na nocleg.

Po czym zwrócił się do Kalego, kazał mu wydrapać się na brzeg parowu i zobaczyć, czy dalej dno wąwozu nie jest zawalone podobnymi przeszkodami, sam zaś począł przypatrywać się uważnie skale i po chwili zawołał:

– Ona oderwała się i runęła niedawno. Widzisz, Nel, ten odłam? Przypatrz się, jaki świeży. Nie ma na nim żadnych mchów ani roślin. Rozumiem już – rozumiem!

I ręką wskazał dziewczynce na rosnący nad brzegiem wąwozu baobab, którego ogromny korzeń zwieszał się po ścianie wzdłuż odłamu.

– To ten korzeń zapuścił się w szparę między ścianą i skałą i rozrastając się odłupał w końcu skałę. To jest rzecz bardzo osobliwa, bo przecie kamień twardszy jest od drzewa, wiem jednak, że w górach często tak bywa. Byle co trąci potem taki głaz, który się ledwie trzyma – i głaz się odrywa.

– Ale co mogło go trącić?

– Trudno powiedzieć. Może dawniejsza burza, może wczorajsza.

W tej chwili Saba, który poprzednio pozostał był za karawaną, nadleciał, stanął nagle, jakby pociągnięty z tyłu za ogon, zawietrzył, następnie wcisnął się w wąskie przejście między ścianą a oderwaną skałą, ale natychmiast począł się cofać ze zjeżoną sierścią.

Staś zsiadł z konia, by zobaczyć, co mogło psa przestraszyć.

– Stasiu, nie chodź tam – prosiła Nel – tam może być lew.

Chłopiec zaś, który był trochę junak-samochwał i który od wczorajszej nocy miał nadzwyczajną urazę do lwów, odrzekł:

– Wielka rzecz lew – w dzień!

Zanim jednak zbliżył się do przejścia, rozległ się z góry głos Kalego:

– Bwana kubwa! Bwana kubwa!

– Co takiego? – zapytał Staś.

Murzyn zsunął się w mgnieniu oka po łodydze pnącza. Z twarzy łatwo mu było wyczytać, że przynosi jakąś ważną nowinę.

– Słoń! – zawołał.

– Słoń?

– Tak – odpowiedział młody Murzyn machając rękoma. – Tam grzmiąca woda, a tu skała. Słoń nie móc wyjść. Pan wielki zabić słonia, a Kali go jeść, och, jeść, jeść!

I na tę myśl opanowała go taka radość, że jął skakać, uderzać dłońmi po kolanach i śmiać się jak szalony, przewracając przy tym oczami i połyskując białymi zębami.

Staś nie zrozumiał od razu, dlaczego Kali mówi, że słoń nie może wyjść z wąwozu, więc chcąc zobaczyć, co się stało, siadł na koń i powierzywszy Nel Mei, by w danym razie mieć wolne do strzału ręce, kazał Kalemu siąść za sobą, po czym zawrócili wszyscy i poczęli szukać miejsca, przez które by mogli wydostać się na górę. Po drodze Staś wypytywał się, jakim sposobem słoń mógł znaleźć się tam, gdzie był – i z odpowiedzi Kalego wymiarkował mniej więcej, co zaszło.

Oto słoń uciekał widocznie wąwozem podczas pożaru dżungli przed ogniem; po drodze otarł się silnie o nadwerężoną skałę, a ta zwaliła się i przecięła mu odwrót. Potem, dobiegłszy do końca parowu znalazł się nad brzegiem przepaści, w którą spadała rzeka, i w ten sposób został zamknięty.

Po pewnym czasie młodzi podróżnicy znaleźli wyjście, ale dość strome, tak że trzeba było zsiąść z koni i prowadzić je za sobą. Ponieważ, wedle zapewnień Murzyna, do rzeki było bardzo blisko, więc ruszyli dalej piechotą. Doszli na koniec na wysoki cypel ograniczony z jednej strony rzeką, z drugiej parowem i spojrzawszy w dół ujrzeli na dnie kotliny słonia.

Olbrzymi zwierz leżał na brzuchu i ku wielkiemu zdziwieniu Stasia nie zerwał się na ich widok, tylko gdy Saba począł dopadać do brzegu wądołu i szczekać zajadle, poruszył na chwilę ogromnymi uszami i podniósł trąbę, ale opuścił ją natychmiast.

Dzieci trzymając się za ręce długo patrzyły na niego w milczeniu, które przerwał dopiero Kali.

– On umierać z głodu! – zawołał.

Rzeczywiście słoń wychudzony był do tego stopnia, że jego grzbiet tworzył wzdłuż ciała jakby sterczący grzebień; boki miał zapadłe, pod skórą, mimo jej grubości, rysowały się wyraźnie żebra – i łatwo było odgadnąć, że nie wstaje dlatego, że nie ma już sił.

Wąwóz, dość przy ujściu szeroki, zmieniał się w zamkniętą z obu boków pionowymi skałami kotlinkę, na której dnie rosło kilka drzew. Otóż drzewa te były połamane, kora na nich obdarta, na gałęziach ani listka. Pnącze zwieszające się ze skał były również pozdzierane i objedzone, a trawa w kotlinie wyskubana do ostatniego źdźbła.

Staś, rozpatrzywszy się dokładnie w położeniu, jął dzielić się swymi spostrzeżeniami z Nel, ale pod wrażeniem nieuniknionej śmierci olbrzymiego zwierzęcia mówił cicho, jakby się bał, by nie zamącić mu ostatnich chwil życia.

– Tak, on rzeczywiście umiera z głodu. Siedzi tu już pewnie ze dwa tygodnie, to jest od czasu, gdy pożar spalił starą dżunglę. Zjadł wszystko, co było do zjedzenia, a teraz męczy się tylko, tym bardziej, że tu na górze rosną chlebowce i akacje o wielkich strąkach i on je widzi i nie może się do nich dostać.

I przez chwilę znów patrzyli w milczeniu, a słoń także zwracał na nich raz wraz swe małe, gasnące oczka – i coś w rodzaju gulgotania wydobywało mu się z gardła.

– Doprawdy – ozwał się chłopiec – lepiej będzie skrócić mu tę mękę.

To rzekłszy podniósł strzelbę do twarzy, lecz Nel chwyciła go za kurtkę i opierając się na obu nóżkach poczęła odciągać go z całej siły znad brzegu parowu.

– Stasiu, nie rób tego! Stasiu, dajmy mu jeść! – On taki biedny! Ja nie chcę, żebyś ty go zabijał, nie chcę! Nie chcę!

I tupiąc nóżkami nie przestawała go ciągnąć, a on spojrzał na nią z wielkim zdumieniem, lecz widząc jej oczy pełne łez rzekł:

– Ależ, Nel…

– Nie chcę! Nie dam go zabić! Ja dostanę febry, jeśli go zabijesz!…

Dla Stasia dość było tej groźby, by się wyrzec zabójczych zamiarów – i względem tego słonia, którego mieli przed sobą, i względem wszystkich innych na świecie. Przez chwilę milczał jeszcze, nie wiedząc, co małej odpowiedzieć, po czym rzekł:

– No dobrze! Dobrze!… Mówię ci, że dobrze! Nel, puść mnie!

A Nel uściskała go zaraz i przez jej zapłakane oczy przebłysnął uśmiech. Teraz chodziło jej tylko o to, by jak najprędzej dać słoniowi jeść. Kali i Mea zdziwili się bardzo, gdy dowiedzieli się, że bwana kubwa nie tylko go nie zabije, ale że mają natychmiast narwać dla niego tyle melonów z drzewa chlebowego, tyle strąków akacji i tyle wszelkiego rodzaju zielska, liści i traw, ile tylko zdołają. Obosieczny, sudański miecz Gebhra przydał się Kalemu do tych czynności bardzo i gdyby nie on, robota nie poszłaby łatwo. Nel jednak nie chciała czekać na jej ukończenie i gdy tylko pierwszy melon spadł z drzewa, porwała go w obie ręce i niosąc do wąwozu powtarzała prędko, jakby z obawą, by jej nie chciał kto inny wyręczyć:

– Ja! Ja! Ja!

Lecz Staś nie myślał bynajmniej pozbawić jej tej rozkoszy, z obawy tylko, by ze zbytku zapału nie zleciała razem z melonem, chwycił ją za pasek i zawołał:

– Ciskaj!

Ogromny owoc potoczył się po stromej pochyłości i padł przy nogach słonia, ów zaś wyciągnął w mgnieniu oka trąbę, pochwycił go, potem ją zgiął, jakby chciał włożyć sobie melon pod szyję – i tyle go dzieci wydziały!

– Zjadł – zawołała uszczęśliwiona Nel.

– Spodziewam się! – odpowiedział Staś.

A słoń wyciągnął ku nim trąbę, jakby chciał prosić o więcej, i odezwał się potężnym głosem:

– Hrrumf!

– Chce jeszcze!

– Spodziewam się – powtórzył Staś.

Drugi melon poszedł w ślad za pierwszym i zniknął w jednej chwili tak samo, potem trzeci, czwarty, dziesiąty, następnie zaczęły zlatywać strąki akacji i całe wiązki traw i wielkich liści. Nel nie pozwoliła się nikomu zastąpić i gdy jej małe ręce zmęczyły się robotą, spychała nóżkami coraz to nowe zapasy, słoń zaś jadł i podnosząc niekiedy trąbę wygłaszał swoje grzmiące „hrrumf" na znak, że chce jeszcze więcej, i – jak utrzymywała Nel – na znak, że dziękuje.

Lecz Kali i Mea zmęczyli się na koniec robotą, którą spełniali bardzo gorliwie, ale tylko w tej myśli, że bwana kubwa pragnie naprzód odpaść słonia, a potem dopiero go zabić. Wreszcie jednak bwana kubwa kazał im przestać, gdyż słońce zniżyło się już mocno i czas był rozpocząć budowę zeriby. Na szczęście, nie była to rzecz trudna, albowiem dwa boki trójkątnego cypla były zupełnie niedostępne, tak że należało tylko zagrodzić trzeci. Akacji z okrutnymi kolcami nie brakło także.

Nel nie odstępowała ani na krok wąwozu i siedząc w kucki nad jego brzegiem oznajmiała z dala Stasiowi, co słoń robi, i raz w raz rozlegał się jej cienki głosik:

– Szuka koło siebie trąbą!

Albo:

– Rusza uszami. Ogromne ma uszy!

A wreszcie:

– Stasiu! Stasiu, wstaje! Oj!

Staś zbliżył się szybko i chwycił Nel za rękę. Słoń wstał rzeczywiście i teraz dopiero dzieci mogły przypatrzyć się jego ogromowi. Widziały poprzednio kilka razy wielkie słonie, które przez Kanał Sueski przewożono na okrętach z Indii do Europy, ale żaden z nich nie mógł się porównać z tym kolosem, który istotnie wyglądał jak wielka szyfrowej barwy skała, chodząca na czterech nogach. Różnił się także od tamtych niezmiernymi kłami, które dochodziły do pięciu lub więcej stóp długości, i jak to zauważyła już Nel, bajecznymi wprost uszami. Przednie jego nogi były bardzo wysokie, ale stosunkowo cienkie, czego przyczyną był zapewne post wielodniowy.

– Oto liliput – zawołał Staś – Gdyby wspiął się i wyciągnął dobrze trąbę, mógłby cię złapać za nóżkę.

Ale kolos nie myślał ani się wspinać, ani łapać nikogo za nóżkę. Chwiejnym krokiem zbliżył się do wylotu wąwozu, popatrzył przez chwilę w przepaść, na której dnie kotłowała się woda, potem zwrócił się do ściany leżącej bliżej wodospadu, skierował ku niemu trąbę i zanurzywszy ją, jak mógł najdokładniej, począł pić.

– Jego szczęście – rzekł Staś – że mógł dostać trąbą do wody. Inaczej byłby zdechł.

Słoń pił tak długo, że w końcu niepokój ogarnął dziewczynkę.

– Stasiu, czy on sobie nie zaszkodzi? – zapytała.

– Nie wiem – odpowiedział śmiejąc się – ale skoro wzięłaś go w opiekę, to go teraz przestrzeż.

Więc Nel przechyliła się nad krawędzią i nuż wołać:

– Dosyć, kochany słoniu, dosyć!

A kochany słoń, jakby zrozumiał, o co chodzi, przestał zaraz pić, a natomiast począł tylko oblewać się wodą: naprzód oblał sobie nogi, potem grzbiet, a następnie oba boki.

Ale tymczasem ściemniło się, więc Staś odprowadził dzieczynkę do zeriby, gdzie czekała już na nich wieczerza.

Oboje byli w doskonałych humorach: Nel dlatego, że uratowała słoniowi życie, a Staś dlatego, że widział jej błyszczące jak dwie gwiazdki oczy i rozradowaną twarzyczkę, która wyglądała czerstwiej i zdrowiej niż kiedykolwiek od czasu wyjazdu z Chartumu. Do zadowolenia chłopca przyczyniało się i to, że obiecywał sobie spokojną i doskonałą noc. Niedostępny z dwóch stron cypel zabezpieczał ich zupełnie od napaści, a z trzeciej strony Kali z Meą wznieśli tak wysoką ścianę z kolczastych gałęzi akacji i passiflory, że nie mogło być mowy o tym, by jakiekolwiek drapieżne zwierzę zdołało się przez taką zaporę przedostać. Pogoda przy tym uczyniła się piękna i niebo zaraz po zachodzie słońca obsypało się gwiazdami. Chłodnawym z powodu bliskości wodospadu powietrzem, przesyconym zapachem dżungli i świeżo połamanych gałęzi, przyjemnie było oddychać.

„Nie dostanie ta mucha febry!" – myślał z radością Staś.

Następnie zaczęli rozmawiać o słoniu, gdyż Nel nie była zdolna rozmawiać o czym innym i nie przestawała unosić się nad jego wzrostem, trąbą i kłami, które rzeczywiście miał olbrzymie. W końcu zapytała:

– Stasiu, prawda, jaki on rozumny?

– Jak Salomon – odpowiedział Staś – Ale z czego to wnosisz?

– Bo jak go poprosiłam, żeby więcej nie pił, zaraz mnie usłuchał.

– Jeśli przedtem nie brał lekcji języka angielskiego, a jednak go rozumie, to istotnie cudowne.

Nel pomiarkowała, że Staś stroi sobie z niej żarty, więc fuknęła na niego jak kotka, po czym rzekła:

– Mów sobie, co chcesz, a ja jestem pewna, że on jest bardzo rozumny i że się zaraz oswoi.

– Czy zaraz, nie wiem, ale oswoić się może. Słonie afrykańskie są wprawdzie dziksze od azjatyckich, jednakże myślę, że na przykład Hannibal posługiwał się afrykańskimi.

– A kto to był Hannibal?

Staś spojrzał na nią z wyrozumiałością, ale i politowaniem.

– Oczywiście – rzekł – w twoim wieku nawet takich rzeczy się nie wie. Hannibal był to wielki wódz kartagiński, który używał słoni do wojny z Rzymianami, a ponieważ Kartagina leżała w Afryce, więc musiał używać afrykańskich…

Dalszą rozmowę przerwał im rozgłośny ryk słonia, który najadłszy się i napiwszy począł sobie trąbić, nie wiadomo, czy z radości, czy z tęsknoty za zupełną wolnością. Saba zerwał się i jął szczekać, a Staś rzekł:

– Masz tobie! Teraz zwołuje towarzyszów. Ładnie będziemy wyglądali, jeśli nadciągnie tu całe stado.

– On powie innym, żeśmy byli dla niego dobrzy! – odrzekła pospiesznie Nel.

Lecz Staś, który nie zaniepokoił się naprawdę, albowiem liczył, że gdyby nawet stado nadbiegło, to spłoszy je blask ognia – uśmiechnął się przekornie i rzekł:

– Dobrze, dobrze! A jeśli się słonie pokażą, to ty nie będziesz ze strachu płakała, o nie! – tylko będą ci się oczy pociły, jak już było dwa razy.

I począł ją przedrzeźniać:

– Ja nie płaczę, tylko mi się oczy pocą…

Nel jednak widząc jego wesołą minę domyśliła się, że żadne niebezpieczeństwo im nie grozi.

– Jak go oswoimy – rzekła – to nie będą mi się oczy pociły, choćby dziesięć lwów ryczało.

– Dlaczego?

– Bo on nas obroni.

Staś uciszył Sabę, który nie przestawał słoniowi odpowiadać, po czym zastanowił się nieco i tak mówił:

– Nie pomyślałaś o jednej rzeczy, Nel. Przecież my tu wieki nie zostaniemy, ale pojedziemy dalej. Nie mówię, że zaraz… Owszem: miejsce jest dobre i zdrowe, postanowiłem więc tu zostać… może tydzień, może dwa, bo i tobie, i nam wszystkim należy się wypoczynek. No, dobrze! Póki tu zostaniemy, będziemy słonia karmili, chociaż to dla wszystkich robota ogromna. Ale on jest przecież zamknięty i nie możemy go wziąć ze sobą. Więc co później? Pójdziemy, a on tu zostanie i znów się będzie męczył z głodu, póki nie zdechnie. Wtedy tym bardziej będzie go nam żal…

Nel zasmuciła się bardzo i czas jakiś siedziała w milczeniu, nie wiedząc widocznie, co odpowiedzieć na te słuszne uwagi, lecz po chwili podniosła głowę i odrzuciwszy czuprynkę, która jej spadła na oczy, zwróciła pełny ufności wzrok na chłopca.

– Wiem – rzekła – że jak ty zechcesz, to go wyprowadzisz z wąwozu.

– Ja?

A ona wyciągnąwszy paluszek dotknęła nim ręki Stasia i powtórzyła:

– Ty.

Mała, chytra kobietka rozumiała, że jej zaufanie pochlebi chłopcu i że od tej chwili zacznie rozmyślać, jakby uwolnić słonia.

Rozdział 26

Noc zeszła spokojnie i lubo na południowej stronie nieba nagromadziło się dużo chmur, ranek uczynił się pogodny. Z rozkazu Stasia, Kali i Mea zajęli się zaraz po śniadaniu gromadzeniem melonów, strąków akacjowych i świeżych liści oraz trawy i wszelkiego rodzaju żywności dla słonia, którą składali następnie nad brzegiem wąwozu. Ponieważ Nel chciała koniecznie karmić osobiście swego nowego przyjaciela, więc Staś wyciął dla niej z młodego rosochatego figowca coś w rodzaju wideł, aby jej łatwiej było spychać zapasy na dno wąwozu. Słoń trąbił od rana, upominając się widocznie o posiłek, a gdy następnie ujrzał na krawędzi tę samą białą istotkę, która nakarmiła go wczoraj, powitał ją radosnym gulgotaniem i natychmiast wyciągnął ku niej trąbę. Przy świetle poranku wydał się dzieciom jeszcze bardziej olbrzymi niż wczoraj. Chudy był bardzo, ale wyglądał już raźniej i zwracał ku Nel swe małe, bystre oczy prawie wesołe. Nel twierdziła nawet, że przednie jego nogi pogrubiały przez jedną noc, i poczęła spychać żywność z takim zapałem, że Staś musiał ją powstrzymywać, a w końcu, gdy się zadyszała zanadto, zastąpić ją w robocie. Oboje bawili się wybornie, a zwłaszcza bawiły ich „grymasy" słonia. Jadł on z początku wszystko, co mu pod nogi wpadło, lecz wkrótce zaspokoiwszy pierwszy głód począł przebierać. Trafiwszy na roślinę, która mniej mu smakowała, otrzepywał ją o przednie nogi, po czym odrzucał ją trąbą w górę, jakby chciał mówić: „Zjedzcie sami ten przysmak". Wreszcie, po zaspokojeniu głodu i pragnienia, jął wachlować się swymi ogromnymi uszami z widocznym zadowoleniem.

– Jestem pewna – mówiła Nel – że gdybyśmy do niego teraz zeszli, nie zrobiłby nam nic złego.

I poczęła doń wołać:

– Słoniu, kochany słoniu, prawda, że nie zrobiłbyś nam nic złego?

A gdy słoń kiwnął w odpowiedzi trąbą, zwróciła się do Stasia:

– Widzisz, powiada, że tak.

– Być może – odrzekł Staś. – Są to zwierzęta bardzo inteligentne i ten zrozumiał już niezawodnie, że oboje jesteśmy mu potrzebni. Kto wie, czy nie odczuwa też i trochę wdzięczności dla nas; lepiej jednak jeszcze nie próbować, a zwłaszcza niech nie próbuje Saba, gdyż jego zabiłby z pewnością. Ale z czasem może się i oni zaprzyjaźnią.

Dalsze zachwyty nad słoniem przerwał im Kali, który przewidując, że będzie musiał co dzień pracować na wyżywienie olbrzyma, zbliżył się do Stasia z zachęcającym uśmiechem i rzekł:

– Pan wielki zabić słonia, a Kali go jeść, zamiast zbierać trawę i gałęzie.

Lecz „pan wielki" był już o sto mil od chęci zabicia słonia, a że przy tym był z natury niezmiernie żywy, odpowiedział na poczekaniu:

– Jesteś osioł.

Na nieszczęście zapomniał, jak jest osioł w języku kiswahili, i powiedział po angielsku donkey. Kali zaś nie rozumiejąc po angielsku poczytał widocznie ten wyraz za jakiś komplement czy jakąś pochwałę dla siebie, gdyż w chwilę później dzieci usłyszały, jak zwróciwszy się do Mei mówił chełpliwie:

– Mea mieć czarną skórę i czarny mózg, a Kali jest donkey.

Po czym dodał z dumą:

– Sam pan wielki powiedział, że Kali jest donkey.

Tymczasem Staś przykazawszy obojgu, by pilnowali jak oka w głowie panienki i w razie jakiegokolwiek wypadku przywołali go natychmiast, wziął strzelbę i poszedł do owej oderwanej skały, która zamykała wąwóz. Przybyszy na miejsce obejrzał ją uważnie, zbadał wszystkie jej pęknięcia, wsunął pręt w szparę, którą znalazł w dolnej części głazu, zmierzył starannie jej głębokość, następnie wrócił wolnym krokiem do obozowiska i otworzywszy puszkę z nabojami począł je liczyć.

Zaledwie doliczył jednak do trzystu, gdy z baobabu rosnącego o pięćdziesiąt kroków od namiotu rozległ się głos Mei:

– Panie, panie!

Staś zbliżył się do olbrzymiego drzewa, którego pień, wypróchniały przy ziemi, wyglądał jak wieża, i zapytał:

– Czego chcesz?

– Niedaleko widać dużo zebr, a dalej pasą się antylopy.

– Dobrze. Wezmę strzelbę i pójdę, bo trzeba będzie nawędzić mięsa. Ale po coś ty wlazła na drzewo i co tam robisz?

Dziewczyna odpowiedziała na to swoim smutnym śpiewnym głosem:

– Mea zobaczyła gniazdo szarych papug i chciała przynieść je młodej panience, ale gniazdo jest puste, więc Mea nie dostanie paciorków na szyję.

– Dostaniesz za to, że kochasz panienkę.

Młoda Murzynka zlazła co prędzej po chropowatej korze i z oczyma błyszczącymi radością jęła powtarzać:

– O tak! Tak! Mea kocha ją bardzo – i paciorki także!

Staś pogłaskał ją łaskawie po głowie, po czym wziął strzelbę, zamknął pudło z nabojami i udał się w stronę, w której pasły się zebry. Po upływie pół godziny odgłos strzału doszedł do obozowiska, a po godzinie mały myśliwy wrócił z dobrą nowiną, że zabił młodą zebrę i że okolica pełna jest zwierzyny, widział bowiem z wyniosłości prócz zebr i liczne stada antylop-arielów oraz gromadkę waterbucków, to jest kozłów wodnych, pasących się w pobliżu rzeki.

Następnie kazał Kalemu wziąć konia i wyprawił go po zabitą sztukę, sam zaś począł oglądać starannie olbrzymi pień baobabu, obchodzić go naokoło i stukać kolbą w chropowatą korę.

– Co robisz? – zapytała Nel.

On zaś odrzekł:

– Patrz, co za ogrom. Piętnastu ludzi wziąwszy się za ręce nie objęłoby tego drzewa, które pamięta może czasy faraonów. Ale pień w dolnej części jest spróchniały i pusty. Widzisz ten otwór, przez który łatwo się dostać do środka. Można by tam urządzić jakby wielką izbę, w której wszyscy moglibyśmy zamieszkać. Przyszło mi to do głowy, gdym zobaczył Meę między gałęziami, a potem podchodząc zebry ciągle już o tym myślałem.

– Ale my mamy przecie uciekać do Abisynii.

– Tak. Trzeba jednak wypocząć i mówiłem ci wczoraj, że postanowiłem zostać tu tydzień lub nawet dwa. Ty nie chcesz opuszczać swego słonia, a ja boję się dla ciebie pory dżdżystej, która już się rozpoczęła i w czasie której febra jest pewna. Dziś jest pogoda, widzisz jednak, że chmury gromadzą się coraz gęstsze – i kto wie, czy deszcz nie lunie przed wieczorem. Namiot nie osłania cię dostatecznie, a w baobabie, jeśli nie jest spróchniały aż do wierzchołka pnia, możemy sobie żartować z największej ulewy. Byłoby też w nim i bezpieczniej niż w namiocie, gdyby się bowiem założyło cierniem każdego wieczoru i ten otwór, i okienka, które byśmy porobili dla światła, to mogłoby sobie ryczeć wokół drzewa tyle lwów, ile by chciało. Pora dżdżysta wiosenna nie trwa dłużej niż miesiąc i coraz bardziej myślę, że trzeba nam ją przeczekać. A jeśli jednak, to lepiej tu niż gdzie indziej i lepiej w tym olbrzymim drzewie niż pod namiotem.

Nel zgadzała się zawsze na wszystko, czego chciał Staś, więc zgodziła się i teraz, tym bardziej że myśl o pozostaniu przy słoniu i zamieszkania w baobabie podobała jej się nadzwyczajnie. Zaczęła też zaraz obmyślać, jak sobie urządzą pokoje, jak je umeblują i jak będą się wzajem zapraszali na five o'clocki i na obiady. W końcu rozbawili się oboje – i Nel chciała zaraz rozejrzeć się w nowym mieszkaniu, ale Staś, który z każdym dniem nabierał coraz więcej doświadczenia i przezorności, powstrzymał ją od zbyt nagłej gospodarki.

– Zanim sami tam zamieszkamy – rzekł – trzeba wyprosić poprzednich mieszkańców, jeśli się tam jacy znajdują.

To rzekłszy kazał Mei wrzucić kilka zapalonych i mocno dymiących, bo świeżych, gałęzi do wnętrza baobabu.

Jakoż pokazało się, że dobrze uczynił, gdyż olbrzymie drzewo było zamieszkane, i to przez takich gospodarzy, na których gościnność nie można było liczyć.

Rozdział 27

Otworów było w drzewie dwa: jeden obszerny, na pół metra od ziemi, drugi mniejszy, na wysokości mniej więcej pierwszego piętra w domach miejskich.

Zaledwie Mea wrzuciła do niższego zapalone dymiące gałęzie, natychmiast z wyższego zaczęły wylatywać wielkie nietoperze i oślepione blaskiem słońca, latały piszcząc, jak błędne, wokół drzewa. Lecz po chwili z dolnego wysunął się jak błyskawica prawdziwy gospodarz, to jest olbrzymi boa, który trawił widocznie w półśnie resztki ostatniej uczty i dopiero gdy dym zakręcił mu w nozdrzach, zbudził się i pomyślał o ratunku. Na widok żelaznego cielska, które na kształt potwornej sprężyny wyskoczyło z dymiącej w drzewie czeluści, Staś porwał na ręce Nel i począł z nią uciekać w stronę otwartej dżungli. Ale płaz, sam przerażony, nie myślał ich ścigać, natomiast wijąc się wśród trawy i rozłożonych pakunków umykał z niesłychaną szybkością w stronę wąwozu, chcąc skryć się wśród skalnych załamów i rozpadlin. Dzieci ochłonęły. Staś postawił na ziemi Nel i skoczył po strzelbę, a następnie za wężem w kierunku wąwozu, a Nel pobiegła w jego ślady. Lecz po kilkunastu krokach nadzwyczajny widok uderzył ich oczy, że stanęli oboje jak wryci. Oto wysoko nad wąwozem ukazało się na jedno mgnienie oka ciało węża i zakreśliwszy zygzak w powietrzu spadło znów na dół. Po chwili ukazało się po raz drugi i znów spadło. Dzieci dobiegłszy do krawędzi ujrzały ze zdumieniem, że to nowy ich przyjaciel, słoń, zabawiał się w ten sposób z wężem i wyprawiwszy go naprzód w podwójną podróż napowietrzną, obecnie rozdeptywał dokładnie jego głowę swą olbrzymią, podobną do kłody nogą. Skończywszy tę operację, podniósł znów trąbą drgające jeszcze ciało, jednakże tym razem nie rzucił go w górę, ale wprost do wodospadu. Po czym, kiwając się w obie strony i wachlując się uszami, jął spoglądać bystro na Nel, a w końcu wyciągnął do niej trąbę, jakby dopominając się o nagrodę za swój zarazem bohaterski i wielce roztropny uczynek.

A Nel pobiegła natychmiast do namiotu i wróciwszy z podołkiem pełnym dzikich fig poczęła mu rzucać po kilka naraz, on zaś wyszukiwał je w trawie starannie i wkładał jedna za drugą do paszczy. Te, które wpadały w głębsze szczeliny, wydmuchiwał przy tym z taką siłą, że razem z figami wylatywały w górę kamienie wielkości pięści ludzkiej. Dzieci przyjmowały oklaskami i śmiechem te popisy. Nel wracała kilkakrotnie po nowe zapasy, nie przestając twierdzić za każdą figą, że on jest już zupełnie oswojony i że mogłaby choćby w tej chwili zejść do niego.

– Widzisz Stasiu – oto będziemy mieli obrońcę!... Bo on się nie boi nikogo w pustyni: ani lwa, ani węża, ani krokodyla. I jest bardzo dobry, i kocha nas z pewnością.

– Jeśli się oswoi – rzekł Staś – i jeśli będę mógł zostawiać cię pod jego opieką, to rzeczywiście z całym spokojem będę chodził na polowanie, bo lepszego obrońcy nie mógłbym ci w całej Afryce znaleźć.

Po chwili zaś dodał:

– Tutejsze słonie są dziksze, ale czytałem, że na przykład azjatyckie mają dziwną słabość do dzieci. Nigdy nie było w Indiach wypadku, żeby słoń dziecko ukrzywdził, i jeśli wpadnie we wściekłość, co się czasem zdarza, to kornacy miejscowi wysyłają dla uspokojenia go dzieci.

– A widzisz, a widzisz!

– W każdym razie dobrześ postąpiła, żeś nie dała mi go zabić.

Na to źrenice Nel zapłonęły z radości jak dwa zielonawe ogniki. Wspiąwszy się na paluszki, położyła Stasiowi na ramionach obie ręce i przechyliwszy w tył główkę, pytała patrząc mu w oczy:

– Postąpiłam, jakbym miała ile lat? Powiedz! Jakbym miała ile?

A on odrzekł:

– Najmniej siedemdziesiąt.

– Ty sobie zawsze żartujesz.

– Gniewaj się, gniewaj! A kto uwolni słonia?

Usłyszawszy to Nel poczęła się zaraz łasić jak mała kotka.

– Ty – i będę cię za to bardzo kochała, i on także.

– Ja myślę o tym – rzekł Staś – ale to będzie trudna robota i nie zrobię jej zaraz, tylko dopiero wówczas, gdy będziemy mieli wyruszyć w dalszą drogę.

– Dlaczego?

– Dlatego, że gdybym go uwolnił, nim się zupełnie oswoi i do nas przywiąże, to by sobie zaraz poszedł.

– O, on ode mnie nie odejdzie.

– Ty myślisz, że on to już tak jak ja! – odparł z pewną niecierpliwością Staś.

Dalszą rozmową powstrzymało przybycie Kalego, który przyniósł zabitą zebrę i jej młode, zagryzione przez Sabę. Było to szczęście dla brytana, że pobiegłszy za Kalim nie był przy rozprawie z pytonem, byłby bowiem pogonił za nim i doścignąwszy zginął w jego morderczych skrętach, zanim Staś zdołałby mu przyjść na ratunek. Za zagryzienie źrebięcia zebry dostał jednak za uszy od Nel, czego nie wziął zresztą zbyt do serca, gdyż nie schował nawet wywieszonego ozora, z którym przyleciał z polowania.

Staś oznajmił tymczasem Kalemu, że zamierza urządzić mieszkanie w drzewie, i opowiedział mu, co zaszło w czasie wykurzania pnia dymem oraz jak słoń poradził sobie z wężem. Myśl zamieszkania w baobabie, który mógł dać ochronę nie tylko przed deszczem, ale i przed dzikimi zwierzętami, podobała się Murzynowi bardzo, natomiast postępek słonia nie zyskał wcale jego uznania.

– Słoń jest głupi – rzekł – więc rzucił niokę (węża) do grzmiącej wody, ale Kali wie, że nioka jest dobra, więc ją za grzmiącą wodą poszuka i upiecze, gdyż Kali jest mądry i donkey.

– Donkey jesteś, zgoda! – odpowiedział Staś – ale przecie nie będziesz jadł węża?

– Nioka dobra – powtórzył Kali.

I ukazując na zabitą zebrę, dodał:

– Lepsza niż ta nyama.

Po czym obaj udali się do baobabu i zajęli się urządzaniem mieszkania. Kali wyszukał nad rzeką płaski kamień wielkości dużego sita i wstawiwszy go w pień nasypał nań rozżarzonych węgli, a następnie dosypywał coraz nowych, uważając tylko, by próchno wewnątrz pnia nie zajęło się i nie wywołało pożaru całego drzewa. Mówił, że czyni to dlatego, żeby „nic nie ukąsić pana wielkiego i bibi”. Jakoż okazało się, że nie była to ostrożność zbyteczna, gdyż jak tylko czad wypełnił wnętrze drzewa i rozszedł się nawet na zewnątrz, z rozpadlin kory poczęły wypełzywać najrozmaitsze istoty: chrząszcze czarnej i wiśniowej barwy, wielkie jak śliwki włochate pająki, liszki pokryte jakby kolcami, na palec grube – i wstrętne, a zarazem jadowite skolopendry, których ukąszenie może nawet śmierć wywołać. A wobec tego, co się działo na zewnętrznej stronie pnia, łatwo się było domyślić, ile podobnych stworzeń musiało wyginąć od węglowego czadu wewnątrz. Te, które z kory i niższych gałęzi spadały na trawę, Kali rozgniatał niemiłosiernie kamieniami, spoglądając przy tym wciąż na górną i na dolną dziuplę, jakby się obawiał, że lada chwila wyjrzy z której z nich jeszcze coś nowego.

– Czemu tak patrzysz? – zapytał Staś – czy myślisz, że drugi wąż może się ukrywać w drzewie?

– Nie. Kali bać się Mzimu.

– Cóż to jest Mzimu?

– Zły duch.

– Widziałeś kiedy w życiu Mzimu?

– Nie, ale Kali słyszał okropny hałas, który Mzimu robi w chatach czarowników.

– To jednak wasi czarownicy się go nie boją?

– Czarownicy umieją go zakląć, a potem chodzą po chatach i mówią, że Mzimu się gniewa, więc Murzyni znoszą im banany, miód, pombę, jaja i mięso, aby przebłagać Mzimu.

Staś ruszył ramionami.

– Widać, dobrze być u was czarownikiem. Ale to może ten wąż był Mzimu?

Kali potrząsnął głową:

– W takim razie nie słoń by zabić Mzimu, ale Mzimu zabić słonia. Mzimu jest śmierć…

Jakiś dziwny łoskot i szum wewnątrz drzewa przerwały mu nagle opowiadanie. Z dolnej dziupli buchnęła dziwna, ruda kurzawa, po czym rozległ się powtórnie jeszcze silniejszy niż poprzednio łoskot.

Kali rzucił się w mgnieniu oka twarzą na ziemię i począł krzyczeć przeraźliwie:

– *Aka! Mzimu! Aka! aka! aka!*

Staś w pierwszej chwili cofnął się także, ale niebawem odzyskał zimną krew i gdy Nel z Meą nadbiegły, począł im tłumaczyć, co się stać mogło.

– Prawdopodobnie – mówił – całe zwały próchna wewnątrz pnia rozszerzając się od gorąca runęły wreszcie na dół i zasypały węgle. A on myśli, że to Mzimu. Niech jednak Mea chlustnie kilka razy wodą w otwór, jeśli bowiem węgle z braku powietrza nie zgasły i próchno się od nich zatli, to drzewo może spłonąć.

Po czym widząc, że Kali wciąż leży i nie przestaje powtarzać z przerażeniem: „*aka! aka!*", wziął tę strzelbę, z której strzelał zwykle do pentarek, wypalił w otwór i rzekł trącając chłopca kolbą:

– Twój Mzimu zabity. Nie bój się!

A Kali podniósł się, ale pozostał na klęczkach.

– O, pan wielki! Wielki!… Pan nie bać się nawet Mzimu?

– *Aka! aka!* – zawołał przedrzeźniając Murzyna Staś.

I począł się śmiać.

Kali uspokoił się po pewnym czasie zupełnie i gdy zasiadł do przygotowanego przez Meę jedzenia, pokazało się, że chwilowy przestrach nie odebrał mu wcale apetytu, albowiem oprócz porcji wędzonego mięsa spożył jeszcze na surowo wątrobę źrebięcia zebry, nie licząc dzikich fig, których dostarczył w obfitości rosnący w pobliżu sykomor. Następnie obaj ze Stasiem wrócili do drzewa, przy którym dużo jeszcze było roboty. Wyrzucanie próchna, węgli, poprażonych całych setek chrząszczy i wielkich stonóg oraz kilkunastu upieczonych nietoperzy zajęło im przeszło dwie godziny czasu. Stasia dziwiło to nawet, że nietoperze mogły mieszkać w bezpośrednim sąsiedztwie z wężem, domyślił się jednak, że olbrzymi pyton albo pogardzał tak drobną zwierzyną, albo, nie mogąc się we wnętrzu pnia koło niczego owinąć, nie umiał się do nich dostać. Żar węgli, wywoławszy upadek pokładów próchna, oczyścił to wnętrze znakomicie – i widok jego napełnił teraz Stasia radością, albowiem było ono tak obszerne jak duży pokój i mogło dać schronienie nie czworgu, ale dziesięciu ludziom. Dolny otwór stanowił drzwi, górny okno, dzięki któremu w olbrzymim pniu nie było ani ciemno, ani duszno. Staś umyślił podzielić całość za pomocą płócien namiotu na dwie izby, z których jedną przeznaczył dla Nel i dla Mei, drugą dla siebie, Kalego i Saby. Drzewo nie było spróchniałe aż do wierzchu pnia, deszcz więc nie mógł przeciekać do środka i aby się zupełnie od niego zabezpieczyć, dość było podnieść i podeprzeć nad obu otworami korę w taki sposób, by tworzyła dwa okapy. Spód wnętrza postanowili wysypać wyprażonym przez słońce piaskiem znad rzeki i powierzchnię jego wymościć suchymi mchami.

Robota była istotnie ciężka, a szczególnie dla Kalego, musiał on bowiem obok tego wędzić mięso, poić konie i myśleć o żywności dla słonia, który trąbił o nią ustawicznie. Ale młody Murzyn zabrał się do urządzenia nowej siedziby z wielką ochotą, a nawet i z zapałem, którego przyczynę wyłuszczył Stasiowi jeszcze tego samego dnia w następujący sposób:

– Gdy pan wielki i bibi – mówił biorąc się pod boki – zamieszkają w drzewie, Kali nie będzie potrzebował budować na noc wielkiej zeriby i będzie mógł próżnować co wieczór.

– To lubisz próżnować? – zapytał Staś.

– Kali jest mężczyzną, więc Kali lubi próżnować, gdyż pracować powinny tylko kobiety.

– A widzisz jednak, że ja pracuję dla bibi.

– Ale za to, gdy bibi dorośnie, będzie musiała pracować na pana wielkiego, a jeśli nie zechce, to pan wielki pewno ją bić.

Lecz Staś na samą myśl o biciu bibi skoczył jak oparzony i krzyknął z gniewem:

– Głupcze, czy ty wiesz, kto to jest bibi?

– Nie wiem – odpowiedział z przestrachem czarny chłopak.

– Bibi to jest… to jest… dobre… Mzimu!

A Kali aż przysiadł.

I po skończonej robocie zbliżył się nieśmiało do Nel, po czym padł przed nią na twarz i jął powtarzać wprawdzie nie przerażonym, ale błagalnym głosem:

– *Aka! aka! aka!…*

Zaś „dobre Mzimu" wytrzeszczyło na niego swoje śliczne, koloru morskiej wody, oczy, nie rozumiejąc wcale, co się stało i o co Kalemu chodzi.

Rozdział 28

Nowa siedziba, którą Staś nazwał „Krakowem", została urządzona w przeciągu trzech dni. Ale przedtem złożono w „męskim pokoju" główne pakunki – i w chwilach wielkiej ulewy młoda czwórka znajdowała w olbrzymim pniu jeszcze przed wykończeniem mieszkania doskonałe schronienie. Pora dżdżysta rozpoczęła się na dobre, ale nie były to nasze długie, jesienne deszcze, w czasie których niebo zawleka się ciemnymi chmurami i nudna, uciążliwa słota trwa całe tygodnie. Tu kilkanaście razy na dzień wiatr przepędzał po niebie wzdęte obłoki, które zlewały ziemię obficie, po czym znów rozbłyskiwało słońce, jasne, jakby świeżo wykąpane, i zalewało złotym światłem skały, rzekę, drzewa i całą dżunglę. Trawy rosły prawie w oczach. Drzewa pokrywały się obfitszym liściem i nim stary owoc opadł, tworzyły się zawiązki na nowy. Powietrze, z powodu zawieszonych w nim igiełek wody, uczyniło się tak przeźroczyste, że nawet odległe przedmioty stawały się zupełnie wyraźne i wzrok sięgał w niezmiernie daleką przestrzeń. Na niebie rozwieszały się cudne, siedmiobarwne tęcze, a wodospad był prawie ciągle w nie ubrany. Krótko trwające ranne i wieczorne zorze grały tysiącami tak świetnych blasków, że nawet i w Pustyni Libijskiej dzieci nie widziały nic podobnego. Najniższe, bliskie ziemi obłoki barwiły się wiśniowo, górne, lepiej oświecone, rozlewały się na kształt jezior z purpury i złota, a drobne, wełniste chmurki mieniły się jak rubiny, ametysty i opale.

Nocami, między jedną falą dżdżu a drugą, księżyc zmieniał w brylanty krople rosy wiszące na liściach mimoz i akacyj, a światło zodiakalne świeciło w odświeżonym powietrzu jaśniej niż w innych porach roku.

Z rozlewów, które czyniła rzeka poniżej wodospadu, dochodziło niespokojne rechotanie żab i melancholijne kumkanie ropuch, a podobne do wielkich błędnych gwiazd latarniki przelatywały z brzegu na brzeg między kępami bambusów i arumów.

Lecz gdy chmury pokrywały chwilami gwiaździste niebo i deszcz poczynał padać, czyniło się bardzo ciemno, a we wnętrzu baobabu tak czarno jak w piwnicy. Chcąc temu zaradzić Staś kazał natopić Mei tłuszczu zabitych zwierząt i urządził z blaszanki lampę, którą zawiesił pod górnym otworem, zwanym przez dzieci oknem. Światło bijące z tego okna, widne z daleka wśród ciemności, odpędzało dzikie zwierzęta, ale natomiast przyciągało nietoperze, a nawet ptaki, tak że w końcu Kali musiał urządzić w otworze rodzaj zasłony z cierni, podobnej do tej, którą zamykał na noc otwór dolny.

Jednakże w dzień, w chwilach pogody, dzieci opuszczały „Kraków" i krążyły po całym cyplu. Staś wyprawiał się na antylopy-ariele i na strusie, których liczne stada pojawiły się w dole rzeki, a Nel chodziła do swego słonia, który z początku trąbił tylko o żywność, a potem zaczął trąbić i wówczas, gdy mu się nudziło bez małej przyjaciółki. Witał też ją zawsze z wyraźną radością i nastawiał natychmiast swoje olbrzymie uszy, jak tylko usłyszał z daleka jej głos lub kroki.

Pewnego razu, gdy Staś poszedł na polowanie, a Kali łowił ryby za wodospadem, Nel postanowiła pójść do skały zamykającej wąwóz, aby zobaczyć, jak też Staś z nią sobie poradzi i czy już czego nie dokonał. Zajęta obiadem Mea nie zauważyła jej odejścia, dziewczynka zaś zbierając po drodze kwiatki osobliwej begonii, rosnącej obficie wśród zrębów skalnych, zbliżyła się do pochyłości, którą wyjechali niegdyś z wąwozu i zeszedłszy na dół znalazła się przy skale. Wielki głaz, oderwany od rodzimej skały, zamykał gardziel wąwozu jak i poprzednio. Nel jednak zauważyła, że między nim a ścianą jest przejście tak szerokie, że nawet dorosły człowiek mógłby się nim przecisnąć. Przez chwilę zawahała się, po czym przeszła i znalazła się po drugiej stronie. Ale był tam zakręt, który trzeba było ominąć, by dojść do szerokiego ujścia zamkniętego wodospadem. Nel poczęła rozmyślać: „Pójdę jeszcze tylko trochę dalej, wyjrzę zza skały, raz spojrzę na słonia, który mnie wcale nie zobaczy, i wrócę". Tak rozmyślając posuwała się krok za krokiem coraz dalej, aż wreszcie doszła do miejsca, w którym wąwóz rozszerzał się nagle w małą dolinkę, i zobaczyła słonia. Stał odwrócony tyłem do niej, z trąbą zanurzoną w wodospadzie, i pił. To ją ośmieliło, więc przytuliwszy się do ściany skalnej postąpiła jeszcze kilka kroków – i jeszcze kilka – a wtem olbrzymi zwierz chcąc polać sobie boki odwrócił głowę, zobaczył dziewczynkę i zobaczywszy ruszył natychmiast ku niej.

Nel zlękła się bardzo, ale ponieważ nie było już czasu cofnąć się, więc przycisnąwszy kolanko do kolanka dygnęła słoniowi, jak umiała najładniej, po czym wyciągnęła rączkę z begoniami i ozwała się trochę drżącym głosikiem:

– Dzień dobry, kochany słoniu! Ja wiem, że nie zrobisz mi nic złego, więc przyszłam, żeby ci powiedzieć dzień dobry... i mam tylko te kwiatki...

A kolos zbliżył się, wyciągnął trąbę, wyjął z paluszków Nel wiązkę begonii, lecz włożywszy ją do paszczy wypuścił zaraz na ziemię, gdyż widocznie mu nie smakowały ani włochate liście, ani kwiaty. Nel ujrzała teraz nad sobą trąbę na kształt ogromnego czarnego węża, który wyciągał się i przeginał: dotknął jej jednej rączki i drugiej, potem obu ramion i na koniec opadłszy na dół począł chwiać się łagodnie w obie strony.

– Wiedziałam, że mi nie zrobisz nic złego – powtórzyła dziewczynka, choć strach nie opuszczał jej jeszcze.

Słoń zaś cofnął w tył swoje bajeczne uszy, zwijając i rozwijając na przemian trąbę i gulgocąc radośnie, tak jak gulgotał zawsze, gdy dziewczynka zbliżała się do krawędzi wąwozu.

I jak niegdyś Staś ze lwem, tak teraz tych dwoje stało naprzeciw siebie – on ogrom, podobny do domu lub skały – i ona, drobna kruszynka, którą mógł zgnieść jednym ruchem, nawet nie ze złości, ale przez nieuwagę.

Lecz dobry i roztropny zwierz nie czynił żadnych, ani gniewnych, ani nieuważnych ruchów i widocznie rad był i uszczęśliwiony z przybycia małego gościa.

Nel ośmieliła się stopniowo, a wreszcie wzniosła oczy w górę i patrząc tak, jakby patrzała na wysoki dach, zapytała wysuwając nieśmiało rączkę:

– Czy można cię pogłaskać po trąbie?

Słoń nie umiał wprawdzie po angielsku, ale z ruchu jej ręki zmiarkował od razu, o co idzie i podsunął pod jej dłoń koniec swego długiego na dwa metry nosa.

Nel jęła głaskać trąbę, z początku jedną ręką i ostrożnie, potem dwiema, a wreszcie objęła ją obu ramionkami i przytuliła się do niej z całą dziecinną ufnością.

Słoń przestępował z nogi na nogę i wciąż gulgotał z radości.

Po chwili zaś obwinął trąbą drobne ciało dziewczynki i podniósłszy je w górę począł kołysać ją lekko w prawo i w lewo.

– Jeszcze! jeszcze! – wołała rozbawiona Nel.

I zabawa trwała dość długo, a następnie ośmielona już zupełnie dziewczynka wymyśliła inną. Oto znalazłszy się na ziemi próbowała wspinać się po przedniej nodze słonia jak po drzewie, albo chowając się pod niego pytała go, czy ją znajdzie. Ale przy tych figlach spostrzegła jedną rzecz, a mianowicie, że w przednich, a zwłaszcza tylnych nogach słonia tkwią liczne kolce, od których potężne zwierzę nie umiało się uwolnić, raz dlatego, że do tylnych nóg nie mogło dosięgnąć swobodnie trąbą, a po wtóre, że obawiało się widocznie zranić się w palec, którym trąba jest zakończona i bez którego straciłaby całą swą zręczność i sprawność. Nel nie wiedziała o tym zupełnie, że takie kolce w nogach są prawdziwą plagą dla słoni w Indiach, a jeszcze bardziej w dżunglach afrykańskich, składających się przeważnie z roślin kolczastych. Ponieważ jednak zrobiło jej się żal poczciwego olbrzyma, więc bez namysłu siadłszy w kucki przy jego nodze poczęła wyjmować delikatnie naprzód większe, a potem mniejsze zadziory, nie przestając przy tym szczebiotać i zapewniać słonia, że nie pozostawi ani jednej. On zrozumiał wybornie, o co chodzi – zginając nogi w kolanie pokazywał tym sposobem, że i w podeszwach między kopytami pokrywającymi palce tkwią także kolce, które przyczyniają mu jeszcze większe dolegliwości.

Ale tymczasem nadszedł z polowania Staś i począł wypytywać Meę, gdzie jest panienka. Otrzymawszy odpowiedź, że zapewne jest w drzewie, już miał zajrzeć do wnętrza baobabu, gdy wtem wydało mu się, że słyszy jej głos z głębi wąwozu. Nie wierząc własnym uszom skoczył natychmiast do krawędzi i spojrzawszy w dół zmartwiał. Dziewczynka siedziała przy nodze kolosa, a ów stał tak spokojnie, że gdyby nie ruch trąby i uszu, można by było pomyśleć, iż jest wykuty z kamienia.

– Nel! – krzyknął Staś.

A ona, zajęta swoją robotą, odpowiedziała wesoło:

– Zaraz, zaraz!

Na to chłopak, który nie miał zwyczaju wahać się wobec niebezpieczeństwa, podniósł jedną ręką w górę strzelbę, drugą chwycił za obdartą z kory wyschłą łodygę lianu i objąwszy ją nogami, w mgnieniu oka zsunął się na dno wąwozu.

Słoń poruszył niespokojnie uszami, ale w tej chwili Nel wstała i objąwszy trąbę zawołała pospiesznie:

– Nie bój się, słoniu, to Staś.

Staś spostrzegł od razu, że nie ma dla niej żadnego niebezpieczeństwa, lecz nogi trzęsły się jeszcze pod nim, serce biło mu gwałtownie i nim ochłonął z wrażenia, począł mówić zdławionym, pełnym żalu i gniewu głosem:

– Nel, Nel, jak ty mogłaś to zrobić?!...

Ona zaś poczęła się tłumaczyć, że nie zrobiła nic złego, bo słoń jest dobry i zupełnie już oswojony; że chciała tylko raz na niego spojrzeć i wrócić się, ale on ją zatrzymał i począł się z nią bawić, że ją huśtał bardzo ostrożnie i że jeśli Staś chce, to i jego pohuśta.

To mówiąc jedną rączką wzięła za koniec trąby i zbliżyła ją do Stasia, drugą zaś ręką machnęła kilkakrotnie w prawo i w lewo, mówiąc jednocześnie do słonia:

– Pokołysz, słoniu, i Stasia.

Mądry zwierz znów odgadł z jej poruszeń, czego od niego chce – i Staś chwycony za pasek przy spodenkach, w jednej chwili znalazł się w powietrzu. Było przy tym jakieś dziwne i zabawne przeciwieństwo między jego rozgniewaną jeszcze miną a tym bujaniem się nad ziemią, że małe Mzimu poczęło śmiać się do łez, klaskać w ręce i krzyczeć tak jak poprzednio:

– Jeszcze, jeszcze!

A ponieważ niepodobna jest zachować należytej powagi i prawić morałów wówczas, gdy człowiek wisi na końcu słoniowej trąby i mimowolnie wykonuje ruchy podobne do ruchów wahadła, więc chłopiec począł się w końcu śmiać także. Ale po pewnym czasie zmiarkowawszy, że ruchy trąby stają się wolniejsze i że słoń zamierza postawić go na ziemi, wpadł niespodziewanie na nowy pomysł: mianowicie, korzystając z chwili, w której znalazł się w pobliżu olbrzymiego ucha, chwycił się za nie obu rękoma, wdrapał się po nim w mgnieniu oka na głowę i siadł słoniowi na karku.

– Aha – zawołał z góry do Nel – niech zrozumie, że to on musi mnie słuchać.

I jął klepać go dłonią po głowie, z miną władcy i pana.

– Dobrze! – zawołała z dołu Nel – ale jak teraz zleziesz?

– To mały kłopot – odpowiedział Staś.

I przewiesiwszy nogi przez czoło słonia objął nimi trąbę i zsunął się po niej jak po drzewie.

– Ot, jak zlezę!…

Po czym oboje zajęli się wyjmowaniem resztek kolców z nóg słonia, który poddawał się temu z nadzwyczajną cierpliwością.

Tymczasem spadły pierwsze krople dżdżu, więc Staś postanowił odprowadzić natychmiast Nel do „Krakowa" – ale tu zaszła niespodziewana trudność. Słoń za nic nie chciał się z nią rozstać i za każdym razem, gdy próbowała się oddalić, zawracał ją trąbą i przyciągał ku sobie. Położenie stawało się ciężkie i wesoła zabawa wobec oporu zwierzęcia mogła się źle zakończyć. Chłopiec nie wiedział, co począć, gdyż deszcz padał coraz gęstszy i groziła ulewa. Oboje cofali się wprawdzie nieco ku wyjściu, ale bardzo nieznacznie, i słoń posuwał się za nimi.

Na koniec Staś stanął między nim a Nel, utkwił w jego oczach ostre spojrzenie, jednocześnie rzekł cichym głosem do Nel:

– Nie uciekaj, ale cofaj się ciągle aż do wąskiego przejścia.

– A ty, Stasiu? – zapytała dziewczynka.

– Cofaj się – powtórzył z naciskiem – bo inaczej muszę zastrzelić słonia.

Dziewczynka pod wpływem tej groźby posłuchała rozkazu, tym bardziej że, mając już nieograniczoną ufność w słoniu, była pewna, że on w żadnym razie nie zrobi nic złego Stasiowi.

Chłopiec zaś stał o cztery kroki od olbrzyma nie spuszczając zeń oczu.

Upłynęło w ten sposób kilka minut. Nastała chwila wprost groźna. Uszy słonia poruszyły się kilkakrotnie, małe oczki błysnęły jakoś dziwnie i trąba wzniosła się nagle do góry.

Staś czuł, że bladnie.

„Śmierć!" – pomyślał.

Ale kolos odwrócił się niespodzianie ku krawędzi parowu, na której zawsze widywał Nel, i począł trąbić tak żałośnie jak nigdy przedtem.

A Staś poszedł spokojnie ku przejściu i za skałą znalazł Nel, która nie chciała wracać bez niego do drzewa.

Chłopak miał niepohamowaną ochotę powiedzieć jej: „Patrz, czegoś narobiła! O małom przez ciebie nie zginął". Ale nie było czasu na wymówki, gdyż deszcz zmienił się w ulewę i trzeba było wracać jak najprędzej. Nel przemokła do nitki, choć Staś owinął ją we własne ubranie.

We wnętrzu drzewa kazał ją zaraz Murzynce przebrać – sam zaś odwiązał naprzód w męskim pokoju Sabę, którego poprzednio był przywiązał z obawy, aby pobiegłszy w jego ślady nie płoszył mu zwierzyny, następnie począł przepatrywać raz jeszcze wszelkie ubrania i pakunki w nadziei, że może znajdzie jaką zapomnianą szczyptę chininy.

Ale nie znalazł nic. Tylko na dnie słoika, który dał mu misjonarz w Chartumie, kryło się we wgłębieniach trochę białego proszku, tak jednak mało, że starczyć go mogło zaledwie na pobielenie końca palca. Postanowił wszelako nalać do słoika ukropu i dać Nel do wypicia tę płukankę.

Po czym, gdy ulewa przeszła i zaświeciło znów słońce, wyszedł z drzewa aby popatrzeć na ryby, które przyniósł Kali. Murzyn złowił ich kilkanaście na wędki poczynione z cienkiego drutu. Po większej części były małe, ale znalazły się trzy na stopę długie, srebrno nakrapiane i zadziwiająco lekkie. Mea, która wychowana nad brzegami Nilu Niebieskiego znała się na rybach, mówiła, że są one dobre do jedzenia i że pod wieczór wyskakują bardzo wysoko nad wodę. Jakoż przy oprawianiu ich okazało się, że są tak lekkie dlatego, iż wewnątrz mają ogromne powietrzne pęcherze.

Staś wziął jedną z takich baniek, dochodzącą do wielkości dużego jabłka, i poniósł pokazać ją Nel.

– Patrz – rzekł – to siedzi w rybach. Z kilkunastu takich pęcherzy można by zrobić szybę w naszym oknie.

I pokazał górny otwór w drzewie.

Lecz pomyślawszy potem przez chwilę, dodał:

– I jeszcze coś więcej.

– Co takiego? – zapytała rozciekawiona Nel.

– I latawce.

– Takie, jakie puszczałeś w Port-Saidzie? O, dobrze! Zrób!

– Zrobię. Z pociętych, cieniutkich bambusów zbiję ramki, a tych błon użyję zamiast papieru. To będzie nawet lepsze od papieru, bo lżejsze – i deszcz tego nie rozmoczy. Taki latawiec pójdzie ogromnie w górę, a przy silniejszym wietrze zaleci Bóg wie dokąd...

Tu nagle uderzył się w czoło:

– Mam jedną myśl.

– Jaką?

– Zobaczysz. Jak sobie to lepiej wyobrażę, to ci powiem. Teraz ten słoń tak ryczy, że nie można się nawet rozmówić...

Istotnie słoń z tęsknoty za Nel, a może za obojgiem dzieci, trąbił tak, aż cały wąwóz się trząsł razem z pobliskimi drzewami.

– Trzeba mu się pokazać – rzekła Nel – to się uspokoi.

I poszli do wąwozu. Ale Staś całkiem zajęty swą myślą począł półgłosem mówić:

– „Nelly Rawlison i Stanisław Tarkowski z Port-Saidu, uciekłszy z Faszody od derwiszów, znajdują się..."

I zatrzymawszy się zapytał:

– Jak oznaczyć gdzie?…

– Co, Stasiu?

– Nic, nic. Już wiem: „Znajdują się o miesiąc drogi na wschód od Białego Nilu – i proszą o prędką pomoc…" Gdy wiatr będzie dął na północ albo na wschód, puszczę takich latawców dwadzieścia, pięćdziesiąt, sto, a ty, Nel, pomożesz mi je kleić.

– Latawce?

– Tak – i powiem ci tylko tyle, że mogą nam one oddać większą przysługę niż dziesięć słoni.

Tymczasem doszli do krawędzi. I dopieroż zaczęło się przestępywanie olbrzyma z nogi na nogę, kiwanie się, machanie uszami, gulgotanie, i znów żałosne trąbienie, gdy Nel próbowała się choć na chwilę oddalić. W końcu dziewczynka poczęła tłumaczyć „kochanemu słoniowi", że nie może ciągle przy nim przesiadywać, bo przecie musi spać, jeść, pracować i gospodarzyć w „Krakowie". Ale on uspokoił się dopiero wówczas, gdy zepchnęła mu widełkami przygotowaną przez Kalego żywność – a i to wieczorem zaczął znów potrębywać.

Dzieci nazwały go tegoż wieczora: „King", gdyż Nel zaręczała, że zanim dostał się do wąwozu, był niezawodnie królem wszystkich słoni w Afryce.

Rozdział 29

W ciągu kilku dni Nel spędzała wszystkie chwile, w których deszcz nie padał u Kinga, który już nie sprzeciwiał się jej odejściu zrozumiawszy, że dziewczynka wraca po kilka razy dziennie. Kali, który w ogóle bał się słoni, patrzył na to z nadzwyczajnym zdumieniem, ale w końcu doszedł do przekonania, że potężne dobre Mzimu oczarowało olbrzyma i począł go także odwiedzać. King zachowywał się względem niego jak również względem Mei życzliwie, ale tylko jedna Nel robiła z nim co chciała, tak że po tygodniu ośmieliła się nawet przyprowadzić mu i Sabę. Dla Stasia była to wielka ulga, gdyż mógł z całym spokojem pozostawiać Nel pod opieką, czyli jak się wyrażał: pod trąbą słonia – i chodzić bez żadnej obawy na polowanie, a nawet czasem zabierać z sobą Kalego. Był też teraz pewien, że zacne zwierzę nie opuściłoby ich już w żadnym razie, i począł się namyślać, jak je z zamknięcia uwolnić.

A właściwie mówiąc, sposób wynalazł on już dawno, ale wymagający takiej ofiary, że bił się z myślami, czy go użyć, a następnie odkładał to z dnia na dzień. Ponieważ nie miał z kim o tym pomówić, postanowił wtajemniczyć ostatecznie w swe zamiary Nel, chociaż uważał ją za dziecko.

– Skałę można wysadzić prochem – rzekł – ale na to trzeba będzie popsuć mnóstwo ładunków, to jest powyciągać z nich kule, wysypać proch i zrobić z niego jeden wielki nabój. Taki nabój wcisnę w najgłębszą szparę, jaka się w środku znajdzie, następnie zatkam i podpalę. Wówczas skała rozpadnie się na kilka lub kilkanaście części i Kinga można będzie wyprowadzić.

– Ale jeśli będzie wielki huk, to czy on się nie przelęknie?

– To niech się przelęknie! – odpowiedział żywo Staś.– To mnie najmniej obchodzi. Z tobą doprawdy nie warto poważnie mówić.

Jednakże mówił dalej, a raczej myślał dalej głośno:

– Ale jeżeli użyję za mało ładunków, to skała się nie rozpadnie i zmarnuję je na próżno; jeżeli w dostatecznej ilości, to nam ich niewiele zostanie. A gdyby ich zabrakło przed końcem drogi, wówczas grozi nam po prostu śmierć. Bo z czymże będę polował, czym się bronił w razie jakiego napadu? Wiesz przecie dobrze, że gdyby nie ta strzelba i nie te naboje, to zginęlibyśmy od dawna albo z rąk Gebhra, albo z głodu. I szczęście to prawdziwe, że mamy konie, bo sami nie moglibyśmy unieść ani rzeczy, ani ładunków.

Na to Nel podniosła palec do góry i ozwała się z wielką pewnością:

– Jak ja Kingowi powiem, to King poniesie wszystko.

– Jakież ładunki poniesie, jeśli ich mało co zostanie?

– Będzie nas za to bronił…

– Ale nie będzie przecie strzelał ze swojej trąby do zwierzyny tak jak ja ze sztucera.

– To możemy jeść figi i te duże dynie, co rosną na drzewach, a Kali nałapie zawsze ryb.

– Póki zostaniemy nad rzeką. Porę dżdżystą trzeba tu przeczekać, gdyż te ciągłe ulewy napędziłyby ci z pewnością febry. Pamiętaj jednak, że potem ruszamy w dalszą drogę i możemy trafić na pustynię.

– Taką jak Sahara? – zapytała z przestrachem Nel.

– Nie, taką jednak, na której nie ma rzek ani drzew owocowych, a rosną niskie akacje i mimozy. Tam można żyć tylko z tego, co się upoluje. King znajdzie tam trawę, a ja antylopy, ale jeśli nie będę miał czym do nich strzelać, to King ich nie nałapie.

I Staś miał rzeczywiście o co się troszczyć, gdyż obecnie, gdy słoń już się oswoił i poprzyjaźnił z nimi tak poczciwie, niepodobna było go porzucić i skazać na śmierć głodową; a uwolnić go, to znaczyło pozbawić się większej części amunicji i narazić samych siebie na nieuchronną zgubę.

Więc Staś odkładał robotę z dnia na dzień, powtarzając sobie co wieczór w duszy:

„Może jutro wynajdę jaki inny sposób".

A tymczasem do tej troski przyłączyły się inne. Naprzód Kalego straszliwie pokąsały w dole rzeki dzikie pszczoły, do których doprowadził go znany w Afryce niewielki szarozielony ptak, zwany pszczołowodem. Czarnemu chłopakowi nie chciało się przez lenistwo podkurzyć ich dostatecznie, wrócił więc z miodem, ale skłuty i spuchnięty tak, że w godzinę później stracił przytomność. Dobre Mzimu wyciągało z niego aż do wieczora, przy pomocy Mei, żądła, a potem okładało go ziemią, którą Staś polewał wodą. Jednakże nad ranem zdawało się, że biedny Murzyn kona. Na szczęście starania i silny jego organizm przemogły niebezpieczeństwo – zdrowie jednak odzyskał dopiero po upływie dni dziesięciu.

Druga przygoda spotkała konie. Staś, który podczas choroby Kalego musiał je pętać i prowadzić do wody, zauważył, że poczęły straszliwie chudnąć. Nie można było tego wytłumaczyć brakiem żywności, ponieważ wskutek deszczów trawa wybujała wysoko i wybornej paszy było w bród. A jednak konie wprost nikły. Po kilku dniach sierść na nich poszerszeniała, oczy im zgasły, a z nozdrzy płynął gęsty śluz. W końcu przestały jeść, natomiast piły chciwie, jakby trawiła je gorączka. Gdy Kali przyszedł do zdrowia, były to już dwa kościotrupy. Ale on tylko spojrzał na nie i od razu zrozumiał, co się stało.

– Tse-tse! – rzekł zwracając się do Stasia. – One muszą umrzeć.

Staś zrozumiał także, albowiem jeszcze w Port-Saidzie słyszał wielokrotnie o musze afrykańskiej, zwanej tse-tse, która jest tak strasznliwą plagą niektórych okolic, że tam, gdzie ona mieszka stale, Murzyni nie posiadają wcale bydła, a tam, gdzie wskutek pomyślnych chwilowych warunków rozmnoży się niespodzianie, bydło ginie. Koń, wół lub osioł, ukłuty przez tse-tse, marnieje i zdycha w ciągu dni kilkunastu, czasem w ciągu dni kilku. Zwierzęta miejscowe rozumieją też niebezpieczeństwo, jakie im od niej zagraża, zdarza się bowiem, że całe stada wołów, gdy przy wodopoju usłyszą jej brzęczenie, wpadają w szaloną trwogę i rozbiegają się na wszystkie strony.

Stasiowe konie były pokąsane; konie te, a wraz z nimi osła, Kali nacierał teraz codziennie jakąś niesłychanie wonną, podobną do zapachu cebuli, rośliną, którą w dżungli wyszukał. Mówił, iż woń jej odpędza tse-tse, ale pomimo tego zaradczego środka konie chudły. Staś z trwogą myślał o tym, co będzie, jeżeli zwierzęta padną? Jak zabrać wówczas rzeczy, Nel, wojłoki, namiot, ładunki i naczynia? Było tego jednak tyle, że chyba jeden King potrafiłby to wszystko udźwignąć. Ale żeby uwolnić Kinga, potrzeba było poświęcić przynajmniej dwie trzecie naboi.

Coraz większe troski zbierały się nad głową Stasia, na podobieństwo tych chmur, które nie przestawały poić dżungli dżdżem. A na koniec przyszła największa klęska, wobec której zmalały wszystkie inne: febra!

Rozdział 30

Pewnego dnia przy wieczerzy Nel, podniósłszy do ust kawałek wędzonego mięsa, odsunęła go nagle jakby ze wstrętem – i rzekła:

– Nie mogę dziś jeść.

Staś, który poprzednio dowiedział się od Kalego, gdzie są pszczoły, i podkurzał je teraz codziennie, by rabować im miód, był pewien, że mała zjadła w ciągu dnia za dużo miodu, i dlatego nie zwrócił uwagi na jej brak chęci do jedzenia. Lecz ona po chwili wstała i poczęła chodzić spiesznie wedle ogniska, zataczając coraz większe koła.

– A nie oddalaj się zanadto – wołał za nią chłopiec – bo jeszcze cię co porwie.

W rzeczywistości nie obawiał się jednak niczego, albowiem obecność słonia, którą dzikie zwierzęta czuły, i jego trąbienie, które dochodziło do ich czujnych uszu, trzymały je w przyzwoitej odległości. Zapewniało to bezpieczeństwo zarówno ludziom, jak i koniom, albowiem najstraszniejsi nawet w dżungli drapieżnicy jak lew, pantera i lampart, wolą nie mieć do czynienia ze słoniem i nie zbliżać się zanadto do jego kłów i trąby.

Jednakże gdy dziewczynka nie przestawała krążyć coraz pospieszniej, Staś poszedł za nią i zapytał?

– Hej, mała ćmo! Czemu tak latasz koło ognia?

Pytał jeszcze wesoło, ale już się zaniepokoił, a niepokój jego wzrósł, gdy Nel odpowiedziała:

– Nie wiem. Nie mogę usiedzieć na miejscu.

– Co ci jest?

– Tak mi jakoś nieswojo i tak dziwnie…

A wtem oparła mu nagle główkę na piersiach i jakby przyznając się do winy, zawołała pokornym, przetkanym łzami głosem:

– Stasiu, ja chyba jestem chora.

– Nel!!

Po czym położył jej dłoń na czole, które było suche i zarazem lodowate. Więc porwał ją na ręce i poniósł ku ognisku.

– Zimno ci? – pytał po drodze?

– I zimno, i gorąco, ale bardziej zimno…

Jakoż ząbki jej uderzały jedne o drugie, a ciałem wstrząsały ciągle dreszcze. Staś nie miał już najmniejszej wątpliwości, że dostała febry.

Kazał natychmiast Mei zaprowadzić ją do drzewa, rozebrać i położyć, a następnie okrył ją, czym mógł, widział był bowiem w Chartumie i Faszodzie, że ludzie chorzy na febrę okrywali się owczymi skórami, aby się zapocić. Postanowił przesiedzieć przy Nel całą noc i poić ją gorącą wodą z miodem. Ale ona z początku nie chciała pić. Przy świetle kaganka zawieszonego wewnątrz drzewa Staś dostrzegł jej błyszczące źrenice. Po chwili zaczęła się skarżyć na gorąco, a jednocześnie trzęsła się pod wojłokami i pod pledem. Ręce jej i czoło były wciąż zimne, ale gdyby Staś znał się choć cokolwiek na febrycznych przypadłościach, byłby poznał z jej nadzwyczaj niespokojnych ruchów, że musi mieć straszliwą gorączkę. Ze strachem zauważył, że gdy Mea wchodziła z gorącą wodą, dziewczynka patrzyła na nią z pewnym zdziwieniem, a nawet obawą, i zdawała się jej nie poznawać. Z nim jednak rozmawiała przytomnie. Mówiła mu, że nie może leżeć, i prosiła, żeby pozwolił jej wstać i biegać, to znów pytała, czy się nie gniewa na nią za to, że chora, a gdy zapewniał ją, że nie, przyciskała pod rzęsami łzy, które napływały jej do oczu, i zaręczała, że jutro będzie zupełnie zdrowa.

Tego wieczora, a raczej tej nocy, słoń był jakoś dziwnie niespokojny i ciągle ryczał, co znów pobudzało Sabę do szczekania. Staś zauważył, że chorą to drażni, więc wyszedł z drzewa, by ich uspokoić. Z Sabą poszło mu łatwo, ale słoniowi trudniej było nakazać ciszę, więc wziął kilka melonów, by mu je rzucić i zatkać mu trąbę przynajmniej na jakiś czas. Wracając spostrzegł przy świetle ognia Kalego, który z kawałkiem wędzonego mięsa na ramieniu oddalał się w kierunku biegu rzeki.

– Co ty tam robisz i dokąd idziesz? – zapytał Murzyna.

A czarny chłopak zatrzymał się i gdy Staś zbliżył się ku niemu, rzekł z tajemniczą twarzą:

– Kali iść pod inne drzewo położyć mięso złemu Mzimu.

– Dlaczego?

– Dlatego, żeby zły Mzimu nie zabić dobrego Mzimu.

Staś chciał na to coś odpowiedzieć, lecz nagle żal chwycił go za piersi, więc zacisnął zęby i odszedł w milczeniu.

Gdy wrócił do drzewa, Nel miała oczy zamknięte; ręce jej leżące na wojłoku drgały wprawdzie mocno, ale zdawało się, że usypia. Staś siadł przy niej i w obawie, by jej nie zbudzić, siedział przez pewien czas bez ruchu. Mea siedząca z drugiej strony poprawiała co chwila kawałki kości słoniowej sterczące jej w uszach, by bronić się tym sposobem od drzemki. Uczyniło się cicho, tylko z dołu rzeki od strony rozlewu dochodziło rzechotanie żab i smętne kumkanie ropuch.

Nagle Nel siadła na posłaniu.

– Stasiu!

– Jestem tu, Nel.

A ona, dygocąc jak liść na wietrze, poczęła szukać jego ręki i powtarzać spiesznie raz po raz:

– Boję się, boję się! Daj mi rękę!

– Nie bój się, jestem przy tobie.

I chwycił jej dłoń, która tym razem była rozpalona jak w ogniu, nie wiedząc zaś sam, co ma robić, jął okrywać tę biedną wychudzoną rączkę pocałunkami.

– Nie bój się, Nel, nie bój!

Po czym dał jej się napić wody z miodem, która przez ten czas wystygła. Nel tym razem piła chciwie i przytrzymywała mu rękę z naczyniem, gdy próbował odejmować je od ust. Chłodny napój zdawał się ją uspokajać.

Nastało milczenie. Lecz po upływie pół godziny Nel znów siadła na posłaniu, w rozszerzonych jej oczach widać było okropną trwogę.

– Stasiu!

– Co ci jest, kochanie?

– Czemu – pytała przerywanym głosem – Gebhr i Chamis chodzą koło drzewa i zaglądają tu do mnie?

Stasiowi w jednej chwili wydało się, że oblazły go tysiące mrówek.

– Co ty mówisz? – rzekł. – Tu nikogo nie ma! To Kali chodzi koło drzewa.

Lecz ona, patrząc w ciemny otwór, zawołała, szczękając zębami:

– I Beduini także! Dlaczegoś ty ich pozabijał?

Staś otoczył ją ramieniem i przytulił do siebie:

– Ty wiesz dlaczego! Nie patrz tam! Nie myśl o tym. To było już dawno!…

– Dziś! dziś!

– Nie, Nel, dawno!…

Jakoż i było dawno, ale wróciło jak fala odbita od brzegu i napełniło znów przerażeniem myśli chorego dziecka.

Wszelkie słowa uspokojenia okazywały się daremne. Oczy Nel rozszerzały się coraz bardziej. Serce biło tak gwałtownie, iż zdawało się, że pęknie lada chwila. Potem zaczęła się rzucać jak ryba wyjęta z wody i trwało to prawie do rana. Dopiero nad samym ranem siły jej wyczerpały się zupełnie i główka opadła na posłanie.

– Słabo mi! Słabo! – powtórzyła – Stasiu, ja lecę gdzieś w dół.

Po czym zamknęła oczy.

Staś w pierwszej chwili przeraził się okropnie, myślał bowiem, że umarła. Ale to był tylko koniec pierwszego paroksyzmu tej strasznej afrykańskiej febry, zwanej „zgubną", której dwa ataki ludzie silni i zdrowi mogą przetrzymać; trzeciego nie przetrzymał dotychczas nikt. Podróżnicy opowiadali o tym często w Port-Saidzie, w domu pana Rawlisona, a jeszcze częściej wracający do Europy misjonarze katoliccy, których pan Tarkowski gościnnie u siebie przyjmował. Drugi atak przychodzi po kilku lub kilkunastu dniach, trzeci zaś jeśli nie przyszedł w ciągu dwu tygodni, to nie był śmiertelny, gdyż liczył się znów jako pierwszy w drugim nawrocie choroby. Staś wiedział, że jedynym lekarstwem, jakie mogło przerwać lub pooddalać od siebie ataki, były duże dawki chininy, ale nie miał jej już ani atomu.

Na razie jednak widząc, że Nel oddycha, uspokoił się nieco i począł się za nią modlić. A tymczasem słońce wyskoczyło spoza skał wąwozu i uczynił się dzień. Słoń upomniał się już o śniadanie, a od strony rozlewu, który tworzyła rzeka, ozwały się krzyki wodnego ptactwa. Chcąc zabić parę pentarek na rosół dla Nel, chłopiec wziął strzelbę śrutówkę i poszedł wzdłuż rzeki ku kępie wysokich krzewów, na których ptaki te sadowiły się zwykle na noc. Ale tak był niewyspany i myśli jego tak były zajęte chorobą dziewczynki, że całe stado pentarek przeszło tuż koło niego truchcikiem, jedna za drugą, dążąc do wodopoju, a on ich wcale nie spostrzegł. Stało się tak jeszcze i dlatego, że wciąż się modlił. Myślał o zabiciu Gebhra, Chamisa, Beduinów i podnosząc oczy w górę mówił ze ściśniętym przez łzy gardłem: „Ja to dla Nel zrobiłem, Panie Boże, dla Nel! – bo nie mogłem jej inaczej uwolnić, ale jeśli to grzech, to mnie ukarz, a ona niech wyzdrowieje!…"

Po drodze spotkał Kalego, który poszedł zobaczyć, czy zły Mzimu zjadł ofiarowane mu wczoraj mięso. Młody Murzyn kochając małą bibi modlił się także za nią, ale modlił się w całkiem odmienny sposób. Mówił mianowicie złemu Mzimu, że jeśli bibi wyzdrowieje, to on mu co dzień przyniesie kawałek mięsa, ale jeśli umrze, to chociaż się go boi i choć wie, że potem zginie, tak mu przedtem skórę wyłupi, że złe Mzimu na wieki popamięta. Nabrał wszelako dobrej otuchy, gdyż złożone wczoraj mięso znikło. Mógł wprawdzie porwać je jaki szakal, ale mógł i Mzimu przybrać na się postać szakala.

Kali zawiadomił o tym pomyślnym wypadku Stasia, ten jednak popatrzył na niego, jakby go wcale nie rozumiał, i poszedł dalej. Minąwszy kępę krzaków, w której pentarek nie znalazł, zbliżył się do rzeki. Brzegi jej zarośnięte były wysokimi drzewami, z których zwieszały się na kształt długich pończoch gniazda remizów, ślicznych, żółtych ptaszków, z czarnymi skrzydłami, a także i gniazda os podobne do wielkich róż, ale koloru szarej bibuły. W jednym miejscu rzeka tworzyła szeroki na kilkadziesiąt kroków rozlew, porośnięty w części papirusem. Na tym rozlewie roiło się zawsze ptactwo wodne. Były tam bociany takie same jak nasze europejskie i bociany o wielkim, grubym dziobie zakończonym hakiem, i czarne jak aksamit ptaki o nogach czerwonych jak krew – i flamingi, i ibisy, i białe z różowymi skrzydłami warzęchy mające dzioby podobne do łyżek – i żurawie z koronami na głowach, i mnóstwo kulików, pstrych i szarych jak myszy, biegających szybko tam i na powrót, niby drobne duchy leśne, na długich, cienkich jak słomki nóżkach.

Staś zabił dwie duże kaczki pięknej cynamonowej barwy i depcąc po nieżywych białych motylach, których tysiące zaścielały brzeg, rozejrzał się naprzód dobrze, czy na mieliźnie nie ma krokodyli, po czym przeszedł przez wodę i podniósł zdobycz. Strzał rozproszył oczywiście ptactwo; pozostały tylko dwa stojące o kilkanaście kroków dalej i zadumane nad wodą marabuty, podobne do dwóch starców o łysych, wciśniętych między ramiona głowach. Te nie poruszyły się wcale. Chłopiec patrzył przez chwilę na ich obrzydliwe worki mięsne zwieszające się na piersiach, a następnie zauważywszy, że osy zaczynają coraz gęściej krążyć koło niego, powrócił do obozowiska.

Nel spała jeszcze, więc i on, oddawszy Mei kaczki rzucił się na wojłok i zasnął natychmiast kamiennym snem. Zbudzili się dopiero po południu – on wcześniej, Nel później.

Dziewczynka czuła się nieco silniejsza, a gdy gęsty, mocny rosół pokrzepił jeszcze jej siły, wstała i wyszła z drzewa chcąc popatrzyć na Kinga i na słońce.

Ale teraz dopiero, przy świetle dziennym można było dokładnie zobaczyć, jakie ta jedna noc gorączki porobiła w niej spustoszenia. Cerę miała żółtą i przezroczystą, usta poczerniałe, oczy podkrążone i twarzyczkę jakby postarzałą. Nawet źrenice jej wydawały się bledsze niż zwykle. Pokazało się także, iż wbrew zapewnieniom, jakie dawała Stasiowi, że czuje się dość mocna – i mimo sporego kubka rosołu, który zaraz po przebudzeniu wypiła, ledwie mogła dojść o własnych siłach do wąwozu. Staś myślał z rozpaczą o drugim ataku i o tym, że nie posiada ani lekarstw, ani żadnych środków, którymi mógłby mu zapobiec.

A tymczasem deszcz zlewał ziemię po kilkanaście razy na dzień, powiększając wilgoć powietrza.

Rozdział 31

Poczęły się ciężkie i pełne lęku dni oczekiwania. Drugi atak przyszedł dopiero po tygodniu – i nie był tak silny jak pierwszy, ale Nel uczuła się po nim jeszcze słabsza. Wychudła i zmizerniała do tego stopnia, że nie była to już dziewczynka, ale cień dziewczynki. Płomyk jej życia tlił się tak słabo, że zdawało się, iż dość jest dmuchnąć, aby go zgasić. Staś zrozumiał, że śmierć nie potrzebuje czekać na trzeci atak, by ją zabrać – i oczekiwał jej lada dzień, lada godzina.

Sam wychudł i sczerniał także, albowiem nieszczęście przechodziło jego siły i jego rozum. Więc patrząc na jej woskową twarzyczkę mówił sobie codziennie. „Na tomże strzegł jej jak oka w głowie, żeby ją tu pochować w dżungli?" – I nie rozumiał wcale, dlaczego tak ma być. Chwilami znów wyrzucał sobie, że jeszcze nie dość jej strzegł, że nie był dla niej dość dobry, a wówczas taki żal chwytał go za serce, że chciało mu się gryźć własne palce. Było niedoli po prostu za dużo.

A Nel spała teraz prawie ciągle i być może, że to utrzymywało ją przy życiu. Staś budził ją jednak kilka razy na dzień, by ją posilić. Wówczas, ilekroć deszcz nie padał, prosiła go, aby wynosił ją na powietrze, nie mogła bowiem utrzymać się na własnych nogach. Zdarzało się wszelako, iż zasypiała nawet na jego ręku. Wiedziała już, że jest bardzo chora i że może lada dzień umrzeć. W chwilach większego ożywienia rozmawiała o tym ze Stasiem, a zawsze z płaczem, gdyż bała się śmierci.

– Już ja nie wrócę do tatusia – mówiła pewnego razu – ale ty powiedz tatusiowi, że mi było bardzo żal – i proś go, żeby tu do mnie przyjechał....

– Wrócisz – odpowiedział Staś.

I nie mógł nic więcej powiedzieć, gdyż chciało mu się wyć.

A Nel mówiła dalej ledwie dosłyszalnym, sennym głosem:

– I tatuś przyjedzie, i ty kiedyś przyjedziesz... prawda?

Na tę myśl uśmiech rozjaśnił jej wynędzniałą twarzyczkę, po chwili jednak ozwała się znowu, jeszcze ciszej:

– Ale mi tak żal...

To rzekłszy oparła mu główkę na ramieniu i poczęła płakać, on zaś przemógł własny ból, przytulił ją do piersi i odpowiedział żywo:

– Nel, ja bez ciebie nie wrócę i... i wcale nie wiem, co bym bez ciebie robił na świecie.

Nastało milczenie, podczas którego Nel usnęła znowu. Staś odniósł ją do drzewa, ale zaledwie wyszedł na zewnątrz, gdy z wierzchołka cypla nadbiegł Kali i machając rękoma począł wołać z twarzą wzburzoną i przelękłą:

– Panie wielki! Panie wielki!

– Czego chcesz? – zapytał Staś.

A Murzyn wyciągnął rękę i ukazując na południe rzekł:

– Dym!

Staś przysłonił oczy dłonią i wytężywszy wzrok we wskazanym kierunku, ujrzał rzeczywiście przy czerwonawym blasku nisko już stojącego słońca smugę dymu wznoszącą się daleko wśród dżungli, między wierzchołkami jeszcze dalszych, dość wysokich dwóch wzgórz.

Kali drżał cały, albowiem zbyt dobrze pamiętał straszną niewolę u derwiszów, był zaś pewien, że to ich obozowisko. Stasiowi też się wydało, iż to nie może być nikt inny jak Smain, i w pierwszej chwili zląkł się także okropnie. Tego tylko brakło! Obok śmiertelnej choroby Nel – derwisze! I znów niewola, i znów powrót do Faszody albo i do Chartumu, pod rękę Mahdiego lub pod bat Abdullahiego. Jeśli ich schwytają, Nel umrze pierwszego dnia, on zaś zostanie niewolnikiem na resztę życia. A gdyby nawet kiedyś uciekł, co mu po życiu, co mu po wolności bez Nel? Jakżeby spojrzał w oczy ojcu albo panu Rawlisonowi, gdyby derwisze porzucili ją po śmierci hienom, on zaś nie potrafiłby nawet powiedzieć, gdzie jest jej grób.

Takie myśli przelatywały mu jak błyskawice przez głowę. Nagle uczuł nieprzepartą chęć popatrzenia na Nel i skierował się ku drzewu. Po drodze zapowiedział Kalemu, by zgasił ogień i nie ważył się palić go w nocy, po czym wszedł od wnętrza.

Nel nie spała i czuła się lepiej. Zaraz też podzieliła się tą wiadomością ze Stasiem. Saba leżał przy niej i ogrzewał ją swym ogromnym ciałem, a ona głaskała go lekko po głowie, uśmiechając się, gdy chwytał paszczą subtelne pyłki próchna kręcące się w smudze świetlanej, którą tworzyły w drzewie ostatnie promienie zachodzącego słońca. Była widocznie lepszej myśli, gdyż po chwili zwróciła się z dość raźną minką do Stasia:

– A może ja nie umrę?

– Nie umrzesz z pewnością – odpowiedział Staś. – Skoro po drugim ataku czujesz się silniejszą, to trzeci wcale nie przyjdzie.

Ona zaś poczęła mrugać powiekami jakby się nad czymś namyślając – i rzekła:

– Gdybym miała taki gorzki proszek, co mi tak dobrze zrobił po tej nocy z lwami – pamiętasz? To ani trochę nie myślałabym umierać, ani tyle!

I pokazała na paluszku, jak mało byłaby wówczas na śmierć gotowa.

– Ach! – ozwał się Staś. – Oddałbym nie wiem co za źdźbło chininy.

I pomyślał, że gdyby miał jej dosyć, to by poczęstował Nel choćby dwoma na raz proszkami, a potem owinął ją pledem, posadził przed sobą na koniu – i ruszył natychmiast w stronę przeciwną do tej, w której było obozowisko derwiszów.

Tymczasem słońce zapadło i dżungla pogrążyła się nagle w ciemność.

Dziewczynka pogwarzyła jeszcze pół godziny, po czym usnęła, a Staś rozmyślał dalej o derwiszach i o chininie. Strapiona, ale nadzwyczaj zaradna jego głowa poczęła pracować i tworzyć plany, jedne śmielsze i zuchwalsze od drugich. Naprzód począł się zastanawiać nad tym, czy ten dym w południowej stronie pochodzi koniecznie z obozu Smaina. Mogli to wprawdzie być derwisze, ale mogli być i Arabowie znad brzegów oceanu, którzy czynili wielkie wyprawy wgłąb lądu po kość słoniową i po niewolników. Ci nie mieli nic wspólnego z derwiszami, którzy psuli im handel. Mógł to być także obóz Abisyńczyków albo jaka podgórska wioska murzyńska, do której łapacze ludzi jeszcze nie dotarli. Czy nie należało się o tym przekonać?

Arabowie z Zanzibaru, z okolic Bagamojo, z Witu i z Mombassy, a w ogóle z pobrzeży oceanu, byli to ludzie, którzy ustawicznie stykali się z białymi, więc kto wie, czy za wielką nagrodą nie podjęliby się odprowadzić ich obojga do któregoś z najbliższych portów. Staś wiedział doskonale, że może taką nagrodę przyrzec i że jego przyrzeczeniu uwierzą. Przyszła mu też jeszcze inna myśl, która poruszyła go do głębi. Oto widział, że w Chartumie wielu derwiszów, szczególniej w Nubii, chorowało prawie na równi z białymi na febrę – i ci leczyli się chininą, którą rabowali Europejczykom albo jeśli była ukryta u renegatów Greków lub Koptów, kupowali na wagę złota. Otóż można było się spodziewać, że Arabowie znad oceanu będą mieli ją na pewno.

„Pójdę – mówił sobie Staś – pójdę dla Nel".

I zastanawiając się coraz usilniej nad położeniem, doszedł w końcu do przekonania, że gdyby to nawet był oddział Smaina, to i tak należało iść. Przypomniał sobie, że z powodu zupełnego przerwania stosunków między Egiptem a Sudanem, Smain prawdopodobnie nic nie wie o ich porwaniu z Fajumu. Fatma nie mogła się z nim porozumieć, więc to porwanie było tylko jej osobistym pomysłem, wykonanym przy pomocy Chamisa, syna Chadigiego, oraz Idrysa, Gebhra i dwóch Beduinów. Otóż ludzie ci nic nie obchodzili Smaina z tej prostej przyczyny, że znał między nimi tylko jednego Chamisa, a o tamtych nigdy w życiu nie słyszał. Obchodziły go tylko jego własne dzieci i Fatma. Ale właśnie może zatęsknił już za nimi i może rad byłby do nich wrócić, zwłaszcza jeżeli uprzykrzyła mu się już służba u Mahdiego. Przy Mahdim nie zrobił widocznie wielkiego losu, skoro, zamiast przewodzić potężnym wojskom lub rządzić jakim obszernym krajem, musiał łapać niewolników aż Bóg wie gdzie za Faszodą. „Powiem mu tak – myślał Staś – jeśli odprowadzisz nas do jakiego portu nad Oceanem

Indyjskim i wrócisz z nami do Egiptu, rząd przebaczy ci wszystkie winy, połączysz się z Fatmą i z dziećmi, a oprócz tego pan Rawlison uczyni cię bogatym; jeśli nie, to dzieci i Fatmy nie zobaczysz już nigdy w życiu".

I był pewien, że Smain namyśli się dobrze, nim taki układ odrzuci.

Oczywiście, nie było to wszystko bezpieczne, mogło nawet pokazać się zgubne, ale mogło również stać się deską ocalenia z tej toni afrykańskiej. Staś począł się w końcu dziwić, dlaczego możliwość spotkania ze Smainem tak go na razie przeraziła – i ponieważ chodziło o spieszny ratunek dla Nel, postanowił pójść jeszcze tej nocy.

Łatwiej to jednak było powiedzieć niż wykonać. Co innego jest siedzieć nocą w dżungli przy dobrym ogniu, za kolczastą zeribą, a co innego puścić się wśród ciemności w wysokie trawy, w których poluje o tej porze lew, pantera, lampart, nie mówiąc o hienach i szakalach. Chłopiec przypomniał sobie jednak słowa młodego Murzyna, wówczas gdy ów udał się nocą szukać Saby i wróciwszy z nim powiedział: „Kali się bać, ale pójść". I powtórzył sobie to samo: „Będę się bał, ale pójdę".

Czekał jednak na wejście księżyca, gdyż noc była nadzwyczaj ciemna i dopiero gdy dżungla posrebrzała od jego blasku, zawołał Kalego i rzekł:

– Kali, zabierz Sabę do drzewa, zatkaj wejście cierniem i pilnujcie mi z Meą panienki jak oka w głowie, a ja pójdę zobaczyć, co to za ludzie są tam w tym obozowisku.

– Pan wielki wziąć z sobą Kalego i strzelbę, która zabija złe zwierzęta. Kali nie zostać!

– Zostaniesz! – rzekł stanowczo Staś – i zakazuję ci iść za mną.

Po czym zamilkł na chwilę, a następnie ozwał się głuchym nieco głosem:

– Kali, jesteś wierny i roztropny, więc ufam, że spełnisz to, co ci powiem. Gdybym nie wrócił, a panienka umarła, to zostawisz ją w drzewie, ale naokoło drzewa wzniesiesz wysoką zeribę, a na korze wytniesz taki oto wielki znak. I wziąwszy dwa bambusy złożył je w krzyż.

Po czym tak mówił dalej:

– Jeśli zaś bibi nie umrze, ale ja nie wrócę, to będziesz ją czcił i służył wiernie, a potem zaprowadzisz ją do swego ludu i powiesz wojownikom Wa-hima, żeby szli z nią ciągle na wschód, aż do Wielkiego Morza. Tam znajdziesz białych ludzi, którzy wam dadzą dużo strzelb, prochu, paciorków, drutu i tyle płótna ile zdołacie unieść. Zrozumiałeś?

A młody Murzyn rzucił się przed nim na kolana, objął jego nogi i począł powtarzać żałośnie:

– O bwana kubwa! Wrócić, wrócić, wrócić!

Stasia wzruszyło przywiązanie czarnego chłopaka, więc schylił się, położył mu rękę na głowie i rzekł:

– Idź do drzewa Kali i… niech cię Bóg błogosławi!

Zostawszy sam, namyślał się jeszcze przez chwilę, czy nie wziąć z sobą osła. Było to bezpieczniej, albowiem lwy w Afryce, zarówno jak tygrysy w Indiach, w razie spotkania człowieka jadącego na koniu lub ośle rzucają się zawsze na zwierzę, nie na człowieka. Ale zadał sobie pytanie, kto w takim razie będzie nosił namiot Nel i na czym ona sama pojedzie? Po tej uwadze odrzucił natychmiast myśl zabrania osła i puścił się piechotą w dżunglę.

Księżyc wypłynął już wyżej na niebo, było przeto znacznie widniej. Jednakże trudności rozpoczęły się zaraz, jak tylko chłopiec zanurzył się w trawy, które wyrosły już

tak wysoko, że i człowiek na koniu mógł się w nich z łatwością ukryć. Nawet i w dzień nie było w nich na krok
nic widać, a cóż dopiero w nocy, kiedy księżyc oświecał
tylko ich wierzchołki, a niżej wszystko pogrążone było
w głębokim cieniu. W takich warunkach łatwo jest zmylić
drogę i chodzić w kółko, zamiast posuwać się naprzód.
Stasiowi dodawała wszelako odwagi myśl, że naprzód,
obozowisko, ku któremu szedł, było odległe od cypla co
najwyżej o trzy lub o cztery mile angielskie, a po wtóre, że
dym ukazał się między wierzchołkami dwóch wyniosłych
pagórków – zatem nie tracąc z oczu pagórków nie można
było zbłądzić. Ale trawy, mimozy i akacje przesłaniały
wszystko. Na szczęście co kilkadziesiąt kroków wznosiły
się kopce termitów, wysokie niekiedy na kilkanaście stóp.
Staś ustawiał ostrożnie strzelbę pod każdym kopcem, potem wdrapywał się na jego szczyt – i dojrzawszy wzgórza
rysujące się czarno na tle nieba, złaził i szedł dalej.

Strach go tylko brał na myśl, co będzie, jeśli chmury
zasłonią księżyc i niebo, albowiem wówczas znalazłby się
jak w podziemiu. Ale nie było to jedyne niebezpieczeństwo.
Dżungla w nocy, gdy wśród ciszy słychać każdy odgłos,
każdy krok i niemal szelest, jaki robią owady łażące po
trawach, jest wprost przerażająca. Unosi się nad nią lęk
i groza. Staś musiał zważać na wszystko, nasłuchiwać,
czuwać, rozglądać się na wszystkie strony, mieć głowę
jak na śrubkach, a strzelbę gotową w każdej sekundzie do
strzału. Co chwila wydało mu się, że coś się zbliża, skrada,
przyczaja. Niekiedy znowu słyszał poruszające się trawy
i nagły tętent uciekających zwierząt. Domyślał się wówczas,
że spłoszył antylopy, które mimo rozstawionych straży śpią
czujnie, wiedząc, że niejeden straszny płowy myśliwiec

poluje w ciemnościach o tej porze. Ale oto coś wielkiego czerni się pod parasolowatą akacją. Może to skała, a może nosorożec lub bawół, który zwietrzywszy człowieka ocknie się z drzemki i rzuci się natychmiast do ataku. Tam znów za czarnym krzewem widać dwa błyszczące punkty. Hej! strzelba do twarzy. To lew! Nie!... Próżny alarm! To latarniki, bo jedno światełko wznosi się w górę i leci nad trawami jak spadająca ukośnie gwiazda. Staś włazł na termitiery nie zawsze dlatego, by przekonać się, czy idzie w dobrym kierunku, ale i dlatego, by obetrzeć spocone zimnym potem czoło, odetchnąć i poczekać, aż mu się uspokoi bijące zbyt pospiesznie serce. Był przy tym tak już zmęczony, że ledwie trzymał się na nogach.

Lecz szedł naprzód w tej myśli, że tak trzeba dla uratowania Nel. Po dwóch godzinach wydostał się na grunt gęsto usiany kamieniami, gdzie trawy były niższe i było znacznie widniej. Dwa wyniosłe wzgórza rysowały się równie daleko jak i przedtem; natomiast bliżej biegł poprzecznie zrąb skalny, za którym wznosił się drugi, wyższy, oba zaś otaczały widocznie jakąś dolinę albo wąwóz, podobny do tego, w którym zamknięty był King.

Nagle, o jakie trzysta lub czterysta kroków na prawo, spostrzegł na ścianie skalnej różowy odblask płomienia.

I stanął. Serce biło mu znów tak, że nieledwie słyszał je wśród ciszy nocnej. Kogo tam zobaczy na dole? Arabów ze wschodnich wybrzeży? Derwiszów Smaina czy też dzikich Murzynów, którzy opuściwszy rodzinne wioski chronią się przed derwiszami w niedostępne górskie komysze? Czy znajdzie śmierć albo niewolę, czy też ratunek dla Nel?

Trzeba się było o tym przekonać. Cofać się już nie mógł i nie chciał. Po chwili począł się skradać w kierunku ognia, idąc jak najciszej i tamując dech w piersiach. Uszedłszy tak około stu kroków, usłyszał niespodzianie od strony dżungli parskanie koni – i zatrzymał się znowu. Przy świetle księżyca naliczył ich pięć. Jak na derwiszów było to mało, ale przypuszczał, że reszta ukryta jest może w wysokich trawach. Dziwiło go tylko to, że nie ma przy nich żadnych straży, że te straże nie palą na górze ogni dla odstraszenia dzikich zwierząt. Ale dziękował Bogu, że tak było, gdyż mógł posuwać się dalej niedostrzeżony.

Blask na skałach czynił się coraz wyraźniejszy. Zanim upłynął kwadrans, Staś znalazł się w miejscu, w którym przeciwległa skała była najmocniej oświecona, co wskazywało, że u jej stóp musi się palić ogień.

Wówczas czołgając się dopełznął zwolna do krawędzi i spojrzał w dół.

Pierwszym przedmiotem, który uderzył jego oczy, był wielki namiot; przed namiotem stało polowe płócienne łóżko, a na nim leżał człowiek przybrany w biały ubiór europejski.

Mały, może dwunastoletni Murzynek dokładał suchego paliwa do ognia, który oświecał ścianę skalną i szeregi Murzynów śpiące pod nią z obu stron namiotu.

Staś w jednej chwili zsunął się z pochyłości na dno wąwozu.

Rozdział 32

$\mathcal{P}$rzez jakiś czas ze zmęczenia i wzruszenia nie mógł ani słowa przemówić i stał, dysząc ciężko, przed leżącym na łóżku człowiekiem, który milczał także i patrzył na niego ze zdumieniem graniczącym niemal z nieprzytomnością.

Wreszcie zawołał:

– Nasibu, jesteś?

– Jestem, panie – odpowiedział mały Murzynek.

– Czy widzisz kogo i czy kto stoi przede mną?

Lecz zanim malec zdołał odpowiedzieć, Staś odzyskał mowę:

– Panie – rzekł – nazywam się Stanisław Tarkowski. Uciekliśmy z miss Rawlison z niewoli derwiszów i ukrywamy się w dżungli. Ale Nel jest ciężko chora, więc błagam cię dla niej o pomoc.

Nieznajomy patrzył jeszcze przez chwilę, mrugając oczyma, po czym przetarł ręką czoło.

– Słyszę, tylko nie widzę – ozwał się sam do siebie. – To nie złudzenie!… Co? pomoc? Ja sam potrzebuję pomocy. Jestem ranny.

Nagle jednak otrząsnął się jakby z sennych przywidzeń lub odrętwienia, spojrzał przytomniej i z błyskiem radości w oczach rzekł:

– Biały chłopiec!… Jeszcze widzę białego!… Witam cię, ktokolwiek jesteś. Mówiłeś o jakiejś chorej? Czego ode mnie żądasz?

Staś powtórzył, że tą chorą jest Nel, córka pana Rawlisona, jednego z dyrektorów Kanału, że miała już dwa ataki febry i że musi umrzeć, jeśli nie będzie miał chininy, by zapobiec trzeciemu.

– Dwa ataki – to źle! – odpowiedział nieznajomy. – Ale chininę mogę ci dać, ile chcesz. Mam jej kilka słoików, które nie przydadzą mi się już na nic.

Tak mówiąc kazał małemu Nasibu podać sobie duże, blaszane pudło, które było widocznie apteczką podróżną, wydobył z niego dwa spore słoiki napełnione białym proszkiem i wręczył je Stasiowi. – Oto połowa tego co mam. Wystarczy to choćby na rok…

Staś miał ochotę krzyczeć po prostu z radości, więc począł mu dziękować z takim uniesieniem, jakby mu o własne życie chodziło.

A nieznajomy skinął kilkakrotnie głową i rzekł:

– Dobrze, dobrze. Nazywam się Linde, jestem Szwajcar z Zurychu… Dwa dni temu miałem wypadek: ranił mnie ciężko dzik ndiri.

Następnie zwrócił się do czarnego malca:

– Nasibu, nałóż mi fajkę.

Po czym do Stasia:

– W nocy mam zawsze większą gorączkę i trochę mi się troi w głowie. Ale fajka rozjaśnia mi myśli. Wszak mówiłeś, że uciekliście z niewoli derwiszów i ukrywacie się w dżungli? Czy tak?

– Tak, panie, mówiłem.

– I co zamierzacie czynić?

– Uciec do Abisynii.

– Wpadniecie w ręce mahdystów, których oddziały włóczą się po całym pograniczu.

– Nie możemy przedsięwziąć nic innego.

– Ach! Jeszcze przed miesiącem ja mógłbym wam dać pomoc. Ale teraz jestem sam, tylko na łasce bożej i tego czarnego chłopca.

Staś spojrzał na niego ze zdziwieniem.

– A ten obóz?

– To obóz śmierci.

– A ci Murzyni?

– Ci Murzyni śpią i nie rozbudzą się więcej.

– Nie rozumiem…

– Chorzy na śpiączkę. To są ludzie znad Wielkich Jezior, gdzie ta straszna choroba panuje ciągle – i zapadli na nią wszyscy prócz tych, którzy przedtem pomarli na ospę. Został mi tylko ten jeden chłopak…

Stasia uderzyło dopiero to, że w chwili, w której zsunął się był do wąwozu, żaden Murzyn nie poruszył się, nie drgnął nawet – i że w czasie całej rozmowy spali wszyscy: jedni z głowami opartymi o skałę, drudzy z pospuszczanymi na piersi.

– Śpią i nie rozbudzą się już? – zapytał, jakby jeszcze nie zdając sobie sprawy z tego, co słyszał.

A Linde rzekł:

– Ach, to trupiarnia ta Afryka!…

Lecz dalsze słowa przerwał mu tupot koni, które przestraszywszy się czegoś w dżungli, poprzyskakiwały na swych spętanych nogach do krawędzi doliny, chcąc być bliżej ludzi i światła.

– To nic, to konie! – ozwał się znów Szwajcar. – Zabrałem je mahdystom, których pobiłem kilka tygodni temu. Było ich ze trzystu, a może i więcej. Ale oni mieli przeważnie dzidy, a moi ludzie remingtony, które tam stoją oto pod ścianą bez żadnego już pożytku. Jeśli ci brak broni albo nabojów, to bierz, ile chcesz. Weź także i konia: prędzej na nim wrócisz do twojej chorej. Ile ona ma lat?

– Osiem – odpowiedział Staś.

– Więc to jeszcze dziecko… Niechże Nasibu da ci dla niej herbaty, ryżu, kawy i wina… Bierz, co chcesz, z zapasów, a jutro przyjeżdżaj po nowe.

– Wrócę z pewnością, żeby panu jeszcze raz podziękować z całego serca i pomóc mu, w czym potrafię.

A Linde rzekł:

– Dobrze choć popatrzyć na europejską twarz. Jeśli przyjedziesz wcześniej, to będę przytomniejszy. Teraz gorączka znowu mnie chwyta, bo cię widzę podwójnie. Czy was dwóch stoi nade mną?… Nie!… Wiem, że jesteś jeden i że to tylko gorączka…. Ach, ta Afryka!…

I przymknął oczy.

W kwadrans później Staś wyruszył z powrotem z tego dziwnego obozu snu i śmierci, ale tym razem konno. Noc była jeszcze głęboka, ale on nie zważał na żadne niebezpieczeństwa, z którymi mógł się spotkać w wysokich trawach. Trzymał się jednak bliżej rzeki przypuszczając, że oba wąwozy muszą na nią wychodzić. Wracać było zresztą znacznie łatwiej, gdyż w ciszy nocnej dochodził z daleka szum wodospadu, a przy tym obłoki rozproszyły się na zachodniej stronie nieba i prócz księżyca świeciło mocno światło zodiakalne. Chłopiec kłuł konia w boki końcami szerokich arabskich strzemion i leciał trochę jak na złamanie karku, mówiąc sobie w duszy: „Co mi tam lwy i pantery! Ja mam chininę dla mojej małej!" I co chwila dotykał ręką słoików, jakby chcąc się upewnić, że je naprawdę posiada i że to wszystko nie było snem.

Rozmaite myśli i obrazy przesuwały mu się przez głowę. Widział rannego Szwajcara, dla którego czuł ogromną wdzięczność i nad którym litował się tym serdeczniej, że w czasie rozmowy brał go z początku za wariata; widział małego Nasibu z okrągłą jak kula czaszką, szeregi śpiących pagazich i lufy opartych o skały remingtonów, połyskujące w ogniu. Był prawie pewien, że ta bitwa, o której wspominał Linde, była z oddziałem Smaina – i dziwnie wydało mu się pomyśleć, że Smain poległ.

Te widzenia mieszały mu się z nieustającą myślą o Nel. Wyobrażał sobie, jak ona się zdziwi, zobaczywszy jutro cały słoik chininy i że go chyba weźmie za cudotwórcę. „Ach – mówił sobie – gdybym był stchórzył i nie poszedł przekonać się skąd pochodzi ten dym, nie darowałbym sobie tego przez całe życie".

Po upływie niespełna godziny szum wodospadu stał się zupełnie wyraźny, a z rzechotania żab Staś domyślił się, że już jest blisko szczerku, na którym strzelał poprzednio wodne ptactwo. Przy blasku księżyca rozpoznał nawet z dala stojące nad nim drzewa. Teraz należało zachować więcej czujności, rozlew ów bowiem tworzył zarazem i wodopój, do którego wszelki zwierz okoliczny musiał koniecznie przychodzić, gdyż gdzie indziej brzegi rzeki były strome i mało dostępne. Ale było już późno i drapieżnicy poukrywali się widocznie po nocnych łowach w skalistych jaskiniach. Koń chrapał trochę, wietrząc niedawne ślady lwów czy też panter, jednakże Staś przejechał szczęśliwie i w chwilę później ujrzał na wysokim cyplu czarną wielką sylwetkę „Krakowa". Pierwszy raz w Afryce miał takie uczucie, jakby przyjechał do domu. Liczył, że zastanie wszystkich śpiących, ale liczył bez Saby, który począł szczekać tak, że mógłby pobudzić nawet umarłych. Kali znalazł się w jednej chwili przed drzewem i zawołał:

– Bwana kubwa na koniu!

W głosie jego było jednak więcej radości niż zdziwienia, gdyż tak wierzył w potęgę Stasia, że gdyby ów był nawet stworzył konia, czarny chłopak jeszcze nie byłby bardzo zdziwiony.

Ale ponieważ radość objawia się u Murzynów śmiechem, więc jął bić się dłońmi po biodrach i śmiać się jak szalony.

– Spętaj tego konia – rzekł Staś – zdejmij z niego zapasy, napal ognia i zagotuj wody.

Po czym wszedł do drzewa. Nel rozbudziła się także i poczęła go wołać. Staś odchyliwszy płócienną ścianę ujrzał przy świetle kaganka jej bladą twarz i białe chude rączki leżące na pledzie, którym była przykryta.

– Jak się czujesz, mała? – zapytał wesoło.

– Dobrze, i spałam mocno, póki mnie nie rozbudził Saba. Ale czemu ty nie śpisz?

– Bom wyjeżdżał.

– Dokąd?

– Do apteki.

– Do apteki?

– Tak. Po chininę.

Dziewczynce nie smakowały wprawdzie mocno proszki chininy, które brała poprzednio, ale ponieważ uważała ją za niezawodne lekarstwo na wszystkie choroby na świecie, więc westchnęła i rzekła:

– Ja wiem, że ty już nie masz chininy.

Staś podniósł ku kagankowi jeden ze słoików i zapytał z dumą i radością:

– A to co?

Nel nie chciała oczom wierzyć, on zaś mówił pospiesznie, cały rozpromieniony:

– Będziesz teraz zdrowa! Zaraz sporą dozę owinę w skórę świeżej figi i musisz to połknąć, a czym zapijesz, to się pokaże. Czego tak patrzysz na mnie jak na zielonego kota?...Tak! Mam i drugi słoik. Dostałem oba od białego człowieka, którego obóz leży stąd o cztery mile. Od niego wracam. Nazywa się Linde i jest ranny; jednakże dał mi dużo dobrych rzeczy. Wróciłem na koniu, ale do niego szedłem piechotą. Myślisz, że to przyjemnie iść w nocy przez dżunglę? Brr! Drugi raz za nic w świecie bym nie poszedł, chyba żeby znów chodziło o chininę!

Tak mówiąc opuścił zdumioną dziewczynkę, sam zaś udał się do „męskiego przedziału", wybrał z zapasu fig najmniejszą, wydrążył ją i nasypał w środek chininy, uważając, by doza nie była większa od tych proszków, które dostał był w Chartumie. Potem wyszedł z drzewa, zasypał herbaty do naczynia z wodą i wrócił z lekarstwem do Nel.

A ona rozmyślała przez ten czas o wszystkim, co się stało. Była ogromnie ciekawa, co to za człowiek, ten biały? Skąd się Staś o nim dowiedział? Czy on do nich przyjdzie i czy będą podróżowali dalej razem? Nie wątpiła teraz, że skoro Staś dostał chininy, to ona wyzdrowieje. Ależ ten Staś... Poszedł sobie w nocy w dżunglę, jak gdyby nic! Nel, pomimo całego podziwu dla niego, uważała dotychczas, nie zastanawiając się zresztą nad tym długo, że wszystko, co on dla niej robi, to rozumie się samo przez się, albowiem jest to prosta rzecz, że starszy chłopiec opiekuje się młodszą dziewczynką. Jednakże teraz przyszło jej do główki, że bez jego opieki byłaby dawno zginęła, że on o nią dba

ogromnie, że dogadza jej i broni tak, jak żaden inny chłopiec w jego wieku i nie chciałby, i nie umiał – więc wielka
wdzięczność wezbrała w jej małym sercu.

Toteż gdy Staś wszedł znowu i pochylił się nad nią
z lekarstwem, zarzuciła mu swe cieniutkie ramionka na
szyję i uściskała go serdecznie:

– Stasiu, ty jesteś dla mnie bardzo dobry.

On zaś odpowiedział:

– A dla kogóż mam być dobry? A to doskonałe! Weź
oto lekarstwo.

Jednakże rad był bardzo, gdyż oczy błyszczały mu z zadowolenia, i z wielką znów radością i dumą zawołał zwróciwszy się do otworu:

– Mea! A teraz podaj bibi herbatę!

Rozdział 33

Staś wybrał się do Lindego dopiero następnego dnia w południe, musiał bowiem odespać noc poprzednią. Po drodze, w przewidywaniu, że chory może potrzebować świeżego mięsa, zabił dwie pentarki, które też istotnie zostały przyjęte z wdzięcznością. Linde był mocno osłabiony, ale zupełnie przytomny. Zaraz po powitaniu zapytał o Nel, po czym przestrzegł Stasia, żeby nie uważał chininy za zupełnie stanowczy środek przeciw febrze i żeby strzegł małej od słońca, od przemoczenia, od przebywania w nocy w miejscach niskich i wilgotnych, wreszcie od złej wody. Następnie Staś opowiedział mu na żądanie historię własną i Nel, od początku aż do przybycia do Chartumu i odwiedzin u Mahdiego, a potem od Faszody do uwolnienia się z rąk Gebhra i dalszej wędrówki. Szwajcar przypatrywał mu się w czasie opowiadania ze wzrastającą ciekawością, często z wyraźnym podziwem, a gdy historia dobiegła wreszcie końca, zapalił fajkę, obejrzał raz jeszcze Stasia od stóp do głowy i rzekł jakby w zamyśleniu:

— Jeśli w waszym kraju jest dużo podobnych do ciebie chłopców, to nieprędko dadzą sobie z wami radę.

A po chwili milczenia tak mówił dalej:

— Najlepszym dowodem prawdy słów twoich jest to, że tu jesteś i że przede mną stoisz. I wiesz, co ci powiem: położenie wasze jest straszne, droga w którąkolwiek stronę równie straszna, kto wie jednak, czy taki chłopak jak ty nie wyratuje z tej toni i siebie, i tamtego dziecka...

– Byle Nel była zdrowa, to ja zrobię, co będę mógł – zawołał Staś.

– Ale i siebie oszczędzaj, albowiem zadanie, które masz przed sobą, jest nad siły nawet dorosłego człowieka. Czy ty zdajesz sobie z tego sprawę, gdzie się obecnie znajdujecie?

– Nie. Pamiętam, że po wyjściu z Faszody przeszliśmy przy dużej osadzie, zwanej Deng, jakąś rzekę...

– Sobbat – przerwał Linde.

– W Dengu było sporo derwiszów i Murzynów. Ale za Sobbatem weszliśmy w kraj dżungli i szliśmy całe tygodnie, aż dotarliśmy od tego wąwozu, w którym pan wie, co się stało...

– Wiem. Następnie puściliście się tym wąwozem dalej, aż do rzeki. Otóż posłuchaj mnie: pokazuje się, że po przejściu Sobbatu z Sudańczykami skręciliście na południowy wschód, ale więcej na południe. Jesteście obecnie w okolicy nie znanej podróżnikom i geografom. Ta rzeka, nad którą się znajdujemy, dąży na północny zachód i wpada prawdopodobnie do Nilu. Mówię: prawdopodobnie, bo sam dobrze nie wiem i przekonać się o tym już nie mogę, chociaż skręciłem od gór Karamojo dla zbadania jej źródeł. Od jeńców-derwiszów słyszałem po bitwie, że zowie się Ogeloguen, ale i oni nie byli pewni, gdyż w te okolice zapuszczają się tylko po niewolników. Zajmuje te w ogóle mało zamieszkane strony plemię Szylluk, ale obecnie kraj jest pusty, gdyż ludność częścią wymarła na ospę, częścią wymietli ją mahdyści, a częścią uciekła ku górom Karamajo. W Afryce nieraz się to zdarza, że kraj dziś gęsto osiadły – jutro staje się pustkowiem. Wedle moich obrachowań jesteście mniej więcej o trzysta kilometrów od Lado. Moglibyście uciekać na południe do Emina, ale ponieważ Emin sam jest prawdopodobnie oblężony przez derwiszów, więc nie ma o czym mówić...

– A do Abisynii? – zapytał Staś.

– Także około trzystu kilometrów. Pamiętać wszelako należy, że Mahdi wojuje z całym światem, a więc i z Abisynią. Wiem to również od jeńców, że na zachodniej i południowej granicy kręcą się większe lub mniejsze hordy derwiszów, więc łatwo moglibyście wpaść w ich ręce. Abisynia jest wprawdzie państwem chrześcijańskim, ale południowe, dzikie plemiona są albo pogańskie, albo wyznają islam – i z tego powodu sprzyjają po cichu Mahdiemu... Nie, tamtędy nie przejdziecie.

– Więc, co ja mam począć i dokąd iść z Nel? – zapytał Staś.

– Mówiłem, że położenie jest ciężkie – rzekł Linde.

To rzekłszy założył obie ręce na głowę i długi czas leżał w milczeniu.

– Do oceanu – ozwał się wreszcie – będzie stąd przeszło dziewięćset kilometrów przez góry, przez dzikie ludy, a nawet przez pustynię, bo tam są podobno całe okolice, w których brak wody. Ale kraj należy nominalnie do Anglii. Można trafić na transporty kości słoniowej do Kismaja, do Lamu i do Mombassy – może na wyprawy misyjne... Zrozumiawszy, że z powodu derwiszów nie zdołam zbadać biegu tej rzeki, ponieważ skręca ona do Nilu, chciałem i ja iść na wschód, do oceanu...

– To wracajmy razem! – zawołał Staś.

– Ja już nie wrócę. Ndiri potargał mi tak muskuły i żyły, że musi przyjść zakażenie krwi. Tylko chirurg mógłby mnie uratować, gdyby mi odjął nogę. Teraz wszystko już zakrzepło i odrętwiało, ale pierwszego dnia gryzłem ręce z bólu...

– Pan wyzdrowieje z pewnością.

– Nie, mój dzielny chłopcze, ja umrę z pewnością, a ty mnie przykryjesz dobrze kamieniami, żeby hieny nie mogły mnie wygrzebać. Umarłemu to może wszystko jedno, ale za życia niemiło o tym myśleć... Ciężko umierać tak daleko od swoich...

Tu oczy zaszły mu jakby mgłą – po czym tak mówił dalej:

– Ale ja już rozprawiłem się z tą myślą, więc mówmy o was, nie o mnie. Dami ci jedną radę: pozostaje wam tylko jedna droga na wschód, do oceanu. Ale wypocznijcie przed tą drogą i nabierzcie sił. Inaczej twoja mała towarzyszka zamrze ci w ciągu kilku tygodni. Odłóżcie podróż do końca pory dżdżystej i nawet na dłużej. Pierwsze miesiące letnie, gdy deszcz przestanie padać, a woda pokrywa jeszcze błota, są najzdrowsze. Tu, gdzie jesteśmy, to już wyżyna, leżąca na siedemset metrów nad poziomem. Na wysokości tysiąca trzystu metrów febry już nie istnieją, a przyniesione z miejsc niższych mają przebieg daleko słabszy. Zabierz małą Angielkę i idźcie w góry...

Mówienie męczyło go widocznie bardzo, więc znów przerwał i przez jakiś czas opędzał się niecierpliwie od wielkich, błękitnych much, takich samych, jakie Staś widział na popieliskach Faszody.

Po czym tak mówił dalej:

– Uważaj pilnie, co ci powiem. O dzień drogi stąd na południe wznosi się osobna góra, nie wyższa nad osiemset metrów. Wygląda tak jak rondel przewrócony dnem do góry. Boki ma zupełnie strome i jedyny do niej dostęp stanowi skalisty grzbiet tak wąski, że w niektórych miejscach zaledwie dwa konie mogą iść obok siebie. Na płaskim jej szczycie, rozległym na kilometr albo więcej, była wioska murzyńska, ale mahdyści ludność wycięli i zabrali. Być może, że uczynił to ten Smain, któregom rozbił, lecz któremu niewolników nie odebrałem, gdyż wysłał ich już poprzednio pod dobrą eskortą nad Nil. Osiądźcie na tej górze. Jest tam źródło doskonałej wody, kilka pól manioku i mnóstwo bananów. W chatach znajdziecie dużo ludzkich kości, ale zarazy od trupów się nie bój, ponieważ po derwiszach były tam mrówki, które i nas stamtąd wyparły. Zresztą ani żywego ducha! Zostańcie w tej wiosce miesiąc lub dwa. Na tej wysokości febry nie ma. Noce bywają chłodne. Tam twoja mała odzyska zdrowie, ty zaś nabierzesz nowych sił.

– A potem co uczynić i dokąd iść?

– Potem będzie, co Bóg da. Postaracie się albo przedrzeć do Abisynii w miejscowościach położonych dalej, niż dochodzą derwisze, albo pójdziecie na wschód. Słyszałem, że Arabowie z wybrzeży docierają aż do jakiegoś jeziora w poszukiwaniu kości słoniowej, którą nabywają od szczepów Samburu i Wa-hima.

– Wa-hima? Kali pochodzi ze szczepu Wa-hima.

I Staś począł opowiadać Lindemu, w jaki sposób odziedziczył Kalego po śmierci Gebhra oraz że Kali mówił mu, iż jest synem naczelnika wszystkich Wa-himów.

Lecz Linde przyjął tę wiadomość obojętniej, niż Staś się spodziewał.

– Tym lepiej – rzekł – gdyż może być wam pomocnym. Bywają między czarnymi poczciwe dusze, choć w ogóle na ich wdzięczność liczyć nie można: to są dzieci, które zapominają o tym, co było wczoraj.

– Kali nie zapomni, żem go wybawił z rąk Gebhra, jestem tego pewny.

– Może – rzekł Linde i ukazując na Nasibu dodał: – To także dobre dziecko. Przygarnij go po mojej śmierci.

– Niech pan nie mówi i nie myśli o śmierci.

– Mój drogi – odpowiedział Szwajcar – ja jej sobie życzę, byle przyszła bez wielkiej męki. Pomyśl, że jestem teraz zupełnie bezbronny i gdyby który z tych mahdystów, których rozbiłem, zabłąkał się przypadkiem do tego parowu, mógłby mnie sam jeden zarżnąć jak owcę.

Tu pokazał na śpiących Murzynów:

– Tamci się już nie rozbudzą, a raczej źle mówię: każdy z nich budzi się na krótko przed śmiercią i w obłąkaniu ucieka w dżunglę, z której już nie wraca... Z dwustu ludzi pozostało mi sześćdziesięciu. Wielu uciekło, wielu umarło na ospę, a niektórzy posnęli w innych parowach.

Staś z litością i przerażeniem począł przypatrywać się śpiącym. Ciała ich były barwy popielatej, co u Murzynów oznacza bladość. Jedni mieli oczy zamknięte, drudzy na wpół otwarte, ale i ci spali głęboko, gdyż źrenice ich były nieczułe na światło. Niektórym popuchły kolana. Wszyscy byli przeraźliwie chudzi, tak że przez skórę można im było policzyć żebra. Ręce ich i nogi drżały nieustannie bardzo szybko. Owe błękitne wielkie muchy obsiadały im gęsto oczy i wargi.

– Czy nie ma dla nich ratunku? – zapytał Staś.

– Nie ma. Nad Wiktoria-Nianza choroba ta wyludnia całe wsie. Czasem sroży się bardziej, czasem mniej. Najczęściej zapadają na nią ludzie z wiosek położonych w pobrzeżnych zaroślach.

Słońce przeszło już na zachodnią stronę nieba, ale jeszcze przed wieczorem Linde opowiadał Stasiowi swoje dzieje. Był on synem kupca z Zurychu. Rodzina jego pochodziła z Karlsruhe, ale od 1848 roku przeniosła się do Szwajcarii. Ojciec jego zrobił wielki majątek na handlu jedwabiem. Kształcił syna na inżyniera, ale młodemu Henrykowi uśmiechały się od wczesnych lat podróże. Po ukończeniu politechniki, odziedziczywszy całą fortunę ojcowską, przedsięwziął pierwszą podróż do Egiptu. Były to czasy jeszcze przed Mahdim, więc dotarł aż do Chartumu i polował z Dangalami w Sudanie. Potem poświęcił się geografii Afryki i stał się tak biegłym jej znawcą, że wiele towarzystw geograficznych zaliczyło go w poczet swoich członków. Tę ostatnią podróż, która miała się skończyć dla niego tak fatalnie, rozpoczął od Zanzibaru. Dotarł do Wielkich Jezior i zamierzał przedrzeć się wzdłuż nieznanych dotychczas gór Karamojo do Abisynii, a stamtąd do wybrzeży oceanu. Ale Zanzibaryci nie chcieli iść dalej. Na szczęście lub na nieszczęście była wówczas wojna między królem Ugandy a Unioro. Linde oddał znaczne usługi królowi Ugandy, który w zamian za nie darował mu przeszło dwustu pagazich. Ułatwiło to całkowicie podróż i zwiedzanie gór Karamojo, ale następnie ospa objawiła się w szeregach, a po niej przyszła straszna choroba śpiączki – i ostateczna ruina karawany.

Linde posiadał znaczne zapasy wszelkiego rodzaju konserw, ale w obawie szkorbutu polował codziennie dla zdobycia świeżego mięsa. Był on wybornym strzelcem, lecz nie dość ostrożnym myśliwym. I stało się, że gdy przed kilku dniami zbliżył się lekkomyślnie do powalonego dzika ndiri, zwierz zerwał się i poszarpał mu okropnie nogę, a następnie podeptał krzyż. Zdarzyło się to tuż koło obozu i na oczach Nasibu, który podarłszy własną koszulę i uczyniwszy z niej bandaż zdołał zatamować upływ krwi i odprowadzić rannego do namiotu. W nodze jednak od wewnętrznego wylewu krwi potworzyły się skrzepy i choremu groziła gangrena.

Staś chciał go koniecznie opatrywać i oświadczył, że albo będzie przyjeżdżał codziennie, albo, by nie zostawiać Nel tylko pod opieką dwojga czarnych, przewiezie go między końmi na rozpiętych wojłokach na cypel, do „Krakowa".

Linde zgodził się na pomoc w opatrunkach, ale nie zgodził się na przewiezienie.

– Ja wiem – mówił wskazując na swoich Murzynów – że ci ludzie muszą pomrzeć, ale póki nie pomrą, nie mogę ich skazać na rozszarpanie żywcem przez hieny, które nocami tylko ogień trzyma w oddaleniu.

I począł powtarzać gorączkowo:

– Nie mogę, nie mogę, nie mogę!

Lecz uspokoił się zaraz i mówił dalej jakimś dziwnie wzruszonym głosem:

– Przyjdź tu jutro rano… Ja mam do ciebie prośbę, którą jeśli spełnisz, to może Bóg wyprowadzi was z tych afrykańskich czeluści, a mnie da śmierć lekką. Chciałem tę prośbę odłożyć do jutra, ale ponieważ jutro mogę być nieprzytomny, więc wypowiem ją dziś: weź wody w jakie naczynie, zatrzymaj się przed każdym z tych śpiących biedaków, pryśnij na niego wodą i powiedz te słowa: „Ja ciebie chrzczę – w imię Ojca i Syna i Ducha!…"

Tu wzruszenie zatamowało mu głos i zamilkł.

– Wyrzucam sobie – mówił po chwili – żem się nie żegnał tak z tymi, którzy umierali na ospę, i z tymi którzy posnęli poprzednio. Lecz teraz śmierć stoi nade mną… i chciałbym… choć z tą resztą mojej karawany pójść razem w tę ostatnią wielką podróż…

To rzekłszy wskazał ręką na rozpłomienione niebo – i dwie łzy spłynęły mu zwolna po policzkach.

Staś płakał jak bóbr.

Rozdział 34

Nazajutrz poranne słońce oświeciło dziwne widowisko. Staś chodził wzdłuż skalnej ściany, zatrzymywał się przed każdym Murzynem, skrapiał mu czoło wodą i wymawiał nad nim sakramentalne słowa. A oni spali z drżeniem rąk i nóg, z głową spuszczoną na piersi lub podniesioną do góry, żywi jeszcze, a podobni już do trupów. I tak się odbywał ten chrzest śpiących, w ciszy porannej, w blasku słonecznym, w głuszy pustynnej. Niebo było tego dnia bez chmur, wysokie, siwobłękitne i jakby smutne.

Linde był jeszcze przytomny, ale coraz słabszy. Po opatrunku wręczył Stasiowi zamknięte w blaszanym futerale papiery, polecił je jego opiece i nie przemówił nic więcej. Nie mógł już jeść, ale pragnienie dręczyło go okrutnie. Znacznie przed zachodem słońca zaczął majaczyć. Wołał na jakieś dzieci, by nie odpływały za daleko na jezioro, a w końcu jął się rzucać w dreszczach i obejmować głowę rękoma.

Następnego dnia wcale już Stasia nie poznał, a w trzy dni później zmarł w samo południe, nie odzyskawszy przytomności. Staś opłakał go szczerze, po czym obaj z Kalim zanieśli go do pobliskiej wąskiej jaskini, której otwór założyli cierniem i kamieniami.

Małego Nasibu zabrał Staś do „Krakowa". Kalemu zaś kazał pilnować na miejscu zapasów i palić nocami przy śpiących wielki ogień. Sam krążył ciągle między dwoma wąwozami przewożąc toboły, broń, a szczególnie ładunki do remingtonów, z których to ładunków wydobywał proch i urządzał minę dla rozsadzenia skały zamykającej Kinga. Szczęściem zdrowie Nel po codziennych dawkach chininy poprawiło się znacznie, a większa rozmaitość pokarmów wzmocniła jej siły. Staś opuszczał ją jednak zawsze niechętnie i z obawą, a odjeżdżając nie pozwalał jej wychodzić z drzewa i zamykał otwór kolczastymi gałęziami akacji. Musiał jednak z powodu nawału zajęć, jakie na niego spadły, zostawiać ją pod opieką Mei, Nasibu i Saby, na którego zresztą liczył najwięcej. Wolał po kilkanaście razy na dzień jeździć po toboły do obozu Lindego niż zostawiać dziewczynkę samą na dłużej. Spracował się też okrutnie, ale żelazne jego zdrowie wytrzymywało wszelkie trudy. Jednakże dopiero po dniach dziesięciu toboły były rozdzielone, mniej potrzebne pochowane w jaskiniach, potrzebniejsze dostawione do „Krakowa" – konie sprowadzone również na cypel, a na koniach przewieziono sporą ilość remingtonów, które miał ponieść King.

Przez ten czas w obozie Lindego raz w raz któryś ze śpiących Murzynów zrywał się w przedśmiertnym paroksyzmie choroby, uciekał w dżunglę i już nie powracał. Byli jednak tacy, którzy umierali na miejscu, a niektórzy, biegnąc na oślep, rozbijali sobie głowy o skały w samym obozie lub też w pobliżu. Tych grzebać musiał Kali. Po dwóch tygodniach został już tylko jeden, ale i ten zmarł niebawem we śnie – z wycieńczenia.

Nadszedł wreszcie czas wysadzenia skały i oswobodzenia Kinga. Był on tak oswojony, że na rozkaz Stasia chwytał go trąbą i zakładał sobie na kark. Przyzwyczaił się też i do dźwigania ciężarów, które Kali wciągał mu po bambusowej drabince na grzbiet. Nel twierdziła, że obarczają go zanadto, ale naprawdę było to wszystko dla niego muchą i dopiero toboły odziedziczone po Lindem mogły stanowić poważniejszy ładunek. Z Sabą, na którego widok okazywał z początku wielki niepokój, zaprzyjaźnił się już ostatecznie i bawił się z nim w ten sposób, że przewracał go trąbą na ziemię, a Saba udawał, że gryzie. Czasami jednak oblewał niespodzianie psa wodą, co ów uważał za żart w zupełnie złym rodzaju.

Głównie jednak cieszyło dzieci to, że pojętne i poważnie myślące zwierzę rozumiało wszystko, czego od niego żądano, i zdawało sobie sprawę nie tylko z każdego rozkazu, lecz z każdego polecenia, z każdego nawet skinienia. Pod tym względem słonie przewyższają niezmiernie wszystkie inne domowe zwierzęta, a King przewyższał bez żadnego porównania Sabę, który na wszelkie przestrogi Nel kiwał ogonem, a potem robił, co chciał. King po kilku tygodniach pomiarkował doskonale, że na przykład osobą której najwięcej trzeba słuchać, jest Staś, a osobą, o którą najwięcej wszyscy dbają – Nel. Więc spełniał najbaczniej rozkazy Stasia, a najbardziej kochał Nel. Z Kalego mniej sobie robił, a Meę lekceważył zupełnie.

Staś po urządzeniu miny wcisnął ją w najgłębszą szparę, po czym zalepił całkowicie szparę gliną zostawiając tylko mały otwór, przez który zwieszał się lont ukręcony z suchych włókien palmowych i potarty zmielonym prochem. Stanowcza chwila wreszcie nadeszła; Staś zapalił osobiście naprochowany sznurek, po czym pomknął, ile miał sił w nogach do drzewa, w którym poprzednio wszystkich pozamykał. Nel obawiała się, czy King nie zanadto się przestraszy, lecz chłopiec uspokoił ją naprzód tym, że wybrał dzień, w którym rano przeszła burza z grzmotami, a po wtóre, zapewnieniem, że dzikie słonie słyszą nieraz huk piorunów, gdy żywioły niebieskie rozpętają się nad dżunglą. Siedzieli jednak z bijącym sercem, licząc minutę za minutą. Straszliwy huk targnął wreszcie powietrzem tak, że potężny baobab zadrżał od góry aż do dołu, a resztki niewyskrobanego próchna posypały się im na głowy. Staś wyskoczył w tej samej chwili z drzewa i omijając zakręty wąwozu pobiegł do przejścia.

Skutki wybuchu okazały się nadzwyczajne. Jedna połowa wapiennej skały rozsypała się na drobne szczątki, druga pękła na kilkanaście większych i mniejszych kawałów, które siła eksplozji porozrzucała na dość znaczej przestrzeni.

Słoń był wolny.

Uradowany chłopak podskoczył teraz na brzeg krawędzi, gdzie już zastał Nel wraz z Meą i Kalim. King przestraszył się jednak trochę i cofnąwszy się na sam brzeg wąwozu, stał z podniesioną trąbą patrząc w stronę, w której rozległ się grzmot tak niezwykły. Lecz gdy Nel poczęła na niego wołać, przestał zaraz poruszać uszami, gdy zaś zeszła do niego przez otwarte już przejście, uspokoił się zupełnie. Więcej jednak od Kinga przeraziły się konie, z których dwa zbiegły w dżunglę, tak że Kali odnalazł je dopiero przed samym zachodem słońca.

Tegoż dnia jeszcze Nel wyprowadziła Kinga „na świat". Kolos szedł za nią posłusznie jak mały piesek, a następnie wykąpał się w rzece i sam pomyślał o swej wieczerzy, w ten mianowicie sposób, że oparłszy głowę o duży sykomor złamał go jak wątłą trzcinę, a następnie objadł starannie owoce i liście.

Wrócił jednak wieczorem pod drzewo i wtykając co chwila swój sążnisty nos przez otwór, szukał Nel tak gorliwie i natrętnie, że w końcu Staś musiał mu dać porządnego klapsa po trąbie.

Najwięcej jednak rad z wyniku tego dnia był Kali, gdyż spadło mu z głowy gromadzenie żywności dla olbrzyma, co wcale nie było łatwą rzeczą. Toteż Staś i Nel słyszeli go, jak rozpalając ogień do wieczerzy śpiewał nowy hymn radosny, ułożony w następujących słowach:

– Pan wielki zabijać ludzi i lwy! *Yah!, Yah!, Yah!* pan wielki kruszyć skały, *yah!* Słoń sam łamać drzewa, a Kali próżnować i jeść – *yah! Yah!*

Pora dżdżysta, czyli tak zwana massika, miała się ku końcowi. Bywały jeszcze dni chmurne i ulewne, ale bywały i całkiem pogodne. Staś postanowił przenieść się na wskazaną mu przez Lindego górę i zamiar ten przeprowadził wkrótce po uwolnieniu Kinga. Zdrowie Nel nie stało już na zawadzie, gdyż miała się stanowczo lepiej.

Wybrawszy więc pogodny ranek, wyruszyli na południe. Nie bali się już teraz zbłądzić, gdyż chłopiec odziedziczył po Lindem, wśród mnóstwa rozmaitych przedmiotów, kompas i wyborną lunetę, przez którą łatwo było dojrzeć odległe nawet miejscowości. Szło z nimi prócz Saby i osła, pięć obładowanych koni i słoń. Ten prócz tobołów na grzbiecie niósł na karku i Nel, która między jego niezmiernymi uszyma wyglądała tak, jakby siedziała w wielkim fotelu. Staś bez żalu porzucał nadrzeczny cypel i baobab, albowiem łączyło się z nim wspomnienie choroby Nel. Natomiast dziewczynka spoglądała smutnymi oczyma na skały, na drzewo, na wodospad i zapowiedziała, że wróci tu jeszcze, jak będzie „duża".

Jeszcze smutniejszy był jednak mały Nasibu, który kochał szczerze dawnego pana – i obecnie, jadąc na ośle na końcu karawany, oglądał się co chwila ze łzami w stronę, gdzie biedny Linde pozostał aż do dnia Wielkiego Sądu.

Wiatr wiał z północy i dzień był niezwykle chłodny. Dzięki temu nie potrzebowali przeczekiwać od dziesiątej do trzeciej, dopóki nie przejdzie największy upał – i mogli zrobić więcej drogi, niż to czynią zwykle karawany. Droga nie była długa i na kilka godzin przed zachodem słońca Staś dojrzał już górę, ku której dążyli. W dali rysowało się na tle nieba długie pasmo innych szczytów, a ona wznosiła się bliżej i osobno, zupełnie jak wyspa wśród morza dżungli. Gdy przyjechali bliżej, okazało się, że strome jej boki oblewa pętlica tejże samej rzeki, nad którą siedzieli poprzednio. Szczyt był ścięty, płaski zupełnie i widziany z dołu, wydawał się pokryty jednym gęstym lasem. Staś wyliczył, że skoro cypel, na którym rósł baobab, wyniesiony był na siedemset metrów, a góra na osiemset, będą więc mieszkali na wysokości tysiąca pięciuset metrów, a zatem w klimacie niewiele już gorętszym od egipskiego. Myśl ta dodała mu otuchy i chęci do jak najprędszego zajęcia tej naturalnej fortecy.

Jedyny grzbiet skalisty, który do niej prowadził, znaleźli łatwo i poczęli się nim wpinać. Po upływie półtorej godziny stanęli na szczycie. Ów las widziany z dołu był istotnie lasem, ale bananów. Widok ich uradował nadzwyczajnie wszystkich nie wyłączając Kinga, ale szczególnie rad był Staś, wiedział bowiem, że nie masz w Afryce posilniejszego, zdrowszego i bardziej zapobiegającego wszelkim chorobom pokarmu jak mąka z wysuszonych bananowych owoców. Było ich zaś tyle, że mogło starczyć choćby na rok.

Wśród olbrzymich liści tych roślin ukryte były chaty murzyńskie, niektóre popalone w czasie napadu, inne zrujnowane – ale niektóre całe. W środku wznosiła się największa, należąca niegdyś do króla wioski, pięknie ulepiona z gliny, z obszernym dachem tworzącym naokół ścian rodzaj werandy. Przed chatami leżały tu i ówdzie kości i całe kościotrupy ludzkie, białe jak kreda, albowiem oczyszczone przez mrówki, o których najściu wspominał Linde. Od tego najścia upłynęło już wiele tygodni, jednakże w chatach czuć było jeszcze zakwas mrówczany i nie można się w nich było dopatrzyć ani czarnych, wielkich karaluchów, które roją się zwykle w lepiankach murzyńskich, ani pająków, ani skorpionów, ani najmniejszego owadu. Wszystko wyprzątnęły straszliwe siafu. Można też było być pewnym, że na całym szczycie nie ma ani jednego węża, gdyż nawet boa padają ofiarą tych niepohamowanych małych wojowników.

Po wprowadzeniu Nel i Mei do chaty naczelnika Staś wydał rozkaz Kalemu i Nasibu uprzątnięcia ludzkich kości. Czarni chłopcy spełnili to polecenie w ten sposób, że powrzucali je do rzeki, która poniosła je dalej. Przy tej czynności okazało się jednak, że Linde mylił się zapowiadając, iż nie zastaną na górze ani żywego ducha. Cisza panująca po zagarnięciu ludzi przez derwiszów i widok bananów przynęciły tu spore stado szympansów, które na wyższych drzewach pourządzały sobie nawet rodzaj parasoli lub daszków dla ochrony od deszczu. Staś nie chciał ich zabijać, ale postanowił je wygnać i w tym celu wystrzelił w powietrze. Wywołało to ogólny popłoch, który powiększył się jeszcze, gdy po strzale rozległo się zajadłe, basowe szczekanie Saby i gdy King, podniecony hałasem, zatrąbił groźnie. Ale małpy dla wykonania rejterady nie potrzebowały szukać skalistego grzbietu i chwytając się załomów skał, pospuszczały się ku rzece i rosnących przy niej drzewom z taką szybkścią, że kły Saby nie mogły żadnej dosięgnąć.

Słońce zaszło. Kali i Nasibu rozpalili ogień dla zagotowania wieczerzy. Staś po rozpakowaniu potrzebnych na noc rzeczy udał się do chaty króla, którą zajęła Nel.

W chacie było widno i wesoło, albowiem Mea rozpaliła nie kaganek, który rozświecał wnętrze baobabu, ale dużą, odziedziczoną po Lindem lampę podróżną. Nel nie czuła się wcale zmęczona podróżą w dzień tak chłodny i wpadła w doskonały humor, zwłaszcza gdy Staś oznajmił jej, że kości ludzkie, których się bała, są uprzątnięte.

– Jak tu dobrze, Stasiu! – zawołała – Patrz i podłoga nawet wylana jest żywicą. Będzie nam tu doskonale.

– Jutro dopiero obejrzę dokładnie całą posiadłość – odpowiedział – wnosząc jednak z tego, com dziś widział, można by tu mieszkać choćby całe życie.

– Żeby z tatusiami, to można by. Ale jak się będzie nazywała posiadłość?

– Góra powinna się nazywać w geografii Górą Lindego, a ta wioska niech się nazywa tak jak ty: Nel.

– To i ja będę w geografii? – zapytała z wielką radością.

– A będziesz, będziesz – odpowiedział z całą powagą Staś.

Rozdział 35

Na drugi dzień popadywał trochę deszcz, ale że były i godziny pogody, więc Staś wybrał się wczesnym rankiem na zwiedzenie posiadłości i do południa obejrzał wszystkie jej kąty doskonale. Przegląd wypadł na ogół świetnie. Naprzód, pod względem bezpieczeństwa, Góra Lindego była jakby wybranym miejscem w całej Afryce. Zbocza jej okazały się dostępne chyba dla szympansów. Lwy ani pantery nie mogły się po nich wdrapać na szczytową płaszczyznę. Co do skalistego grzbietu, dość było umieścić przy wejściu Kinga, aby spać bezpiecznie na oba uszy. Staś doszedł do przekonania, że potrafiłby się tu obronić nawet mniejszym oddziałom derwiszów, gdyż droga wiodąca na górę była tak wąska, że King zaledwie przez nią przeszedł – i człowiek uzbrojony w dobrą broń mógł nie przepuścić żywego ducha. W środku „wyspy” biło źródło chłodnej, czystej jak kryształ wody, które zmieniało się w strumień i biegnąc wężowato wśród bananowych gajów spadało wreszcie ze stromego wiszaru do rzeki, tworząc wąski, podobny do białej taśmy wodospad. W południowej stronie „wyspy” leżały pola pokryte bujnie maniokiem, którego korzenie dostarczają Murzynom ulubionego pokarmu, a za polami wznosiły się grupy wyniosłych niezmiernie palm kokosowych z koronami w kształcie wspaniałych pióropuszów.

„Wyspę” otaczało morze dżungli i widok z niej był ogromnie rozległy. Od wschodu siniało pasmo gór

Karamojo. Na południu widać było też znaczne wyniosłości, które, wnosząc z ich ciemnej barwy, musiały być
pokryte lasem. Natomiast ze strony zachodniej wzrok
leciał aż do granicy widnokręgu, na której dżungla styka-
ła się z niebem. Staś dojrzał jednakże za pomocą lunety
Lindego liczne parowy i rozrzucone rzadko potężne drzewa, wznoszące się jak kościoły nad trawami. W miejscach
gdzie trawy nie wybujały jeszcze zbyt wysoko, nawet gołym
okiem można było zobaczyć całe stada antylop i zebr lub
gromady słoni i bawołów. Tu i ówdzie żyrafy pruły szaro-
zieloną powierzchnię dżungli, jak statki prują powierzchnię
morza. Tuż nad rzeką igrało kilkanaście kozłów wodnych,
a inne wynurzały co chwila swe rogate łby z głębiny. Tam
gdzie toń była spokojna, wyskakiwały nad nią co chwila
owe ryby, które łowił Kali, i migocąc jak srebrne gwiazdy
w powietrzu, zapadały na powrót w wodę. Staś obiecywał
sobie przyprowadzić tu, gdy się pogoda ustali, Nel i pokazać
jej całą tę menażerię.

Na „wyspie" nie było natomiast żadnych większych
zwierząt, a za to moc motyli i ptaków. Wielkie, białe
jak śnieg papugi o czarnych dziobach i żółtych czubach
przelatywały nad krzakami gojawów; drobne, cudnie upierzone „wdowy" kołysały się na cienkich łodygach manioku,
mieniąc się i błyszcząc jak klejnoty, a z wysokich kokosów
dochodziły głosy kukułek afrykańskich i łagodne, podobne
do jęków gruchania turkawek.

Staś wracał z przeglądu z radością w duszy: „Powietrze
jest zdrowe – mówił sobie – bezpieczeństwo zupełne, żywności w bród i pięknie jak w raju!" Wróciwszy do chaty Nel
przekonał się, że jednak na „wyspie" znalazło się większe
zwierzę, a nawet dwoje, gdyż mały Nasibu wykrył przez

ten czas w gęstwinie bananów kozę z koźlęciem, których nie zdołali zrabować derwisze. Koza była już trochę zdziczała, ale koźlę zaprzyjaźniło się natychmiast z Nasibu, który niezmiernie dumny był ze swego odkrycia i z tego, że za jego przyczyną bibi będzie miała teraz codziennie wyborne, świeże mleko.

– Co teraz będziemy robili, Stasiu? – zapytała pewnego dnia Nel, gdy już dobrze zagospodarowali się na „wyspie”.

– Roboty jest mnóstwo – odrzekł chłopak, po czym rozstawiwszy palce jednej ręki począł wyliczać na nich wszystkie czekające ich prace:

– Naprzód, Kali i Mea są poganami, a Nasibu, jako Zanzibarczyk, mahometaninem. Trzeba ich więc oświecić, nauczyć wiary i ochrzcić. Po wtóre, trzeba nawędzić mięsa na przyszłą podróż, a zatem muszę chodzić na polowanie; po trzecie, mając dużo broni i nabojów chcę Kalego nauczyć strzelać, aby nas dwóch było do obrony; a po czwarte, chyba zapomniałaś o latawcach?

– O latawcach?

– Tak, które będziesz kleiła albo, co jeszcze będzie lepiej, zszywała. I to będzie twoje zajęcie.

– Ja nie chcę się tylko bawić.

– Wcale też to nie będzie zabawa, ale robota, może najpożyteczniejsza ze wszystkich. Nie myśl też, że skończy się na jednym latawcu, bo musisz ich przygotować z pięćdziesiąt albo i więcej.

– Ale na co tyle? – pytała rozciekawiona dziewczynka.

Więc Staś począł jej wyłuszczać swoje zamysły i nadzieje. Wypisze oto na każdym latawcu, jak się zowią, jak wyrwali się z rąk derwiszów, gdzie są i dokąd idą. Wypisze także, że proszą o pomoc i o przesłanie depeszy do Port-Saidu. Potem zaś będzie puszczał te latawce zawsze, gdy wiatr będzie wiał z zachodu na wschód.

– Wiele ich – mówił – upadnie niedaleko, wiele zatrzymają góry, ale niech choć jeden doleci do brzegu i wpadnie w ręce europejskie – wówczas jesteśmy ocaleni!

Nel zachwycona była pomysłem i oświadczyła, że z mądrością Stasia nawet King nie może się porównać. Była też zupełnie pewna, że mnóstwo latawców doleci nawet do tatusiów – i obiecywała kleić je od rana do wieczora. Radość jej była tak wielka, że Staś w obawie, by nie dostała gorączki, musiał hamować jej zapał.

I odtąd prace, o których mówił Staś, rozpoczęły się na dobre. Kali, któremu kazano nałapać jak najwięcej skaczących ryb, przestał je łowić na wędkę, a natomiast urządził z cienkich bambusów wysoki płot, a raczej rodzaj kraty – i zastawę tę przeciągnął w poprzek rzeki. W środku kraty był duży otwór, przez który ryby musiały koniecznie przepływać chcąc dostać się na wolną wodę. Otwór ten zastawiał Kali mocną siecią, uplecioną ze sznurków palmowych; w ten sposób zapewnił sobie obfite codzienne połowy.

Napędzał zaś ryby do zdradzieckiej sieci za pomocą Kinga, który wprowadzony w wodę, mącił ją i burzył tak niesłychanie, że nie tylko owe srebrne skoczki, ale wszelkie inne stworzenia umykały, ile mogły, ku niezmąconej toni. Zdarzały się z tego powodu i szkody, gdyż kilkakrotnie uciekające krokodyle przewracały kratę, a czasem czynił to i sam King, żywiąc bowiem do krokodylów jakąś wrodzoną nienawiść ścigał je, a gdy znalazły się na płytkich wodach, chwytał je trąbą, wyrzucał na brzeg i rozdeptywał zawzięcie.

W sieci znajdowały się także często żółwie, z których mali wygnańcy warzyli sobie wyborny rosół. Kali oprawiał ryby i mięso ich suszył na słońcu, a pęcherze odnosił do Nel, która rozcinała je, rozciągała na desce i zmieniała je jakby w ćwiartki papieru, tak duże jak dwie dłonie. Pomagał jej w tym Staś i Mea, gdyż robota wcale nie była łatwa. Błonki były znacznie grubsze niż w pęcherzach naszych ryb rzecznych, ale po wysuszeniu stawały się niezmiernie kruche. Staś dopiero po niejakim czasie odkrył, że należy je suszyć w cieniu. Chwilami jednak tracił cierpliwość i jeśli nie zarzucił zamiaru robienia latawców z błon, to tylko dlatego, że uważał je za lżejsze od papierowych i bardziej oporne na deszcz. Zbliżała się już wprawdzie sucha pora roku, ale on nie był pewien, czy i podczas lata nie przechodzą czasem deszcze, zwłaszcza w górach.

Kleił jednak latawce i z papieru, którego sporo znalazło się między rzeczami Lindego. Pierwszy, duży i lekki, puszczony z wiatrem zachodnim, wzbił się od razu bardzo wysoko, a gdy Staś przeciął sznurek, poleciał, porwany silnym prądem powietrznym ku łańcuchowi gór Karamojo. Staś śledził jego lot za pomocą lunety, póki nie stał się tak mały jak motyl, jak muszka i póki nie roztopił się wreszcie w bladym błękicie nieba. Następnego dnia puścił inny, uczyniony już z rybich pęcherzy, który wzbił się jeszcze szybciej, ale zapewne z powodu przezroczystości błon wkrótce zniknął zupełnie z oczu.

Nel pracowała nadzwyczaj gorliwie i w końcu małe jej paluszki stały się tak zręczne, że ani Staś, ani Mea nie mogli jej w robocie nadążyć. Sił jej teraz nie brakło. Zdrowy klimat Góry Lindego po prostu odrodził ją na nowo. Termin, w którym mógł przyjść trzeci, śmiertelny atak febry, minął stanowczo. Staś zaszył się tego dnia w gęstwinie bananów i płakał z radości. Po dwóch tygodniach pobytu na górze zauważył, że dobre Mzimu wygląda zupełnie inaczej, niż wyglądało na dole w dżungli. Policzki jej popełniały; cera z żółtej i przezroczystej stała się na powrót różana, a spod obfitej czupryny patrzyły wesoło na świat oczy pełne blasku. Chłopiec błogosławił chłodne noce, przezroczystą zdrojową wodę, mąkę z suszonych bananów – i przede wszystkim Lindego.

Sam wychudł i sczerniał, co było dowodem, że febra się go nie ima, gdyż chorzy na nią nie opalają się na słońcu, ale wyrósł, i zmężniał. Ruch i praca fizyczna spotęgowały w nim dzielność i siłę. Muskuły jego rąk i nóg stały się jak stalowe. Był to naprawdę zahartowany już podróżnik afrykański. Polując codziennie i strzelając tylko kulami stał się też niezrównanym strzelcem. Dzikich zwierząt nie obawiał się już wcale, albowiem zrozumiał, że kudłatym lub cętkowanym myśliwcom w dżungli niebezpieczniej jest z nim się spotkać niż jemu z nimi. Raz zabił jednym strzałem wielkiego nosorożca, który, zbudzony z drzemki pod akacją, szarżował na niego niespodzianie. Z napastliwych bawołów afrykańskich, które rozpraszają czasem całe karawany, nic sobie nie robił.

Oboje z Nel, prócz klejenia latawców i obok innych codziennych zajęć, zabrali się także do nawracania Kalego, Mei i Nasibu. Ale poszło to trudniej, niż się spodziewali. Czarna trójka słuchała jak najchętniej nauk, ale pojmowała je na swój, właściwy Murzynom, sposób. Gdy Staś opowiadał im o stworzeniu świata, o raju i o wężu, szło jeszcze nieźle, ale gdy doszedł do tego, jak Kain zabił Abla, Kali mimo woli pogłaskał się po żołądku i zapytał z całym spokojem:

– A czy go potem zjadł?

Czarny chłopak twierdził wprawdzie zawsze, że Wahima nigdy ludzi nie jedzą, ale widocznie pamięć o tym pozostała jeszcze jako narodowa tradycja między nimi.

Nie mógł również zrozumieć, dlaczego Pan Bóg nie zabił złego Mzimu – i wielu podobnych rzeczy. Pojęcia o złem i dobrem miał także aż nadto afrykańskie, wskutek czego między nauczycielem a uczniem zdarzyła się pewnego razu taka rozmowa:

– Powiedz mi – zapytał Staś – co to jest zły uczynek?

– Jeśli ktoś Kalemu zabrać krowy – odpowiedział po krótkim namyśle – to jest zły uczynek.

– Doskonale! – zawołał Staś. – A dobry?

Tym razem odpowiedź przyszła bez namysłu:

– Dobry, jak Kali zabrać komu krowy.

Staś był zbyt młody, by zmiarkować, że podobne poglądy na złe i dobre uczynki wygłaszają i w Europie – nie tylko politycy, ale i całe narody.

Jednakże powoli, powoli rozjaśniało się w czarnych głowach, a to, czego nie mogły pojąć głowy, chwytały gorące serca. Po pewnym czasie można było już przystąpić do chrztu, który odbył się bardzo uroczyście. Rodzice chrzestni ofiarowali każdemu z dzieci po cztery dotis białego perkalu i po biczu niebieskich paciorków. Mea czuła się wszelako nieco zawiedziona, albowiem w naiwności ducha rozumiała, że po chrzcie wybieleje natychmiast na niej skóra, i wielkie było jej zdziwienie, gdy spostrzegła, że pozostała czarna jak przedtem. Nel pocieszyła ją jednak zupełnie zapewnieniem, że ma teraz duszę białą.

Rozdział 36

Staś uczył także Kalego strzelać z karabinu Remingtona i ta nauka szła łatwiej od nauki katechizmu. Po dziesięciodniowym strzelaniu do celu i do krokodyli, które sypiały na pobrzeżnych piaskach rzeki, młody Murzyn zabił dużą antylopę pufu, potem kilka arieli, a wreszcie dzika ndiri. To jednak spotkanie omal nie skończyło się wypadkiem takim, jaki zdarzył się Lindemu, albowiem ndiri, do którego Kali po strzale zbliżył się niebacznie, zerwał się i rzucił się na niego z postawionym do góry ogonem. Kali cisnąwszy karabin schronił się na drzewo i siedział na nim dopóty, dopóki krzykiem nie przywołał Stasia, który jednakże zastał już dzika nieżywego. Na bawoły, lwy i nosorożce Staś nie pozwalał jeszcze chłopcu polować. Do słoni, które przychodziły nocami do wodopoju, i sam nie strzelał, gdyż obiecał Nel, że nigdy żadnego nie zabije.

Gdy jednak rano albo w godzinach popołudniowych dojrzał z góry przez lunetę pasące się w dżungli stada zebr, bubalów, arieli lub kozłów-skoczków, brał Kalego ze sobą. W czasie tych wycieczek często wypytywał się o narody Wa-hima i Samburu, z którymi, chcąc iść na wschód do brzegów oceanu, musieli koniecznie się spotkać.

– Czy ty wiesz o tym, Kali – zapytał pewnego razu – że za dwadzieścia dni, a na koniach nawet prędzej, moglibyśmy dojechać do twego kraju?

– Kali nie wie, gdzie mieszkać Wa-hima – odpowiedział młody Murzyn potrząsając smutnie głową.

– Ale ja wiem; oni mieszkają w tej stronie, z której rano wstaje słońce, nad jakąś wielką wodą.

– Tak! tak! – zawołał ze zdumieniem i radością chłopak. – Bassa-Narok! To po naszemu wielka i czarna woda. Pan wielki wiedzieć wszystko.

– Nie, bo nie wiem, jak przyjęliby nas Wa-hima, gdybyśmy do nich przyszli.

– Kali by kazać im padać na twarz przed panem wielkim i przed dobrym Mzimu.

– A czyby cię usłuchali?

– Ojciec Kalego nosić skórę lamparta i Kali także.

Staś zrozumiał, iż to znaczy, że ojciec Kalego jest królem, a on sam najstarszym z jego synów i przyszłym władcą Wa-himów.

Więc pytał w dalszym ciągu:

– Mówiłeś mi, że byli u was biali podróżnicy i że starsi ludzie ich pamiętają?

– Tak, i Kali słyszał, że mieli na głowach dużo perkalu.

„Ach! – pomyślał Staś – więc to nie byli Europejczycy, tylko Arabowie, których Murzyni z powodu ich jaśniejszej cery i białych ubrań poczytali za białych”.

Ponieważ jednak Kali ich nie pamiętał i nie mógł dać o nich żadnych ściślejszych objaśnień, więc Staś zadał mu inne pytanie:

– Czy Wa-hima nie zabili żadnego z tych biało ubranych ludzi?

– Nie. Wa-hima ani Samburu nie mogą tego zrobić.

– Dlaczego?

– Bo oni mówili, że gdyby krew ich wsiąknąć w ziemię, deszcz przestać by padać.

„Rad jestem, że tak wierzą" – pomyślał znów Staś.

Po czym jeszcze zapytał:

– Czy Wa-hima poszliby z nami aż do morza, gdybym obiecał im dużo perkalu, paciorków i strzelb?

– Kali pójść i Wa-hima także, ale pan wielki zwojować pierwej Samburu, którzy siedzą z drugiej strony wody.

– A kto siedzi za Samburu?

– Za Samburu nie ma gór i jest dżungla, a w niej lwy.

Na tym skończyła się rozmowa. Staś coraz częściej myślał teraz o wielkiej podróży na wschód, pamiętając, co mówił Linde, że można spotkać Arabów znad wybrzeży, handlujących kością słoniową, a może i wyprawy misyjne. Wiedział, że taka podróż to dla Nel szereg strasznych trudów i nowych niebezpieczeństw, ale rozumiał, że nie mogą przez całe życie pozostać na Górze Lindego i że trzeba będzie wkrótce wyruszyć w drogę. Czas po porze dżdżystej, gdy woda pokrywa zaraźliwe błota, a sama znajduje się wszędzie, był na to najodpowiedniejszy. Upały na wysokim szczycie nie dawały im się jeszcze we znaki; noce były tak chłodne, że trzeba się było dobrze okrywać. Ale w dżungli na dole było już znacznie goręcej i wiadomo było, że wkrótce przyjdą skwary niezmierne. Deszcz rzadko już teraz zraszał ziemię i poziom wody w rzece zniżał się codziennie. Staś przypuszczał, że latem zmienia się ona może w jeden z takich khorów, jakich wiele widział w Pustyni Libijskiej, i że tylko samym środkiem jej koryta płynie wąski pasek wody.

Jednakże odkładał wyjazd z dnia na dzień. Na Górze Lindego było wszystkim tak dobrze, zarówno ludziom, jak zwierzętom! Nel pozbyła się tu nie tylko febry, ale i anemii, Stasia nawet nie zabolała nigdy głowa; skóra na Kalim i Mei poczęła świecić jak ciemny atłas. Nasibu wyglądał jak melon chodzący na cienkich nogach, a King spasł się nie mniej niż konie i osioł. Staś wiedział dobrze, że takiej drugiej „wyspy" wśród morza dżungli nie znajdą już do końca podróży.

I z obawą patrzył w przyszłość, jakkolwiek mieli teraz ogromną pomoc, a w danym razie i obronę Kinga.

W ten sposób, nim zaczęli przygotowania podróżne, upłynął jeszcze tydzień. W chwilach wolnych od robienia pakunków nie przestawiali jednak puszczać latawców z oznajmieniem, że idą na wschód, ku jakiemuś jezioru i ku oceanowi, a puszczali je w dalszym ciągu dlatego, że przyszedł silny, podobny chwilami do huraganu wiatr zachodni, który porywał je i niósł hen, ku górom i za góry. Aby zabezpieczyć Nel od spiekoty, Staś zrobił z resztek namiotu palankin, w którym dziewczynka mogła jechać na słoniu. King po kilku próbach przyzwyczaił się do tego niewielkiego ciężaru, jak również do przymocowywania mu na grzbiecie palankinu za pomocą mocnych sznurów palmowych. Ten ładunek był zresztą piórkiem w porównaniu do innych, którymi zamierzano go objuczyć, a których rozdziałem i wiązaniem zajęci byli Kali i Mea.

Mały Nasibu dostał polecenie suszenia bananów i rozcierania ich między dwoma płaskimi kamieniami na mąkę. W zrywaniu ciężkich wiązek owocowych pomagał mu także King, przy czym objadali się obaj tak niesłychanie, że wkrótce w pobliżu chat zbrakło zupełnie bananów i musieli chodzić do innej plantacji, położonej na przeciwległym krańcu płaskowzgórza. Saba, który nie miał nic do roboty, towarzyszył im najczęściej w tych wycieczkach.

Ale Nasibu omal nie przypłacił swej gorliwości życiem albo przynajmniej szczególną w swoim rodzaju niewolą. Zdarzyło się bowiem, że gdy raz zbierał banany nad brzegiem stromego wiszaru, ujrzał nagle w szczerbie skalnej okropną twarz, pokrytą czarną sierścią, mrugającą nań oczyma i wyszczerzająca białe kły jakby w uśmiechu. Chłopiec skamieniał w pierwszej chwili ze strachu, a następnie począł zmykać co siły. Zanim jednak przebiegł kilkanaście kroków, kosmate ramię obwinęło go dokoła, podniosło w górę i czarny jak noc potwór począł z nim uciekać do przepaści.

Na szczęście olbrzymia małpa porwawszy chłopca mogła biec tylko na dwóch nogach, wskutek czego Saba, który był w pobliżu, dognał ją z łatwością i zatopił kły w jej plecach. Rozpoczęła się straszliwa walka, w której pies pomimo swego potężnego wzrostu i sił, byłby uległ z pewnością, albowiem goryl pokonywa nawet lwa. Małpy jednak w ogóle nie mają zwyczaju puszczać zdobyczy, choćby chodziło o ich wolność i życie. Goryl, pochwycony przy tym z tyłu, nie mógł łatwo Saby dosięgnąć, wszelako porwawszy go za kark lewą ręką, już podniósł go w górę, gdy wtem zadudniła pod ciężkimi krokami ziemia – i nadbiegł King.

Wystarczyło jedno lekkie uderzenie trąbą, by straszny „leśny diabeł", jak nazywają goryle Murzyni, legł ze zdruzgotaną czaszką i karkiem. King jednak dla większej pewności lub przez przyrodzoną zapalczywość przygwoździł go jeszcze swym kłem do ziemi, a następnie nie przestawał się nad nim mścić, dopóki zaniepokojony rykiem i wyciem Staś nie nadleciał ze strzelbą od strony chat i nie kazał mu zaprzestać.

Goryl leżał teraz w kałuży krwi, którą chłeptał Saba i która czerwieniła się na kłach Kinga – ogromny z wywróconymi białkami oczu i wyszczerzonymi kłami, straszny jeszcze, choć już nieżywy. Słoń trąbił triumfalnie, a popielaty z przerażenia Nasibu opowiadał Stasiowi, co się stało. Ów namyślał się przez chwilę, czy nie sprowadzić Nel i nie pokazać jej potwornej małpy, ale porzucił ten zamiar, gdyż nagle ogarnął go strach.

Przecież Nel często chodziła sama po „wyspie" – więc ją także mogło coś podobnego spotkać.

Pokazało się zatem, że Góra Lindego nie była tak bezpiecznym schronieniem, jak się z początku zdawało.

Staś wrócił do chaty i opowiedział Nel o wypadku, ona zaś słuchała z ciekawością i bojaźnią, otwierając szeroko oczy i powtarzając raz po raz:

– Widzisz, co by się stało bez Kinga?

– Prawda! Z taką nianią można się nie bać o dziecko, toteż póki nie wyjedziemy, nie wychodź ani na krok bez niego.

– A kiedy wyjedziemy?

– Zapasy przygotowane, ładunki rozdzielone, więc należy tylko objuczyć zwierzęta i możemy ruszać choćby jutro.

– Do tatusiów!

– Jeśli Bóg pozwoli – odpowiedział poważnie Staś.

Rozdział 37

Wyruszyli jednakże dopiero w kilka dni po tej rozmowie. Odjazd po krótkiej modlitwie, w której polecili się gorąco Bogu, nastąpił wraz ze świtem o godzinie szóstej rano. Na czele jechał konno Staś, poprzedzany tylko przez Sabę. Za nim kroczył poważnie King machając uszami i niosąc na swym potężnym grzbiecie płócienny palankin, a w palankinie Nel wraz z Meą, następnie szły jeden za drugim konie Lindego, powiązane długim palmowym powrozem i niosące rozliczne ładunki, a pochód zamykał mały Nasibu na spasionym, równie jak i on sam ośle.

Z powodu wczesnej godziny upał nie dawał się zrazu zbytnio we znaki, choć dzień był pogodny i zza gór Karamojo wytoczyło się wspaniałe, nie przysłonięte żadną chmurką słońce. Ale powiew wschodni łagodził żar jego promieni. Chwilami wstawał nawet dość mocny wiatr, pod którego tchnieniem pokładały się trawy i cała dżungla falowała jak morze. Po obfitych deszczach wszelka roślinność wyrosła tak bujnie, że zwłaszcza w niższych miejscach chowały się w trawach nie tylko konie, ale i nawet King, tak że nad rozkołysaną zieloną powierzchnią widać było tylko biały palankin, który posuwał się naprzód jakby statek na jeziorze. Po godzinie drogi na niewielkiej suchej wyniosłości, wznoszącej się na wschód od Góry Lindego, trafili na olbrzymie osty, mające łodygi grubości pni drzewnych, a kwiaty tak wielkie jak głowa ludzka. Na zboczach niektórych wzgórz, które z daleka wydawały są jałowe, widzieli wrzosy wysokie na osiem metrów. Inne rośliny, które w Europie należą do najdrobniejszych, przybierały tu odpowiednie do ostów i wrzosów rozmiary, a olbrzymie pojedyncze drzewa wznoszące się nad dżunglą wyglądały istotnie jak kościoły. Szczególnie figowce, zwane daro, których płaczące gałęzie zetknąwszy się z ziemią zmieniają się w nowe pnie, pokrywały ogromne przestrzenie, tak jak każde drzewo tworzyło jakby osobny gaj.

Kraina z dala widziana wydawała się jak jeden las; z bliska jednak pokazywało się, że wielkie drzewa rosną co kilkanaście, czasem co kilkadziesiąt kroków. W północnej stronie widać ich było bardzo mało i okolica przybierała charakter górskiego stepu pokrytego równą dżunglą, nad którą wznosiły się tylko parasolowate akacje. Trawy były tam bardziej zielone, mniejsze i widocznie lepsze jako pasza, albowiem Nel z grzbietu Kinga, a Staś z wyniosłości na które wjeżdżał, widzieli tak wielkie stada antylop, jakich nie spotkali dotychczas nigdzie. Pasły się czasem osobno, czasem pomieszane razem: gnu, pufu, ariele, antylopy, krowy, bubale, kozły skaczące i wielkie kudu. Nie brakło także zebr i żyraf. Stada na widok karawany przestawały się paść, podnosiły głowy i strzygąc uszami patrzyły na biały palankin z nadzwyczajnym zdumieniem, po czym pierzchały w jednej chwili; ubiegłszy kilkaset kroków znów stawały, znów przypatrywały się tej nie znanej sobie rzeczy, aż wreszcie zaspokoiwszy ciekawość poczynały się paść spokojnie. Niekiedy zrywał się przed karawaną z fukiem i łomotem nosorożec, ale wbrew swej popędliwej naturze i gotowości do atakowania wszystkiego, co mu się nawinie przed oczy, pierzchał sromotnie na widok Kinga, którego tylko rozkazy Stasia powstrzymywały od pościgu.

Słoń afrykański nienawidzi bowiem nosorożca i jeśli znajdzie jego świeży ślad, wówczas dufając w siłę przemożną idzie za nim, póki nie znajdzie przeciwnika i nie stoczy z nim walki, której ofiarą pada prawie zawsze nosorożec. Kingowi, który zapewne niejednego już miał na sumieniu, niełatwo przychodziło wyrzec się dawnego zwyczaju, ale tak już był oswojony i tak przywykł już uważać Stasia za swego władcę, że posłyszawszy jego głos i spostrzegłszy groźnie patrzące oczy, opuszczał podniesioną trąbę, kładł uszy po sobie i szedł dalej spokojnie. A Stasiowi nie brakło wprawdzie ochoty, by widzieć walkę olbrzymów, ale obawiał się o Nel. Gdyby słoń puścił się w cwał, palankin mógł się rozlecieć, a co gorzej ogromny zwierz mógł nim zaczepić o pierwszą lepszą gałąź, wówczas życie Nel byłoby w strasznym niebezpieczeństwie. Staś wiedział z opisów polowań, które czytywał jeszcze w Port-Saidzie, że polujący na tygrysy w Indiach więcej niż tygrysów obawiają się tego, by słoń w popłochu lub pościgu nie zawadził wieżyczką o drzewo. Wreszcie i sam cwał olbrzyma jest tak ciężki, że podobnej jazdy nikt bez szwanku dla zdrowia nie mógłby długo wytrzymać.

Lecz z drugiej strony obecność Kinga usuwała mnóstwo niebezpieczeństw. Złośliwe i zuchwałe bawoły, które spotkali tegoż dnia dążące do małego jeziorka, gdzie zbierał się pod wieczór wszelki zwierz okoliczny, pierzchły na jego widok także i okrążywszy całe jeziorko, piły po drugiej stronie. W nocy King, przywiązany za tylną nogę do drzewa, pilnował namiotu, w którym spała Nel; była to zaś straż tak pewna, że Staś kazał wprawdzie palić ogień,

~ 338 ~

ale uznał za rzecz zbyteczną otaczać obóz zeribą, chociaż wiedział, że w okolicy zamieszkałej przez tak liczne stada antylop nie może braknąć i lwów. Jakoż darzyło się tej samej nocy, że kilka ich poczęło ryczeć w olbrzymich jałowcach rosnących na zboczach wzgórz. Mimo płonącego ognia lwy, znęcone zapachem koni, zbliżały się do obozu, lecz gdy wreszcie Kingowi sprzykrzyło się słuchać ich głosów i gdy nagle wśród ciszy rozległ się na kształt grzmotu jego groźny „baritus" umilkły jak niepyszne, zrozumiawszy widocznie, że z tego rodzaju osobą lepiej jest nie wdawać się w żaden bezpośredni interes. Dzieci spały też przez resztę nocy wybornie i dopiero świtaniem puściły się w dalszą podróż.

Lecz dla Stasia zaczęły się znów troski i niepokoje. Naprzód zmiarkował, że podróżują wolno i że nie będą mogli robić więcej nad dziesięć kilometrów dziennie. Posuwając się w ten sposób zdołaliby wprawdzie za miesiąc dotrzeć do granicy Abisynii, ponieważ jednak Staś postanowił iść we wszystkim za radą Lindego, a Linde twierdził stanowczo, że do Abisynii przedrzeć się nie zdołają, przeto pozostawała tylko droga do oceanu. Ale wedle obliczeń Szwajcara od oceanu dzieliło ich przeszło tysiąc kilometrów – i to w prostej linii, albowiem do leżącego bardziej na południe Mombassa było jeszcze dalej, przeto cała podróż musiałaby zająć przeszło trzy miesiące czasu. Staś z trwogą myślał, że jest to trzy miesiące znojów, trudów i niebezpieczeństw ze strony szczepów murzyńskich, na które mogli natrafić. Byli jeszcze w kraju pustym, z którego wygnała ludność ospa i wieści o rajzach derwiszów, ale Afryka jest w ogóle dość ludna, musieli więc prędzej czy później wejść w okolice zamieszkane przez nieznane pokolenia, rządzone jak zwykle przez dzikich i okrutnych królików. Było nie lada zadaniem wynieść z takich opałów wolność i życie.

Staś liczył po prostu na to, że jeśli trafią na lud Wa-himów, to wyćwiczy kilkudziesięciu wojowników w strzelaniu, a następnie skłoni ich wielkimi obietnicami, by towarzyszyli mu aż do oceanu. Ale Kali nie miał żadnego pojęcia o tym, gdzie mieszkają Wa-hima, a Linde, który coś o nich słyszał, nie mógł również ani wskazać drogi do nich, ani oznaczyć dokładnie miejscowości przez nich zajętej. Linde wspominał o jakimś wielkim jeziorze, o którym wiedział tylko z opowiadań, a Kali twierdził na pewno, że z jednej strony jeziora, które nazywał Bassa-Narok, mieszkają Wa-hima, z drugiej Samburu. Otóż Stasia trapiło to, że w geografii Afryki, której w szkole w Port-Saidzie uczono bardzo dokładnie, nie było o takim jeziorze żadnej wzmianki. Gdyby mówił mu o nim tylko Kali, przypuszczałby, że to jest Wiktoria-Nianza, ale nie mógł mylić się w ten sposób Linde, który szedł właśnie od Wiktorii na północ wzdłuż gór Karamojo i z wieści zasięgniętych od mieszkańców tychże gór doszedł do wniosku, że to tajemnicze jezioro leży dalej na wschód i północ. Staś nie wiedział, co o tym wszystkim myśleć, natomiast obawiał się, że może na jezioro i Wa-himów całkiem nie trafić; obawiał się także dzikich szczepów, bezwodnych dżungli, nieprzebytych gór, muchy tse-tse, która zabija zwierzęta, bał się śpiączki, febry dla Nel, upałów i tych niezmiernych przestrzeni, które dzieliły ich jeszcze od oceanu.

Lecz po opuszczeniu Góry Lindego nie pozostawało nic innego jak iść naprzód, ciągle na wschód i na wschód. Linde mówił wprawdzie, że jest to podróż nad siły nawet doświadczonego i energicznego podróżnika, ale Staś zdobył już dużo doświadczenia, a co do energii, to ponieważ szło o Nel, postanowił wydobyć z siebie tyle zaradności, ile będzie potrzeba. Tymczasem chodziło o oszczędzanie sił dziewczynki, więc postanowił podróżować tylko od szóstej rano do dziesiątej przed południem, a drugi etap od trzeciej do szóstej wieczorem, to jest do zachodu słońca, czynić tylko wówczas, gdyby na miejscu pierwszego postoju nie było wody.

Ale tymczasem, ponieważ deszcze padały w czasie massiki bardzo obficie, wodę znajdowali wszędzie. Jeziorka utworzone przez ulewy w dolinach były jeszcze dobrze napełnione, a z gór spływały tu i ówdzie strumienie toczące kryształową i chłodną wodę, w której kąpiel była wyborna, a zarazem zupełnie bezpieczna, albowiem krokodyle mieszkają tylko w większych wodach, w których nie brak ryb stanowiących ich zwykłe pożywienie.

Staś jednak nie pozwalał pić dziewczynce surowej wody, jakkolwiek odziedziczył po Lindem doskonały filtr, którego działanie napełniało zawsze zdumieniem Kalego i Meę. Oboje widząc, że filtr zanurzony w mętną białawą wodę przepuszcza do zbiornika tylko czystą i przezroczystą, pokładali się ze śmiechu i bili dłońmi po kolanach na znak podziwu i radości.

W ogóle podróż z początku szła łatwo. Mieli po Lindem spore zapasy kawy, herbaty, cukru, bulionu, różnych konserw i wszelkiego rodzaju lekarstw. Staś nie potrzebował oszczędzać ładunków, było ich bowiem więcej, niż mogli zabrać; nie brakło również rozmaitych narzędzi, broni wszelakiego kalibru i rac, które przy zetknięciu się z Murzynami mogły się bardzo przydać. Kraj był żyzny; zwierzyny, a więc świeżego mięsa, wszędy obfitość. Owoców również.

Tu i ówdzie w nizinach trafiały się błota, ale pokryte jeszcze wodą, a zatem nie zarażające powietrza szkodliwymi wyziewami. Moskitów, które wszczepiają w krew febrę, nie było na wyżynach wcale. Upał od dziesiątej rano uczynił się wprawdzie nieznośny, ale mali podróżnicy zatrzymywali się w czasie tak zwanych „białych godzin" w głębokim cieniu wielkich drzew, przez których gęstwę nie przedzierał się żaden promień słoneczny. Zdrowie dopisywało Nel, Stasiowi i Murzynom doskonałe.

Rozdział 38

Piątego dnia podróży Staś jechał razem z Nel na Kingu, trafili bowiem na szeroki pas akacji rosnących tak gęsto, że konie mogły iść tylko szlakiem utorowanym przez słonia. Godzina była wczesna, ranek promienny i rosisty. Dzieci rozmawiały o podróży i o tym, że każdy dzień zbliża ich jednak do oceanu i do ojców, do których oboje nie przestawali tęsknić ciągle. Był to od chwili porwania ich z Fajumu niewyczerpany przedmiot wszystkich rozmów, które wzruszały ich zawsze do łez. I powtarzali wciąż jedno w kółko: że tatusiowie myślą, iż oni już nie żyją albo że przepadli na wieki – i obaj martwią się, i wbrew nadziei wysyłają do Chartumu Arabów po wieści, a oni oto są już daleko nie tylko od Chartumu, ale od Faszody, a za pięć dni będą jeszcze dalej – a potem znów jeszcze dalej, aż wreszcie dotrą do oceanu albo przedtem jeszcze do jakichś miejsc, skąd będzie można przesłać depeszę. Jedyną w całej karawanie osobą, która wiedziała co ich jeszcze czeka, był Staś – Nel natomiast była najgłębiej przekonana, że nie ma takiej rzeczy na świecie, której „Stes" nie potrafiłby dokonać, i była zupełnie pewna, że ją doprowadzi do brzegu. Więc nieraz, uprzedzając wypadki wyobrażała sobie w swej małej główce, co to będzie, gdy przyjdzie pierwsza o nich wiadomość – i szczebiocąc jak ptaszek opowiadała o tym Stasiowi. „Siedzą – mówiła – tatusiowie w Port-Saidzie i płaczą – aż tu wchodzi boy z depeszą. Co to jest? Mój albo twój tatuś otwiera, patrzy na podpis i czyta: «Staś i Nel.» O, to dopiero się ucieszą! To dopiero się zerwą, żeby jechać naprzeciw nas! To dopiero będzie radość w całym domu – i tatusiowie się ucieszą i wszyscy się ucieszą – i będą cię chwalili – i przyjadą – i ja obejmę mocno tatusia za szyję, i potem będziemy zawsze razem... i..."

I kończyło się na tym, że bródka zaczynała się jej trząść, śliczne oczki zmieniały się w dwie fontanny, a w końcu opierała głowę na ramieniu Stasia i płakała zarazem z żalu, tęsknoty i radości na myśl o przyszłym spotkaniu. A Staś, lecąc wyobraźnią w przyszłość, odgadywał, że ojciec będzie dumny z niego, że powie mu: „Spisałeś się, jak na Polaka przystało" – i wzruszenie ogarniało go ogromne, a w sercu rodziła się tęsknota, zapał i nieugięta jak stal odwaga. „Muszę – mówił sobie – wyratować Nel, muszę dożyć takiej chwili". I wówczas jemu także zdawało się, że nie ma takich niebezpieczeństw, których nie zdołałby zwyciężyć, ani takich przeszkód, których nie zdołałby skruszyć.

Ale do ostatecznego zwycięstwa było jeszcze daleko. Tymczasem przedzierali się przez gaj akacyj. Długie kolce tych drzew czyniły nawet na skórze Kinga białawe rysy. Wreszcie gaj zrzedniał, a poprzez gałęzie rozrzuconych drzew widać było dalej zieloną dżunglę. Staś, mimo że upał dawał się już mocno we znaki, wysunął się z palankinu i usadowił na karku słonia, by obaczyć, czy na widnokręgu nie ma jakich stad antylop lub zebr, postanowił bowiem odnowić zapas mięsa.

Jakoż po prawej stronie dojrzał stadko arieli, złożone z kilku sztuk, a wśród nich dwa strusie, lecz gdy minęli ostatnią kępę drzew i słoń zwrócił się na lewo, inny widok uderzył chłopca: oto w odległości pół kilometra spostrzegł obszerny łan manioku, a na skraju łanu kilkanaście czarnych postaci, zajętych widocznie robotą w polu.

– Murzyni! – zawołał zwracając się do Nel.

I serce poczęło mu bić niespokojnie. Przez chwilę zawahał się, czy nie zawrócić i nie skryć się na powrót w akacjach, lecz przyszło mu na myśl, że w zaludnionym kraju trzeba będzie jednak prędzej czy później spotkać się z mieszkańcami, wejść z nimi w stosunki i że od tego, jak się te stosunki ułożą, zależeć może los całej podróży, więc po krótkim namyśle skierował słonia ku polu.

W tej samej chwili zbliżył się Kali i ukazując ręką na kępę drzew rzekł:

– Panie wielki, oto tam wieś murzyńska, a tu kobiety pracują przy manioku. Czy mam podjechać ku nim?

– Podjedziemy razem – odpowiedział Staś – i wówczas powiesz im, że przybywamy jako przyjaciele.

– Wiem, panie, co im powiedzieć – zawołał z wielką pewnością siebie młody Murzyn.

I zwróciwszy konia ku pracującym, złożył dłonie koło ust i jął krzyczeć:

– *Yambo he! Yambo sana!*

Na ten głos zajęte okopywaniem manioku kobiety zerwały się i stanęły jak wryte, ale trwało to tylko jedno mgnienie oka, następnie bowiem, porzuciwszy w popłochu motyki i kobiałki, poczęły z wrzaskiem uciekać ku owym drzewom, wśród których kryła się wieś.

Mali podróżnicy zbliżali się wolno i spokojnie. W gęstwinie rozległo się wycie kilkuset głosów, po czym zapadła cisza. Przerwał ją wreszcie głuchy, ale donośny huk bębna, który nie ustawał już później ani na chwilę.

Było to widocznie hasło do boju dla wojowników, albowiem przeszło trzystu ich wysunęło się nagle z gęstwiny. Wszyscy ustawili się w długi szereg przed wioską. Staś zatrzymał Kinga w odległości stu kroków i począł się im przypatrywać. Słońce oświecało ich dorodne postacie, szerokie piersi i silne ramiona. Uzbrojeni byli w łuki i włócznie. Naokół bioder mieli krótkie spódniczki z wrzosów, a niektórzy – ze skór małpich. Głowy ich zdobiły pióra strusi, papug lub wielkie peruki zdarte z czaszek pawianów. Wyglądali wojowniczo i groźnie, ale stali nieruchomo w milczeniu, albowiem zdumienie ich nie miało wprost granic i potłumiło chęć do boju. Wszystkie oczy wlepione były w Kinga, w biały palankin i w siedzącego na karku słonia białego człowieka.

A jednakże słoń nie był dla nich zwierzęciem nieznanym. Przeciwnie! Żyli oni pod ciągłą przemocą słoni, których całe stada wyniszczały nocami ich pola maniokowe oraz plantacje bananów i palm dum. Ponieważ włócznie i strzały nie przebijały skóry słoniowej, biedni Murzyni walczyli ze szkodnikami za pomocą ognia, za pomocą krzyków, naśladowania głosów koguczych, kopania dołów i urządzania pułapek z pni drzewnych. Ale tego, by słoń stał się niewolnikiem człowieka i pozwalał sobie siedzieć na karku, nikt z nich nigdy nie widział i żadnemu podobna rzecz nie chciała się w głowie pomieścić. Toteż widok, jaki mieli przed sobą, tak dalece przechodził wszelkie ich pojęcia i wyobrażenia, że sami nie wiedzieli co należy czynić: walczyć, czy uciekać, gdzie oczy poniosą, choćby przyszło pozostawić wszystko na wolę losu.

Więc w niepewności, trwodze i zdumieniu szeptali tylko wzajem do siebie:

– O matko! Co za stworzenia przychodzą do nas i co nas czeka z ich ręki?

A wtem Kali, podjechawszy do nich na rzut włóczni, stanął w strzemionach i począł wołać:

– Ludzie, ludzie! Słuchajcie głosu Kalego, syna Fumby, potężnego króla Wa-himów znad brzegów Bassa-Narok, o, słuchajcie, słuchajcie! I jeśli rozumiecie jego mowę, uważajcie na każde jego słowo!

– Rozumiemy! – zabrzmiała odpowiedź z trzystu ust.

– Niechaj wystąpi wasz król, niech powie imię swoje i niech otworzy uszy i wargi, aby mógł słyszeć lepiej!

– M'Rua! M'Rua – poczęły wołać liczne głosy.

M'Rua wysunął się przed szereg, ale nie więcej niż na trzy kroki. Był to stary już Murzyn, wysoki i silnie zbudowany, lecz nie grzeszący widocznie zbytnią odwagą, gdyż łydki tak drżały pod nim, że musiał wbić ostrze dzidy w ziemię i oprzeć się na drzewcu, by utrzymać się na nogach.

Za jego przykładem i inni wojownicy powbijali również dzidy w ziemię na znak, że chcą wysłuchać spokojnie słów przybysza.

A Kali podniósł jeszcze głos:

– M'Ruo i wy, ludzie M'Ruy! Słyszeliście, że mówi do was syn króla Wa-himów, którego krowy pokrywają tak gęsto góry koło Bassa-Narok, jak mrówki pokrywają ciało zabitej żyrafy. A cóż powiada Kali, syn króla Wa-himów? Oto zwiastuję wam wielką i szczęśliwą nowinę, że przybywa do waszej wsi dobre Mzimu!

Po czym zawołał jeszcze głośniej:

– Tak jest Dobre Mzimu! Ooo!

Z ciszy, jaka zapadła, można było zmiarkować, jak niezmierne wrażenie sprawiły słowa Kalego. Zakołysała się fala wojowników, albowiem jedni, parci ciekawością, posunęli się o parę kroków naprzód, drudzy cofnęli się z trwogi. M'Rua oparł się obu rękoma na włóczni i czas jakiś trwało głuche milczenie. Dopiero po chwili szmer przebiegł szeregi i pojedyncze głosy poczęły powtarzać: „Mzimu!, Mzimu!", a tu i ówdzie ozwały się okrzyki: *Yancig, yancig!*, wyrażające zarazem cześć i powitanie.

Lecz głos Kalego zapanował znów nad szmerem i okrzykami:

– Patrzcie i cieszcie się! Oto dobre Mzimu siedzi tam, w tej białej chacie na grzbiecie wielkiego słonia, a wielki słoń słucha go, jak niewolnik słucha pana i jak dziecko słucha matki. O! Ani wasi ojcowie ani wy nie widzieliście nic podobnego...

– Nie widzieliśmy! *Yancig! Yancig!*...

I oczy wszystkich wojowników zwróciły się na „chatę", czyli na palankin.

A Kali, który w czasie lekcji religii na Górze Lindego dowiedział się, że wiara porusza góry, i był głęboko przekonany, że modlitwa białej bibi może wszystko wyjednać u Boga, tak dalej i z zupełną szczerością opowiadał o dobrym Mzimu:

– Słuchajcie, słuchajcie! Dobre Mzimu jedzie na słoniu w tę stronę, w której słońce wstaje za górami z wody; tam dobre Mzimu powie Wielkiemu Duchowi, by przysłał wam chmury, a te chmury będą w czasie suszy polewały deszczem wadze proso, wasz maniok, wasze banany i trawy w dżungli, abyście mieli dużo jedzenia i aby wasze krowy miały dobrą paszę i dawały gęste i tłuste mleko. Czy chcecie dużo jedzenia i mleka, o ludzie?

– He! Chcemy, chcemy!

– ...I dobre Mzimu powie Wielkiemu Duchowi, by przysłał wam wiatr, który wywieje z waszej wsi tę chorobę, co zmienia ciało w plaster miodu. Czy chcecie, by on ją wywiał, o ludzie?

– He! Niech ją wywieje!

– ...I Wielki Duch na prośbę dobrego Mzimu obroni was od napaści i niewoli, i od szkód w waszych polach... i od lwa, i od pantery, i od węża, i od szarańczy...

– Niech tak uczyni...

– Więc słuchajcie jeszcze i patrzcie, kto siedzi przed chatą między uszyma strasznego słonia. Oto siedzi tam bwana kubwa – biały pan – wielki i mocny, którego boi się słoń...

– He!

– ...Który ma w ręku piorun i zabija nim złych ludzi...

– He!

– ...Który zabija lwy...

– He!

– ...Który wypuszcza węże ogniste...

– He!

– ...Który łamie skały...

– He!

– ...Który jednak nie uczyni wam nic złego, jeżeli uczcicie dobre Mzimu!

– *Yancig! Yancig!*

– I jeśli naznosicie mu suchej mąki i bananów, jaj kurzych, świeżego mleka i miodu.

– *Yancig! Yancig!*

– Więc zbliżcie się i padnijcie na twarz przed dobrym Mzimu.

M'Rua i jego wojownicy poruszyli się i nie przestając „yancigować" ani na chwilę, posunęli się o kilkanaście kroków naprzód, ale zbliżali się ostrożnie, albowiem zabobonny lęk przed Mzimu, i prosty strach przed słoniem hamowały ich kroki. Widok Saby przeraził ich na nowo, gdyż poczytali go za wobo, to jest za wielkiego płowego lamparta, który zamieszkuje tamtejsze okolice oraz południową Abisynię i którego miejscowi mieszkańcy boją się więcej niż lwa, albowiem mięso ludzkie przedkłada nad wszelkie inne i z niesłychaną zuchwałością napada nawet na zbrojnych mężczyzn. Uspokoili się jednak widząc, że mały brzuchaty Murzynek trzyma straszliwego wobo na powrozie. Ale nabrali większego wyobrażenia o potędze dobrego Mzimu jak również białego pana i spoglądając to na słonia, to na Sabę, szeptali sobie wzajem: „Jeżeli oczarowali nawet wobo, to któż na świecie im się oprze?" Lecz najuroczystsza chwila nadeszła dopiero wówczas, gdy Staś, zwróciwszy się ku Nel, skłonił się naprzód głęboko, a następnie porozsuwał urządzone jak firanki ściany palalankinu – i ukazał oczom zgromadzonych dobre Mzimu. M'Rua i wszyscy wojownicy padli na twarz, tak, że ciała ich utworzyły długi żywy pomost. Nikt nie śmiał się ruszyć, a trwoga zapanowała we wszystkich sercach tym większa, gdy King, czy to na rozkaz Stasia, czy z własnej ochoty, podniósł do góry trąbę i zaryczał potężnie, a za jego przykładem ozwał się Saba najgłębszym basem, na jaki umiał się zdobyć. Wówczas ze wszystkich piersi wyrwało się podobne do błagalnego jęku: *„Aka! Aka! Aka!"* i trwało dopóty, dopóki Kali znów nie przemówił:

– M'Ruo i wy, dzieci M'Ruy! Oddaliście cześć dobremu Mzimu, więc wstańcie, patrzcie i napełnijcie nim oczy

wasze, albowiem kto to uczyni, będzie nad nim błogosławieństwo Wielkiego Ducha. Wygnajcie też strach z piersi
i brzuchów waszych i wiedzcie, że tam, gdzie przebywa
dobre Mzimu, krew ludzka nie może być przelana.

Na te słowa, a zwłaszcza wskutek oświadczenia, że wobec dobrego Mzimu śmierć nie może nikogo spotkać,
podniósł się M'Rua, a za nim wojownicy i poczęli patrzeć
nieśmiało, ale chciwie, na dobrotliwe bóstwo. Jakoż mu-
sieliby przyznać, gdyby Kali zapytał o to po raz drugi, że
ani ich ojcowie, ani oni nie widzieli nic podobnego. Oczy
ich przywykły bowiem do poczwarnych, wyrobionych
z drzewa i włochatych kokosowych orzechów postaci bożk-
ków, a teraz stało przed nimi na grzbiecie słonia jasne
bóstewko, łagodne, słodkie i uśmiechnięte, podobne do
białego ptaka i zarazem do białego kwiatu. Toteż strach
ich przeszedł; piersi odetchnęły swobodniej, grube wargi
poczęły się uśmiechać, a ręce mimo woli wyciągać do cu-
downego zjawiska.

– O, yancig! Yancig! Yancig!

Wszelako Staś, który zwracał na wszystko jak najbacz-
niejszą uwagę, spostrzegł, że jeden Murzyn, przybrany
w spiczastą czapkę ze skóry szczurów, wysunął się po ostatnich słowach Kalego z szeregu i pełznąc jak wąż w trawie,
skierował się ku osobnej chacie stojącej na uboczu poza
ogrodzeniem, ale otoczonej także wysokim częstokołem
powiązanym pnączami.

Tymczasem dobre Mzimu, lubo wielce zakłopotane
rolą bóstwa, wyciągnęło z polecenia Stasia swą małą rączkę i poczęło witać Murzynów. Czarni wojownicy śledzili
z radością każdy ruch małej rączki wierząc głęboko, że są
w tym potężne „czary", które uchronią ich i zabezpieczą

od mnóstwa klęsk. Niektórzy uderzając się w piersi i biodra mówili też: „O matko! Teraz dopiero będziemy się mieli dobrze – my i krowy nasze!" M'Rua, ośmielony już zupełnie, zbliżył się do słonia, uderzył raz jeszcze czołem dobremu Mzimu, a potem skłoniwszy się Stasiowi odezwał się w następujący sposób:

– Czy wielki pan, który prowadzi na słoniu białe bóstwo, zechce zjeść kawałek M'Ruy i czy zgodzi się na to, aby M'Rua zjadł kawałek jego i aby się stali braćmi, między którymi nie masz kłamstwa i zdrady?

Kali przetłumaczył natychmiast te słowa, lecz widząc z twarzy Stasia, że nie ma najmniejszej ochoty na „kawałek" M'Ruy, zwrócił się do starego Murzyna i rzekł:

– O, M'Ruo! Czy myślisz naprawdę, że biały pan, tak potężny, którego boi się słoń, który ma w ręku piorun, który zabija lwy, któremu kiwa ogonem wobo, który wypuszcza węże ogniste i łamie skały, może zawierać braterstwo krwi z byle królem? Pomyśl, M'Ruo, zali Wielki Duch nie ukarałby cię za zuchwalstwo i zali nie dosyć będzie dla ciebie chwały, jeśli zjesz kawałek Kalego, syna Fumby, władcy Wa-himów, i jeśli Kali, syn Fumby, zje kawałek ciebie?

– Nie jestżeś niewolnikiem? – zapytał M'Rua.

– Pan wielki nie porwał Kalego ani go kupił, tylko ocalił mu życie, przeto Kali prowadzi dobre Mzimu i pana do krainy Wa-himów, aby Wa-himowie i Fumba oddali im cześć i złożyli dary wielkie.

– Niech będzie, jak mówisz, i niech M'Rua zje kawałek Kalego, a Kali kawałek M'Ruy.

– Niech tak będzie! – powtórzyli wojownicy.

– Gdzie jest czarownik? – zapytał król.

– Gdzie czarowniki? Gdzie czarownik? Gdzie Kamba? – poczęły wołać liczne głosy.

A wtem zaszło coś takiego, co mogło zmienić całkowicie położenie rzeczy, zamącić przyjazne stosunki i uczynić Murzynów wrogami świeżo przybyłych gości. Oto w stojącej na uboczu i otoczonej osobnym częstokołem chacie rozległ się nagle piekielny hałas. Był to jakby ryk lwa, jakby grzmot, jakby huk bębna, jakby śmiech hieny, wycie wilka i jakby skrzypienie przeraźliwie zardzewiałych zawiasów. King posłyszawszy te okropne głosy począł ryczeć, Saba szczekać, osioł, na którym siedział Nasibu, rżeć. Wojownicy skoczyli jak oparzeni i powyrywali dzidy z ziemi. Uczyniło się zamieszanie. O uszy Stasia odbiły się niespokojne okrzyki: „Nasze Mzimu! Nasze Mzimu!" Cześć i życzliwość, z jaką spoglądano na przybyszów, znikły w jednej chwili. Oczy dzikich poczęły rzucać podejrzliwe i nieprzyjazne spojrzenia. Groźne szmery jęły podnosić się wśród tłumu, a straszliwy hałas w samotnej chacie wzmagał się coraz bardziej.

Kali przeraził się i przysunąwszy się szybko do Stasia począł mówić przerywanym ze wzruszenia głosem:

– Panie, to czarownik zbudził złe Mzimu, które boi się, że je ominą ofiary, i ryczy ze złości. Uspokój, panie czarownika i złe Mzimu wielkimi darami, albowiem inaczej ci ludzie zwrócą się przeciw nam.

– Uspokoić ich? – zapytał Staś.

I nagle ogarnął go gniew za przewrotność i chciwość czarownika, a niespodziane niebezpieczeństwo wzburzyło go do dna duszy. Smagła twarz jego zmieniła się zupełnie, tak samo jak wówczas, gdy zastrzelił Gebhra, Chamisa i dwóch Beduinów. Oczy błysnęły mu złowrogo, zacisnęły się wargi i pięści, a policzki pobladły.

– Ach, ja ich uspokoję! – rzekł.

I bez namysłu pognał słonia ku chacie.

Kali, nie chcąc pozostać sam wśród Murzynów, ruszył za nim. Z piersi dzikich wojowników wydarł się okrzyk – nie wiadomo: czy trwogi, czy wściekłości, lecz zanim się opamiętali, trzasnął i runął pod naciskiem głowy słonia częstokół, potem rozsypały się gliniane ściany chaty i dach wyleciał wśród kurzawy w powietrze, a jeszcze po chwili M'Rua i jego ludzie ujrzeli czarną trąbę wzniesioną do góry, na końcu zaś trąby – czarownika Kambę.

A Staś spostrzegłszy na podłodze wielki bęben, uczyniony z pnia wypróchniałego drzewa i obciągnięty małpią skórą kazał go sobie podać Kalemu i zawróciwszy stanął wprost zdumionych wojowników.

– Ludzie – rzekł donośnym głosem – to nie wasze Mzimu ryczy, to ten łotr huczy na bębnie, by wyłudzać od was dary, a wy boicie się jak dzieci!

To rzekłszy chwycił za sznur przewleczony przez wyschniętą skórę w bębnie i począł nim z całej siły kręcić w koło. Te same głosy, które poprzednio tak przeraziły Murzynów, rozległy się i teraz, a nawet jeszcze przeraźliwiej, gdyż nie tłumiły ich ściany chaty.

– O, jakże głupi jest M'Rua i jego dzieci! – zakrzyknął Kali.

Staś oddał mu bęben, Kali zaś począł hałasować na nim z takim zapałem, że przez chwilę nie można było dosłyszeć ani słowa. Aż nareszcie miał dosyć, cisnął bęben pod nogi M'Ruy.

– Oto jest wasze Mzimu! – zawołał z wielkim śmiechem.

Po czym jął ze zwykłą Murzynom obfitością słów przemawiać do wojowników, nie żałując przy tym wcale drwin i z nich, i z M'Ruy. Oświadczył im, wskazując na Kambę, że „ów złodziej w czapce ze szczurów" oszukiwał ich przez wiele pór dżdżystych i suchych, a oni paśli go fasolą, koźlętami i miodem. Jestże drugi głupszy król i naród na świecie? Wierzyli w moc starego oszusta i w jego czary, więc niech patrzą teraz, jak ten wielki czarownik wisi na trąbie słonia i krzyczy: „Aka!", by wzbudzić litość białego pana. Gdzież jego moc? Gdzież jego czary? Czemu żadne złe Mzimu nie ryknie teraz w jego obronie? Ach! Cóż to jest to ich Mzimu? Płachta małpiej skóry i kawał spróchniałego pnia, który rozdepce słoń! U Wa-himów ani kobiety, ani dzieci nie bałyby się takiego Mzimu, a boi się go M'Rua i jego ludzie. Jedno jest tylko prawdziwe Mzimu i jeden prawdziwie wielki i mocny pan – niech więc oddadzą im cześć i niech naznoszą jak najwięcej darów, inaczej bowiem posypią się na nich klęski, o jakich nie słyszeli dotychczas.

Dla Murzynów nie potrzeba było nawet tych słów, gdyż już to, że czarownik razem ze swym złym Mzimu okazał się tak niesłychanie słabszym od nowego, białego bóstwa i od białego pana, wystarczało im najzupełniej, by go opuścić i okryć pogardą. Poczęli więc na nowo „yancigować", a nawet z większą jeszcze pokorą i skwapliwością. Ale ponieważ źli byli na siebie, że przez tyle lat pozwolili się Kambie oszukiwać, więc chcieli koniecznie go zabić. Sam M'Rua prosił Stasia, by pozwolił go związać i zachować dopóty, dopóki nie obmyślą mu dość okrutnej śmierci. Nel jednak postanowiła darować mu życie, a ponieważ Kali zapowiedział, że tam, gdzie przebywa dobre Mzimu, krew ludzka nie może być przelana, przeto Staś pozwolił tylko na wypędzenie ze wsi nieszczęśliwego czarownika.

Kamba, który się spodziewał, że umrze w najwymyślniejszych męczarniach, padł na twarz przed dobrym Mzimu i szlochając dziękował mu za ocalenie. I odtąd nic już nie zamąciło uroczystości. Zza częstokołu wysypały się kobiety i dzieci, albowiem wieść o przybyciu nadzwyczajnych gości rozeszła się po całej wsi i chęć widzenia białego Mzimu przemogła strach. Staś i Nel widzieli po raz pierwszy osadę prawdziwych dzikich, do których nie dotarli nawet Arabowie. Ubranie tych Murzynów składało się tylko z wrzosów lub ze skór pozawiązywanych naokół bioder; wszyscy byli tatuowani. Zarówno mężczyźni, jak kobiety mieli przedziurawione uszy i w tych otworach nosili kawałki drzewa lub kości tak duże, że porozciągane klapki uszu sięgały do ramion. W dolnej wardze nosili, pelele, to jest drewniane lub kościane krążki, wielkie jak spodki filiżanek. Znakomitsi wojownicy i ich żony mieli na szyjach kołnierze z żelaznego lub mosiężnego drutu tak wysokie i sztywne, że zaledwie mogli poruszać głowami.

Należeli też widocznie do szczepu Szylluków, który ciągnie się daleko na wschód, albowiem Kali i Mea rozumieli wybornie ich mowę, a Staś w połowie. Nie posiadali jednak nóg tak długich jak pobratymcy ich mieszkający nad rozlewiskami Nilu, byli szersi w ramionach, mniej wysocy i w ogóle mniej podobni do ptaków brodzących. Dzieci wyglądały jak pchełki i nie zeszpecone jeszcze przez pelele, były bez porównania od starych ładniejsze.

Kobiety, napatrzywszy się naprzód z dala dobremu Mzimu, poczęły na wyścigi z wojownikami znosić dary składające się z koźląt, kur, jaj, czarnej fasoli i piwa warzonego z prosa. Trwało to dopóty, dopóki Staś nie powstrzymał tego napływu zapasów, a ponieważ zapłacił za nie hojnie paciorkami i kolorowym perkalem, a Nel rozdała dzieciom kilkanaście lusterek odziedziczonych po Lindem, przeto radość niezmierna zapanowała w całej wsi, i naokół namiotu, do którego schronili się mali podróżnicy, rozlegały się wciąż wesołe i pełne zachwytu okrzyki. Potem wojownicy odbyli na cześć gości taniec wojenny i stoczyli udaną bitwę, a w końcu przystąpiono do zawarcia braterstwa krwi między Kalim a M'Ruą.

Ponieważ nie było Kamby, który do tej ceremonii był koniecznie potrzebny, więc zastąpił go stary Murzyn znający dostatecznie zaklęcia. Ów zabiwszy koźlę wyjął z niego wątrobę i podzielił ją na kilka sporych kąsków, po czym jął obracać ręką i nogą rodzaj kołowrotka i spoglądając to na Kalego, to na M'Ruę, ozwał się uroczystym głosem:

– Kali, synu Fumby, czy chcesz zjeść kawałek M'Ruy, syna M'Kuli – i ty M'Ruo, synu M'Kuli, czy chcesz zjeść kawałek Kalego, syna Fumby?

– Chcemy – ozwali się przyszli bracia.

– Czy chcecie, aby serce Kalego było sercem M'Ruy, a serce M'Ruy sercem Kalego?

– Chcemy.

– I ręce, i włócznie, i krowy?

– I krowy!

– I wszystko, co każdy ma lub będzie miał?

– Co ma i będzie miał!

– I aby nie było między wami kłamstwa ani zdrady, ani nienawiści?

– Ani nienawiści!

– I aby jeden nigdy drugiego nie okradł?

– Nigdy!

– I abyście byli braćmi?

– Tak!

Kołowrotek obracał się coraz prędzej. Zgromadzeni naokół wojownicy śledzili z coraz większym zajęciem jego ruchy.

– Ao! – zawołał stary Murzyn – lecz gdyby jeden z was okłamał drugiego, gdyby go zdradził, gdyby go okradł, gdyby go otruł, gdyby go zabił, niech będzie przeklęty.

– Niech będzie przeklęty! – powtórzyli wszyscy wojownicy.

– A jeśli jest kłamcą i knuje zdradę, niech nie przełknie krwi swego brata i niech ją zrzuci w naszych oczach!

– Och, w naszych oczach!

– I niech umrze!

– Niech umrze!

– Niech go rozedrze wobo!

– Wobo!

– Albo lew!

– Albo lew!

– Niech go stratuje słoń i nosorożec, i bawół!

– O! I bawół – powtórzył chór.

– I niech go ukąsi wąż!

– Wąż.

– A język jego niechaj stanie się czarny!

– Czarny.

– A oczy niech mu uciekną w tył głowy!

– W tył głowy.

– I niech chodzi piętami do góry.

– Ha! Piętami do góry.

Nie tylko Staś, ale i Kali gryźli wargi, by nie wybuchnąć śmiechem, a tymczasem zaklęcia powtarzały się coraz straszniejsze, kołowrotek obracał się szybko, że oczy nie mogły za jego obrotami nadążyć. Trwało to dopóty, dopóki stary Murzyn nie stracił zupełnie sił i oddechu.

Wówczas siadł na ziemi i przez jakiś czas kiwał głową w obie strony w milczeniu. Po chwili jednak podniósł się i wziąwszy nóż naciął nim skórę na ramieniu Kalego i umazawszy jego krwią kawałek wątroby koźlęcej wsunął go w usta M'Ruy, drugi zaś kawałek umazany we krwi króla, w usta Kalego. Obaj połknęli je tak szybko, że aż im zadrgały krtanie, a oczy wyszły na wierzch, po czym chwycili się za ręce na znak wiernej i wieczystej przyjaźni.

Wojownicy zaś poczęli wołać z radością:

– Obaj przełknęli, żaden nie zrzucił, a więc są szczerzy i nie masz zdrady między nimi!

A Staś dziękował w duchu Kalemu, że go w tej ceremonii zastąpił, albowiem czuł, że przy połykaniu „kawałka M'Ruy" byłby niezawodnie złożył dowód nieszczerości i zdrady.

Od tej chwili jednak nie groziło rzeczywiście małym podróżnikom ze strony dzikich żadne podejście ani żaden niespodziany napad, natomiast otoczyła ich jak największa gościnność i cześć niemal boska. Cześć ta wzrosła jeszcze, gdy Staś spostrzegłszy wielki spadek odziedziczonego po Lindem barometru przepowiedział deszcz i gdy deszcz spadł tegoż samego jeszcze dnia dość obficie, tak jakby massika, która już dawno przeszła, chciała wytrząsnąć ostatki swych zapasów na ziemię. Murzyni byli przekonani, że darowało im tę ulewę dobre Mzimu, i wdzięczność ich dla Nel nie miała granic. Staś żartował sobie z niej, że ponieważ została bożkiem murzyńskim, przeto w dalszą drogę puści się tylko sam, a ją zostawi we wsi M'Ruy, gdzie Murzyni wybudują dla niej kapliczkę z kłów słoniowych i będą jej znosili fasolę i banany.

Ale Nel tak była go pewna, że wspiąwszy się na paluszki szepnęła mu, wedle swego zwyczaju, do ucha tylko dwa wyrazy: „Nie zostawisz!" – po czym jęła podskakiwać z radości, mówiąc, że skoro Murzyni są tak dobrzy, to cała podróż do oceanu pójdzie łatwo i prędko. Działo się to pod namiotem i wobec tłumów, więc stary M'Rua widząc podskakujące Mzimu zaczął natychmiast także podskakiwać, jak mógł najwyżej, na swoich krzywych nogach w przekonaniu, że daje przez to dowód pobożności. Śladem jego puścili się w hopki ministrowie, za nimi wojownicy, za nimi kobiety i dzieci, słowem, cała wieś skakała przez jakiś czas, tak jakby wszyscy dostali pomieszania zmysłów.

Stasia ubawił tak ten przykład dany przez bóstwo, że pokładał się ze śmiechu. Jednakże w nocy oddał rzeczywistą i trwałą przysługę pobożnemu królowi i jego poddanym, albowiem gdy słonie napadły na pola bananowe, pojechał ku nim na Kingu i puścił między stado kilka rac. Popłoch, jaki wznieciły „węże ogniste", przeszedł nawet jego oczekiwania. Olbrzymie zwierzęta, ogarnięte szałem trwogi napełniły całą dżunglę rykiem i tętentem, a uciekając na oślep, przewracały się i tratowały nawzajem. Potężny King ścigał uciekających towarzyszów z nadzwyczajną ochotą, nie szczędząc im uderzeń trąbą i kłami. Po takiej nocy można było być pewnym, że przez długi czas żaden słoń nie pojawi się na plantacjach bananów i palm dum, należących do wsi starego M'Ruy.

We wsi panowała też radość wielka i Murzyni spędzili całą noc na tańcach, na popijaniu piwa z prosa i palmowego wina. Kali dowiedział się jednak od nich wielu ważnych rzeczy, pokazało się bowiem, że niektórzy słyszeli o jakiejś wielkiej wodzie leżącej na wschód i otoczonej górami. Dla Stasia był to dowód, że owo jezioro, o którym nie uczył się w geografii, istnieje rzeczywiście, a po wtóre, idąc w kierunku, jaki obrali, trafią wreszcie na naród Wa-himów. Wnosząc z tego, że mowa Mei i Kalego prawie nie różniła się od mowy M'Ruy, doszedł do przekonania, że nazwa „Wa-hima" jest prawdopodobnie jakimś mianem miejscowym i że ludy mieszkające nad brzegami Bassa-Narok należą do wielkiego szczepu Szylluków, który poczyna się nad Nilem, a rozciąga się nie wiadomo jak daleko na wschód.

Rozdział 39

Cała ludność odprowadziła daleko dobre Mzimu i pożegnała je ze łzami, prosząc natarczywie, by raczyło przybyć kiedy jeszcze do M'Ruy i pamiętać o jego ludzie. Staś przez chwilę wahał się, czy nie wskazać Murzynom wąwozu, gdzie pochował te towary i zapasy po Lindem, których z braku tragarzy nie mógł zabrać, ale pomyślawszy, że posiadanie takich skarbów mogłoby wywołać między nimi zawiści i niesnaski, zbudzić łakomstwo i zamącić spokój ich życia, porzucił ten zamiar, natomiast zastrzelił wielkiego bawołu, i pozostawił im jego mięso na pożegnalną ucztę. Widok tak wielkiej ilości nyamy pocieszył ich też rzeczywiście.

Przez następne trzy dni karawana szła znów krajem pustynnym. Dni były upalne, ale noce z powodu wysokiego położenia okolicy tak zimne, że Staś kazał Mei przykrywać Nel dwoma kocami. Przebywali teraz często wąwozy górskie, czasem jałowe i skaliste, a czasem pokryte tak zbitą roślinnością, że trzeba się było przez nie z największym trudem przedzierać. Na brzegach tych wąwozów widywali wielkie małpy, a niekiedy lwy i pantery, które gnieździły się w jaskiniach skalnych. Staś zabił jedną z nich na prośbę Kalego, który przybrał się następnie w jej skórę, aby Murzyni mogli od razu poznać, że mają do czynienia z osobą krwi królewskiej.

Za wąwozami na wysokiej równinie poczęły się znów ukazywać wioski murzyńskie. Niektóre leżały blisko siebie, niektóre o dzień lub dwa drogi. Wszystkie były otoczone wysokim częstokołem dla ochrony od lwów i tak spowite w pnącze, że nawet z bliska wyglądały jak kępy dziewiczego lasu. Dopiero z dymów wznoszących się pośrodku można było zmiarkować, że tam mieszkają ludzie. Karawanę przyjmowano wszędzie mniej więcej tak, jak we wsi M'Ruy, to jest z początku z trwogą i nieufnie, a następnie z podziwem, zdumieniem i czcią. Raz tylko zdarzyło się, że cała wioska na widok słonia, Saby, koni i białych ludzi uciekła do pobliskiego lasu, tak że nie było z kim rozmówić się. Jednakże ani jedna włócznia nie została przeciw podróżnikom wymierzona. Murzyni bowiem, póki mahometanizm nie wypełni ich dusz nienawiścią do niewiernych i okrucieństwem, są raczej bojaźliwi i łagodni. Najczęściej bywało więc, że Kali zjadał „kawałek" miejscowego króla, miejscowy król „kawałek" Kalego, po czym stosunki układały się jak najprzyjaźniej, a dobremu Mzimu składano wszędy dowody hołdu i bogobojności pod postacią kur, jaj, miodu, wydobywanego z klocków drzewa zawieszonych za pomocą sznurów palmowych na gałęziach wielkich drzew. „Pan wielki", władca słonia, piorunów i wężów ognistych, wzbudzał przeważnie strach, który jednak rychło zmieniał się we wdzięczność, gdy przekonywano się, że jego hojność dorównywa potędze. Tam gdzie wioski były bliższe, przybycie nadzwyczajnych podróżnych oznajmiała jedna drugiej za pomocą bicia w bębny, Murzyni bowiem potrafią wszystko za pomocą bębnienia wypowiedzieć. Zdarzało się też, że cała ludność wylegała na ich spotkanie, usposobiona z góry jak najprzyjaźniej.

W jednej wsi liczącej do tysiąca głów miejscowy władca, który był w jednej osobie czarownikiem i królem, zgodził się na pokazanie im „wielkiego fetysza", którego otaczała nadzwyczajna cześć i bojaźń, tak że do hebanowej, pokrytej skórą nosorożca kapliczki ludzie nie śmieli się zbliżać i ofiary składali w odległości pięćdziesięciu kroków. Król opowiadał o tym fetyszu, że spadł niedawno z księżyca, że był biały i miał ogon. Staś oznajmił, że to on właśnie wysłał go na rozkaz dobrego Mzimu i mówiąc tak nie rozminął się bynajmniej z prawdą, gdyż pokazało się, że „wielki fetysz" był po prostu jednym z latawców puszczonych z Góry Lindego. Oboje z Nel ucieszyli się myślą, że inne mogły przy odpowiednim wietrze zalecieć jeszcze dalej, i postanowili puszczać je z wyżyn w dalszym ciągu. Staś zmajstrował i puścił jeden zaraz tego samego wieczora, co ostatecznie przekonało Murzynów, że i dobre Mzimu, i biały pan przybyli na ziemię także z księżyca i że są bóstwami, którym dość pokornie służyć nie można.

Ale więcej od tych oznak pokory i hołdu radowała Stasia wiadomość, że Bassa-Narok leży o kilkanaście tylko dni drogi i że mieszkańcy tej wsi, w której obecnie się zatrzymali, otrzymują czasem z tamtych stron sól w zamian za wino z palm dum. Król miejscowy słyszał nawet o Fumbie jako o władcy ludzi zwanych „Doko" – Kali potwierdził, że dalsi sąsiedzi tak nazywają Wa-himów i Samburu. Mniej pocieszające były wieści, że nad brzegami wielkiej wody wre wojna i trzeba iść do Bassa-Narok przez niezmiernie dzikie góry i strome wąwozy, pełne drapieżnych zwierząt. Ale z drapieżnych zwierząt Staś niewiele już sobie robił, a góry, choćby najdziksze, wolał od niskich równin, na których czyha na podróżników febra.

Z dobrą więc otuchą wyruszyli w dalszą drogę. Za ową ludną wsią spotkali już tylko jedną osadę, bardzo lichą i zawieszoną jak gniazdo na skraju urwiska. Potem zaczęło się podgórze, poprzecinane z rzadka głębokimi rozpadlinami. Na wschodzie wznosił się mroczny łańcuch szczytów, który z dala wydawał się prawie zupełnie czarny. Była to nieznana kraina, do której właśnie szli nie wiedząc, co ich może tam spotkać, zanim dojdą do dzierżaw Fumby. Na halach, które przechodzili, nie brakło drzew, ale z wyjątkiem sterczących samotnie smokowców i akacyj stały one kępami, tworząc jakby małe gaje. Podróżnicy zatrzymywali się wśród tych kęp dla posiłku i wywczasu oraz dla obfitego cienia.

Wśród drzew roiło się ptactwo. Rozmaite gatunki gołębi, wielkie dzioborożce, które Staś nazywał tukanami, kraski, szpaki, synogarlice i niezliczone, prześliczne bengalis kręciły się w gąszczu liści lub przelatywały z jednej kępy na drugą, pojedynczo lub stadami, mieniąc się jak tęcza. Niektóre drzewa wydawały się z daleka okryte różnokolorowym kwieciem. Nel zachwycała się szczególnie widokiem rajskich muchołówek i czarnych, podszytych pąsowo, sporych ptaków, które odzywały się głosem pastuszej fujarki. Cudne żołny, z wierzchu różowe, a pod spodem jasnoniebieskie, uwijały się w blasku słonecznym, chwytając w lot pszczoły i koniki polne. Na wierzchołkach drzew rozlegały się wrzaski zielonych papug, a czasem dochodził głos jakby srebrnych dzwonków, którym witały się wzajem małe zielonoszare ptaszyny, ukryte pod liśćmi adansonij.

Przed wschodem i po zachodzie słońca przelatywały stada miejscowych wróbelków, tak niezliczone, że gdyby nie pisk i szum skrzydełek, można by je poczytać za chmury. Staś przypuszczał, że to te krasnodzióbki dzwonią tak, rozpraszając się w dzień po pojedynczych kępach.

Lecz największym zdumieniem i zachwytem napełniały oboje dzieci inne, latające w małych stadkach ptaki, które dawały prawdziwe koncerty. Każde stadko składało się z pięciu lub sześciu samic i jednego połyskującego metalicznymi piórami samca. Siadały one szczególnie na pojedynczych skałach w ten sposób, że on umieszczał się na wierzchołku drzewa, one poniżej – i po pierwszych tonach, które wydawały się jakby strojeniem gardziołek, on rozpoczynał śpiew, a one słuchały w milczeniu. Dopiero gdy skończył, powtarzały jednogłośnym chórem ostatnią zwrotkę jego śpiewu. Po małej przerwie on znów zaczynał i kończył, one znów powtarzały, po czym całe stadko przelatywało falistym lekkim lotem na następną najbliższą akację i koncert, złożony z solisty i chóru rozbrzmiewał w południowej ciszy powtórnie. Dzieci nie mogły się tego dość nasłuchać. Nel pochwyciła przewodnią nutę koncertu i razem z chórem samiczek wyśpiewywała swym cienkim głosikiem ostatnie tony, brzmiące jak szybko powtarzane dźwięki: „tui, tui, tui, tui, twiling-ting! ting!"

Pewnego razu dzieci, idąc od drzewa do drzewa za skrzydlatymi muzykantami, odeszły kilometr od obozu pozostawiwszy w nim troje Murzynów, Kinga i Sabę, którego Staś wybierając się za jedną drogą na polowanie, nie chciał wziąć z sobą, by szczekaniem nie płoszył mu zwierzyny. Gdy więc stadko przeleciało wreszcie z ostatniej akacji na drugą stronę szerokiego wąwozu, chłopiec zatrzymał się i rzekł:

– Teraz odprowadzę cię do Kinga, a potem obaczę, czy w wysokiej dżungli nie ma antylop albo zebr, bo Kali mówi, że wędzonego mięsa nie starczy więcej niż na dwa dni.

– Przecież już jestem duża – odpowiedziała Nel, której zawsze chodziło bardzo o to, by pokazać, że nie jest małym dzieckiem – więc wrócę sama. Obóz stąd widać doskonale i dym także.

– Boję się, że zabłądzisz.

– Nie zbłądzę. W wysokiej dżungli może bym zabłądziła, ale tu, patrz, jaka trawa niska.

– Jeszcze cię co napadnie.

– Sam mówiłeś, że lwy i pantery w dzień nie polują. Przy tym słyszysz, jak King trąbi z tęsknoty za nami. Jaki tam lew odważyłby się polować tam, gdzie dochodzi głos Kinga?

I poczęła się napierać.

– Mój Stasiu, pójdę sama jak kto dorosły.

Staś wahał się przez chwilę, ale w końcu przystał. Obóz i dym było rzeczywiście widać. King, który tęsknił za Nel, trąbił co chwila. W niskiej trawie nie groziło zabłądzenie, a co do lwów, panter i hien, nie mogło być po prostu o nich mowy, gdyż zwierzęta te szukają łupu tylko w nocy. Chłopiec wiedział zresztą, że niczym nie zrobi dziewczynce takiej przyjemności, jak gdy pokaże, że nie uważa jej za małe dziecko.

– Dobrze więc – rzekł – idź sama, ale idź prosto i nie marudź po drodze.

– A czy mogę tylko narwać tych kwiatów? – zapytała ukazując na krzak kuso, okryty niezmierną ilością różowego kwiecia.

– Możesz.

To rzekłszy zawrócił ją, i pokazał jej raz jeszcze dla pewności kępę drzew, z której wychodził dym obozowy i w której rozlegało się trąbienie Kinga, po czym nurknął w wysoką dżunglę obrastającą brzeg wąwozu…

Lecz nie uszedł jeszcze stu kroków, a już ogarnął go niepokój. „To przecie głupio z mojej strony – pomyślał – żem pozwolił Nel chodzić samej po Afryce, głupio! Głupio! To takie dziecko! Nie powinienem jej ani na krok odstępować, chyba że jest przy niej King. Kto wie, co się może trafić! Kto wie, czy pod tym różowym krzakiem nie siedzi jaki wąż, wielkie małpy mogą się tu wychylić z wąwozu i porwać mi ją albo pokąsać. Brońże Boże! Zrobiłem okropne głupstwo!"

I niepokój jego przeszedł w gniew na samego siebie, a zarazem w okropny lęk. Nie namyślając się dłużej, zawrócił, jakby dotknięty nagłym złym przeczuciem. Idąc spiesznie, z tą niesłychaną wprawą, jakiej już nabrał wskutek codziennych polowań, trzymał gotową do strzału strzelbę i posuwał się wśród kolczastych mimoz bez żadnego szelestu, zupełnie jak pantera, gdy nocą skrada się do stada antylop. Po chwili wysunął głowę z wysokich zarośli, spojrzał – i skamieniał.

Nel stała pod krzewem kuso z wyciągniętymi przed siebie rączkami; różowe kwiaty, które upuściła z przerażenia, leżały u jej nóg, a w odległości dwudziestu kilku kroków wielki płowoszary zwierz pełznął ku niej wśród niskiej trawy.

Staś widział wyraźnie jego zielone oczy wpatrzone w białą jak kreda twarz dziewczynki, jego zwężoną z przypłaszczonymi uszyma głowę, jego podniesione w górę z powodu przyczajonej i pełzającej postawy łopatki, jego długie ciało i jeszcze dłuższy ogon, którego koniec poruszał się lekkim kocim ruchem. Chwila jeszcze – jeden skok, i byłoby po Nel.

Na ten widok zahartowany i przywykły do niebezpieczeństw chłopak w mgnieniu oka zrozumiał, że jeśli nie odzyska zimnej krwi, jeśli nie zdobędzie się na spokój, przytomność, jeśli źle strzeli i tylko rani napastnika, choćby nawet ciężko, to dziewczynka musi zginąć. Lecz umiał już do tego stopnia nad sobą zapanować, że pod wpływem tych myśli ręce jego i nogi stały się nagle spokojne jak stalowe sprężyny. Jednym rzutem oka dojrzał ciemną cętkę w pobliżu ucha zwierzęcia – jednym lekkim ruchem skierował ku niej lufy strzelby i wypalił.

Huk wystrzału, krzyk Nel i krótki, chrapliwy ryk ozwały się w tej samej chwili. Staś skoczył ku Nel i zastawiwszy ją własnym ciałem zmierzył znów do napastnika.

Lecz drugi strzał okazał się całkiem zbyteczny, albowiem straszliwy kot rozpłaszczył się i leżał jak łachman, nosem przy ziemi, z pazurami wbitymi w trawę, prawie bez drgawek. Pękająca kula odwaliła mu cały tył głowy wraz z kręgami na karku. Nad oczyma bieliły mu się krwawe, poszarpane zwoje mózgu.

A mały myśliwiec i Nel stali przez jakiś czas spoglądając to na zabite zwierzę, to na siebie i nie mogąc ani słowa przemówić. Lecz potem stała się rzecz dziwna. Oto ten sam Staś, który przed chwilą byłby zdumiał się swoją zimną krwią i spokojem najwytrawniejszych strzelców całego świata, podbladł nagle, nogi zaczęły mu się trząść, z oczu puściły się łzy, a następnie chwycił głowę w dłonie i zaczął powtarzać:

– O, Nel! Gdybym ja nie był wrócił!...

I opanowało go takie przerażenie, taka jakaś spóźniona rozpacz, że każda żyłka drgała w nim, jak gdyby dostał febry. Po niesłychanym napięciu woli i wszystkich sił duszy i ciała przyszła nań chwila słabości i folgi. W oczach stanął mu obraz strasznego zwierza spoczywającego z zakrwawioną mordą w jakiejś ciemnej jaskini i szarpiącego ciało Nel.

A przecież tak być mogło i tak by się stało, gdyby nie był powrócił. Jedna minuta, jedna sekunda więcej – i byłoby za późno. Tej myśli nie mógł po prostu znieść.

Skończyło się wreszcie na tym, że Nel ochłonąwszy z przerażenia musiała go pocieszać. Małe, poczciwe stworzenie zarzuciło mu obie rączki na szyję i płacząc także, poczęło na niego wołać tak głośno, jakby go chciało ze snu rozbudzić:

– Stasiu! Stasiu! Mnie nic! Patrz, że mi nic. Stasiu! Stasiu!

Lecz on przyszedł do siebie i uspokoił się po długim dopiero czasie. Zaraz potem nadszedł Kali, który usłyszawszy strzał niedaleko obozu i wiedząc, że bwana kubwa nie strzela nigdy na próżno, przyprowadził z sobą konia dla zabrania zwierzyny. Młody Murzyn spojrzawszy na zabite zwierzę cofnął się nagle i twarz stała mu się od razu popielata:

– Wobo! – zakrzyknął.

Dzieci zbliżyły się dopiero teraz do sztywniejącego już trupa. Staś bowiem nie miał dotychczas dokładnego pojęcia, jaki właściwie drapieżnik padł od jego strzału. Chłopcu wydawało się, na pierwszy rzut oka, że jest to wyjątkowo wielki serwal, jednakże po bliższym przypatrzeniu się poznał, że tak nie jest, albowiem zabity zwierz przechodził rozmiarami nawet lamparta. Płowa jego skóra usiana była cętkami barwy kasztanowatej, ale głowę miał od lamparta węższą, co czyniło go podobnym nieco do wilka, nogi wyższe, łapy szersze i olbrzymie oczy. Jedno z nich kula wysadziła zupełnie na wierzch, drugie patrzyło jeszcze na dzieci, bezdenne, nieruchome i straszne. Staś doszedł do przekonania, że to jest jakiś gatunek pantery, o którym zoologia tak samo nic nie wiedziała jak geografia o jeziorze Bassa-Narok.

Kali patrzył wciąż z niezmiernym przestrachem na rozciągnięte zwierzę powtarzając cichym głosem, jakby bał się je przebudzić:

– Wobo!... Pan wielki zabić wobo.

Lecz Staś zwrócił się do dziewczynki, położył jej dłoń na główce, jakby chcąc się ostatecznie upewnić, że wobo jej nie porwał, po czym rzekł:

– Widzisz Nel, widzisz, że choćbyś była całkiem duża, to po dżungli nie możesz sama chodzić.

– Prawda, Stasiu – odpowiedziała ze skruszoną minką Nel. – Ale z tobą albo Kingiem mogę?

– Mów, jak to było? Czyś usłyszała, jak się zbliżał?

– Nie... Tylko z kwiatów wyleciała wielka złota mucha, więc odwróciłam się za nią i zobaczyłam go, jak wyłaził z wąwozu.

– I co?

– I stanął, i zaczął na mnie patrzeć.

– Długo patrzył?

– Długo, Stasiu. Dopiero jak upuściłam kwiaty i zasłoniłam się od niego rękoma, zaczął się ku mnie czołgać...

Stasiowi przyszło do głowy, że gdyby Nel była Murzynką, zostałaby natychmiast porwana, i że ocalenie zawdzięcza także i zdziwieniu zwierzęcia, które ujrzawszy po raz pierwszy nie znaną sobie istotę, nie było na razie pewne, co ma czynić.

I mróz przeszedł znów przez kości chłopca.

– Bogu dzięki! Bogu dzięki, żem wrócił!...

Po czym pytał dalej:

– Coś sobie w tej chwili myślała?

– Chciałam na ciebie zawołać i… nie mogłam… ale…

– Ale co?

– Ale myślałam, że ty mnie obronisz… Sama nie wiem…

To powiedziawszy zarzuciła mu znów ramionka na szyję, a on począł głaskać jej czuprynkę.

– Nie boisz się już?

– Nie.

– Moje małe Mzimu! Moje Mzimu! – widzisz, co to jest Afryka!

– Tak, ale ty zabijesz każde szkaradne zwierzę.

– Zabiję.

Oboje znów zaczęli się przyglądać drapieżnikowi. Staś, chcąc zachować na pamiątkę jego skórę, kazał ją Kalemu ściągnąć, ale ów z obawy, by drugi wobo nie wylazł do niego z wąwozu, prosił, by go nie zostawiali samego, a na pytanie, czy rzeczywiście boi się więcej wobo niż lwa, rzekł:

– Lew ryczeć w nocy i nie przeskoczyć przez częstokół, a wobo przeskoczyć w biały dzień i zabić dużo Murzynów w środku wsi, a potem porwać jednego i zjeść. Od wobo włócznia nie obroni ani łuk, tylko czary, bo wobo zabić nie można.

– Głupstwo – rzekł Staś. – Przypatrzże się temu, czy nie dobrze zabity?

– Biały pan zabić wobo, czarny człowiek nie zabić! – odpowiedział Kali.

Skończyło się na tym, że olbrzymiego kota przywiązano sznurem do konia – i koń zawlókł go do obozu. Stasiowi jednak nie udało się zachować jego skóry, a to z przyczyny Kinga, który domyśliwszy się widocznie, że wobo chciał porwać jego panienkę, wpadł w taki szał gniewu, że nawet rozkazy Stasia nie zdołały go pohamować. Porwawszy trąbą zabite zwierzę, wyrzucił je dwukrotnie w górę, po czym zaczął bić nim o drzewo, a w końcu potratował je nogami i zmienił w rodzaj bezkształtnej masy przypominającej marmeladę. Staś zdołał ocalić tylko szczęki, które z resztkami łba położył na drodze kolumny mrówek, te zaś w ciągu godziny oczyściły kości tak znakomicie, że nie zostało na żadnej ani atomu mięsa lub krwi.

Rozdział 40

W cztery dni później Staś zatrzymał się na dłuższy wypoczynek na wzgórzu podobnym do Góry Lindego, ale mniejszym i ciaśniejszym. Tego samego wieczora Saba zagryzł po ciężkiej walce wielkiego samca pawiana, którego napadł w chwili, gdy ów bawił się szczątkami latawca, drugiego z rzędu tych, które dzieci puściły przed wyruszeniem do oceanu. Staś i Nel, korzystając z postoju, postanowili kleić ciągle coraz nowe, ale puszczać je tylko wówczas, gdy silny musson będzie dął z zachodu na wschód. Staś licząc na to, że jeśli choć jeden wpadnie w ręce europejskie lub arabskie, zwróci na siebie niezawodnie nadzwyczajną uwagę i przyczyni się do wysłania umyślnej na ich ratunek wyprawy. Dla tym większej pewności obok napisów angielskich i francuskich dodawał arabskie, co nie przychodziło mu z trudnością, albowiem język arabski znał doskonale.

Wkrótce po wyruszeniu z postoju Kali oświadczył, że w łańcuchu gór, które widzieli na wschodzie, poznaje niektóre szczyty otaczające wielką wodę to znaczy Bassa-Narok, wszelako nie zawsze był tego pewien, gdyż zależnie od tego, z którego miejsca patrzyli, góry przybierały kształty odmienne. Po przejściu niewielkiej doliny zarośniętej krzakami kusso i wyglądającej jak jedno różowe jezioro trafili na chatę samotnych myśliwców. Było w niej dwóch Murzynów, z tych jeden ukąszony przez nitkowca i chory. Ale obaj byli tak dzicy i głupi, a przy tym tak przerażeni przybyciem niespodzianych gości i tak pewni, że zostaną zamordowani, że w pierwszych chwilach niepodobna było od nich niczego się dowiedzieć. Dopiero kilka płatów wędzonego mięsa rozwiązało język temu, który był nie tylko chory, ale i zgłodniały, gdyż towarzysz udzielał mu żywności bardzo skąpo. Od niego więc dowiedzieli się, że o dzień drogi leżą luźne wioski rządzone przez niezależnych wzajem siebie królików, a następnie, za stromą górą, poczyna się ziemia Fumby, rozciągająca się na zachód i południe od wielkiej wody. Stasiowi, gdy to usłyszał, wielki ciężar spadł z serca, a do duszy wstąpiła nowa otucha. Bądź co bądź, byli już niemal na progu krainy Wa-himów.

Jak dalej pójdzie podróż, oczywiście trudno było przewidzieć, wszelako chłopiec mógł się w każdym razie spodziewać, że nie będzie cięższa ani nawet dłuższa od tej okropnej drogi znad brzegów Nilu, którą jednak przebył dzięki swej wyjątkowej zaradności i w czasie której uchronił od zguby Nel. Nie wątpił, że dzięki Kalemu Wa-himowie przyjmą ich jak najgościnniej i dadzą im wszelką pomoc. Zresztą poznał już dobrze Murzynów, wiedział, jak należy z nimi postępować, i był prawie pewien, że nawet bez Kalego dałby sobie z nimi jakoś radę.

– Wiesz – mówił do Nel – że od Faszody odbyliśmy już więcej niż połowę drogi, a podczas tej, którą mamy jeszcze przed sobą, spotkamy może bardzo dzikich Murzynów, ale nie spotkamy już derwiszów.

– Ja wolę Murzynów – odpowiedziała dziewczynka.

– Tak, póki uchodzisz za bożka. Porwano mnie z Fajumu razem z panienką, której na imię było Nel, a odwiozę jakieś Mzimu. Powiem ojcu i panu Rawlisonowi, żeby cię nigdy nie nazywali inaczej.

A jej oczy poczęły się zaraz rozjaśniać i śmiać.

– Może zobaczymy tatusiów w Mombassie?

– Może. Gdyby nie ta wojna nad brzegami Bassa-Narok, bylibyśmy tam prędzej. Potrzeba też było Fumbie w to się wdawać.

To rzekłszy skinął na Kalego:

– Kali, czy chory Murzyn słyszał o wojnie?

– Słyszał. Być wielka wojna, bardzo wielka: Fumby z Samburu.

– Więc co będzie? Jak przejedziemy przez kraj Samburu?

– Samburu uciec przed panem wielkim, przed Kingiem i przed Kalim.

– I przed tobą?

– I przed Kalim, ponieważ Kali ma strzelbę, która grzmieć i zabijać.

Staś począł rozmyślać nad udziałem, jaki mu wypadnie wziąć w zapasach między pokoleniem Wa-himów a Samburu, i postanowił pokierować sprawą w ten sposób, by wojna nie utrudniała podróży. Rozumiał, że przybycie ich będzie całkiem niespodziewanym wypadkiem, który od razu zapewni Fumbie przewagę. Należało tylko wyzyskać odpowiednio przewidywane zwycięstwo.

W wioskach, o których mówił chory myśliwiec, zasięgnęli nowych wiadomości o wojnie. Były one coraz dokładniejsze, ale dla Fumby niepomyślne. Mali podróżnicy dowiedzieli się, że prowadził on walkę odporną i że Samburu, pod wodzą swego króla nazwiskiem Mamba, zajęli już znaczną przestrzeń kraju Wa-himów i zdobyli mnóstwo krów. Opowiadano, że wojna wre głównie na południowym krańcu wielkiej wody, gdzie na wysokiej i szerokiej skale leży wielka boma Fumby.

Wiadomości te mocno zmartwiły Kalego, który też prosił Stasia, by jak najprędzej przebyli ową górę dzielącą ich od okolic objętych pożarem wojny, zaręczając, że potrafi znaleźć drogę, którą przeprowadzi nie tylko konie, ale i Kinga. Był już w stronach, które znał dobrze, i teraz rozróżniał z wielką pewnością znajome od dzieciństwa szczyty.

Jednakże przejście nie okazało się łatwe i gdyby nie pomoc ujętych darami mieszkańców ostatniej wioski, trzeba by było szukać dla Kinga innej drogi. Ci znali jednak jeszcze lepiej od Kalego wąwozy leżące z jednej strony góry i po dwóch dniach uciążliwej podróży, w czasie której nocami dokuczały wielkie zimna, przeprowadzili na koniec szczęśliwie karawanę przez przełęcz, a z przełęczy na dolinę leżącą już w kraju Wa-himów.

Staś zatrzymał się rano na postój w tej otoczonej zaroślami i pustej dolinie. Kali zaś, który prosił, by mu wolno było wyjechać konno na wywiady w kierunku ojcowskiej bomy, odległej o dzień drogi, wyruszył dalej jeszcze tej samej nocy. Staś i Nel oczekiwali go przez całą dobę w największym niepokoju – i już myśleli, że zginął lub wpadł w ręce wrogów, gdy wreszcie zjawił się na wychudzonym i spienionym koniu, sam również zmęczony i tak przybity, że żal było na niego patrzeć.

Upadł też natychmiast do nóg Stasia i począł go błagać o ratunek.

– O, panie wielki! – mówił – Samburu zwyciężyć wojowników Fumby, zabić ich mnóstwo i rozpędzić tych, których nie zabić, a Fumbę oblegać w wielkiej bomie na górze Boko. Fumba i jego wojownicy nie mieć co jeść w bomie i zginąć, jeśli pan wielki nie zabić Mamby i wszystkich Samburu razem z Mambą.

Tak błagając obejmował kolana Stasia, a ów marszczył brwi i zastanawiał się głęboko nad tym, co mu wypada uczynić, gdyż, jak zawsze i wszędzie, chodziło mu o Nel.

– Gdzie są – zapytał wreszcie – ci wojownicy Fumby, których rozpędzili Samburu?

– Kali ich znalazł i oni tu nadejść zaraz.

– Ilu ich jest?

Młody Murzyn poruszył kilkanaście razy palcami obu rąk i nóg, ale widocznie nie mógł dokładnie oznaczyć liczby, z tej prostej przyczyny, że nie umiał rachować więcej niż do dziesięciu i każda większa ilość przedstawiała mu się tylko jako wengi, to jest mnóstwo.

– Więc jeśli tu przyjdą, to stań na ich czele i idź ojcu na odsiecz – rzekł Staś.

– Oni się bać Samburu i z Kalim nie pójść, ale z panem wielkim pójść i zabić wengi, wengi Samburu.

Staś zamyślił się znowu.

– Nie – rzekł w końcu – ja nie mogę ani bibi brać do bitwy, ani zostawiać jej samej – i nie uczynię tego za nic w świecie.

Na to Kali podniósł się i złożywszy ręce począł powtarzać raz po razie:

– Luela! Luela! Luela!

– Co to jest Luela? – zapytał Staś.

– Wielka boma dla kobiet Wa-hima i Samburu – odpowiedział młody Murzyn.

I jął opowiadać nadzwyczajne rzeczy. Oto Fumba i Mamba prowadzili z sobą od dawnych lat ciągle wojny.

Niszczono sobie wzajem plantacje, porywano bydło. Ale była na południowym brzegu jeziora miejscowość zwana Luela, do której w czasie nawet najzażartszych walk kobiety obu narodów schodziły się na targ z zupełnym bezpieczeństwem. Było to miejsce święte. Wojna toczyła się tylko z mężczyznami, żadne zaś klęski ani zwycięstwa nie wpływały na los niewiast, które w Lueli, za glinianym ogrodzeniem otaczającym obszerne targowisko, znajdowały najzupełniej bezpieczny przytułek. Wiele chroniło się tam w czasie zamieszek z dziećmi i dobytkiem. Inne przychodziły z odległych nawet wiosek, znosząc wędzone mięso, fasolę, proso, maniok i rozmaite inne zapasy. Wojownikom nie wolno było staczać bitew w takiej odległości od Lueli, z jakiej dochodziło pianie koguta. Nie wolno im było również przekraczać glinianego wału, którym rynek był otoczony. Mogli tylko stawać przed wałem, a wówczas kobiety podawały im zapasy żywności przywiązane do długich bambusów. Był to odwieczny zwyczaj i nigdy nie zdarzyło się, żeby którakolwiek strona go złamała. Zwycięzcom chodziło też zawsze o to, aby odciąć zwyciężonym drogę do Lueli i nie pozwolić im się zbliżyć do świętego miejsca na taką odległość, z jakiej dochodziło pianie koguta.

– O panie wielki – błagał Kali obejmując ponownie kolana Stasia – pan wielki odprowadzić bibi do Lueli, a sam wziąć Kinga, wziąć Kalego, wziąć strzelby, wziąć węże ogniste i pobić złych Samburu.

Staś uwierzył opowiadaniu młodego Murzyna, albowiem słyszał już poprzednio, że w wielu miejscowościach Afryki wojna nie obejmuje kobiet. Pamiętał, jak niegdyś w Port–Saidzie pewien młody niemiecki misjonarz opowiadał, że w okolicach olbrzymiej góry Kilimandżaro niezmiernie wojowniczy szczep Massai dochowuje święcie tego zwyczaju, na mocy którego kobiety walczących stron chodzą zupełnie swobodnie na wyznaczone targowisko i nie podlegają nigdy napaściom. Istnienie tego zwyczaju na brzegach Bassa-Narok ucieszyło Stasia mocno, albowiem mógł być pewny, że Nel nie grozi żadne niebezpieczeństwo z powodu wojny. Zamierzył też wyruszyć z dziewczynką niezwłocznie do Lueli, tym bardziej że przed zakończeniem wojny nie można było i tak myśleć o dalszej podróży, do której potrzebna była pomoc nie tylko Wa-himów, ale i Samburów.

Przywykły do szybkich postanowień, wiedział już, jak ma postąpić. Uwolnić Fumbę, pobić Samburów, ale nie pozwolić Wa-himom na zbyt krwawy odwet, a potem nakazać spokój i pogodzić walczących wydało mu się rzeczą konieczną i nie tylko dla niego, ale i dla Murzynów – najkorzystniejszą. „Tak ma być – i tak się stanie!" – rzekł do siebie w duchu, a tymczasem chcąc pocieszyć młodego Murzyna, którego mu było żal, oświadczył mu, że pomocy nie odmawia.

– Jak daleko stąd do Lueli? – zapytał.

– Pół dnia drogi.

– Słuchaj więc: odwieziemy tam bibi natychmiast, po czym pojadę na Kingu i odpędzę Samburu od bomy twego ojca. Ty pojedziesz ze mną i będziesz z nimi walczył.

– Kali będzie ich zabijać ze strzelby!

I przeszedłszy od razu z rozpaczy do radości począł skakać, śmiać się i dziękować Stasiowi z takim zapałem, jakby to było już po zwycięstwie. Lecz dalsze wybuchy wdzięczności i wesela przerwało przybycie tych wojowników, których zebrał w czasie swej wyprawy na zwiady i którym kazał stanąć przed obliczem białego pana. Było ich około trzystu zbrojnych w tarcze ze skóry hipopotama, w dziryty, łuki i noże. Głowy mieli przybrane w pióra, w grzywy pawianów i paprocie. Na widok słonia w służbie człowieka, na widok białych twarzy, Saby i koni ogarnął ich taki lęk i takież samo zdumienie jak i Murzynów w tych wioskach, przez które karawana przechodziła poprzednio. Ale Kali uprzedził ich z góry, iż ujrzą dobre Mzimu i potężnego pana, „który zabija lwy, który zabił wobo, którego boi się słoń, który łamie skały, puszcza węże ogniste" itd. Więc zamiast uciekać, stali długim szeregiem w milczeniu pełnym podziwu, połyskując tylko białkami oczu, niepewni, czy mają klęknąć, czy padać na twarz, ale zarazem pełni wiary, że te nadzwyczajne istoty im pomogą, to wnet skończą się zwycięstwa Samburu. Staś przejechał wzdłuż szeregu na słoniu, zupełnie jak wódz, który czyni przegląd wojska, po czym kazał Kalemu powtórzyć im swą obietnicę, że wyswobodzi Fumbę, i dał rozkaz wyruszenia do Lueli.

Kali pojechał z kilku wojownikami naprzód, aby zapowiedzieć zebranym niewiastom obu szczepów, że będą miały niewypowiedziane i niebywałe szczęście zobaczyć dobre Mzimu, które przyjechało na słoniu. Rzecz była tak nadzwyczajna, że nawet te kobiety, które jako Wa-himki poznały w Kalim zaginionego następcę tronu, sądziły, że młody syn króla żartuje sobie z nich, i dziwiły się, że mu się chce żartować w czasach dla całego szczepu i dla Fumby tak ciężkich. Gdy jednakże po upływie kilku godzin ujrzały olbrzymiego słonia zbliżającego się do wałów, a na nim biały palankin, wpadły w szał radości i przyjęły dobre Mzimu takimi okrzykami i takim wyciem, że Staś w pierwszej chwili poczytał owe głosy za wybuch nienawiści, a to tym bardziej że niesłychana brzydota tych Murzynek czyniła je podobnymi do czarownic.

Ale były to objawy nadzwyczajnej czci. Gdy namiot Nel ustawiono w rogu targowiska, pod cieniem dwóch gęstych drzew, Wa-himki wraz z Samburkami ubrały go w girlandy i wieńce z kwiatów, po czym naznosiły tyle zapasów żywności, że wystarczyłoby ich na miesiąc nie tylko dla samego bóstwa, ale i dla jego świty. Zachwycone niewiasty biły pokłony nawet Mei, która, przybrana w różowy perkal i w kilka sznurów niebieskich paciorków, wydała im się także, jako służka Mzimu, istotą daleko od zwykłych Murzynek wyższą.

Nasibu, ze względu na jego wiek dziecinny, został wpuszczony za wał i skorzystał natychmiast z ofiar przynoszonych dla Nel tak sumiennie, iż po godzinie brzuszek jego przypominał wojenny bęben afrykański.

Rozdział 41

Lecz Staś po krótkim wypoczynku pod wałami Lueli ruszył z Kalim na czele trzystu wojowników jeszcze przed zachodem słońca ku bomie Fumby, chciał bowiem uderzyć na Samburu w nocy, licząc na to, że w ciemnościach „węże ogniste" większe sprawią wrażenie. Droga od Lueli do góry Boko, na której bronił się Fumba, wynosiła, licząc z odpoczynkami, dziewięć godzin, tak że pod fortecą stanęli dopiero koło trzeciej po północy. Staś zatrzymał wojowników i nakazawszy im do czasu jak najgłębsze milczenie, począł rozpatrywać się w położeniu. Szczyt góry, na którym przytaili się obrońcy, był ciemny, natomiast Samburowie palili mnóstwo ogni. Blask ich rozświecał spadziste ściany skały i olbrzymie drzewa rosnące u jej stóp. Z daleka już dochodził głuchy głos bębnów oraz krzyki i śpiewy wojowników, którzy widocznie nie żałowali sobie pombe chcąc uczcić bliskie, ostateczne już zwycięstwo. Staś posunął się na czele swojego oddziału jeszcze dalej, tak że w końcu nie więcej niż sto kroków dzieliło go od ostatnich ogni. Straży obozowych nie było ani śladu, a noc bezksiężycowa nie pozwoliła dzikim ujrzeć Kinga, którego zasłaniały przy tym zarośla. Siedzący na jego karku Staś wydał po cichu ostatnie rozkazy, po których dał znak Kalemu, by podpalił jedną z przygotowanych rac. Czerwona wstęga wyleciała, sycząc, wysoko pod ciemne niebo, po czym z hukiem rozsypała się w bukiet czerwonych, błękitnych i złotych gwiazd. Wszystkie głosy umilkły i nastała chwila głuchej ciszy. W kilka sekund później wyleciały jakby z piekielnym chichotem jeszcze dwa ogniste węże, ale tym razem skierowane poziomo, wprost na obóz Samburów, a jednocześnie rozległ się ryk Kinga i wrzask trzystu Wahimów, którzy uzbrojeni w asagaje, maczugi i noże, rzucili się w niepohamowanym pędzie naprzód. Rozpoczęła się bitwa, tym straszniejsza, że odbywała się w ciemnościach, gdyż natychmiast rozdeptano w zamieszaniu wszystkie ogniska. Ale zaraz z początku na widok węży ognistych ogarnęła Samburów ślepa trwoga. To, co się stało, przechodziło zupełnie ich rozum. Widzieli tylko, że napadły na nich jakieś straszne istoty i że grozi im zguba okropna i nieuchronna. Większa część ich pierzchła, zanim dosięgły ich włócznie i maczugi Wa-himów. Stu kilkudziesięciu wojowników, których zdołał zebrać koło siebie Mamba, dawało zacięty opór; gdy jednak przy błyskawicach wystrzałów ujrzeli olbrzymie zwierzę, a na nim biało przybranego człowieka i gdy o uszy ich obił się huk broni, z której raz po raz strzelał Kali, upadły i w nich serca. Fumba na górze ujrzawszy pierwszą racę, która pękła na wysokościach, padł także ze strachu na ziemię i leżał jak nieżywy przez kilka minut. Ale ochłonąwszy zrozumiał z rozpaczliwego wycia wojowników jedną rzecz, a mianowicie: że jakieś duchy wytracają na dole Samburów. Wówczas błysnęła mu w głowie myśl, że gdyby nie przyszedł tym duchom w pomoc, to gniew ich mógłby się zwrócić i przeciw niemu; ponieważ zaś zatrata Samburów była dla niego zbawieniem, więc zebrawszy wszystkich swych wojowników wysunął się bocznym, ukrytym wyjściem z bomy i przeciął drogę większej części uciekających. Bitwa zmieniła się teraz w rzeź.

Bębny Samburów przestały huczeć. W pomroce, którą rozdzierały tylko czerwone błyskawice wyrzucane przez strzelbę Kalego, rozległo się wycie mordowanych, głuche uderzenia maczug o tarcze i jęki rannych. Litości nikt nie prosił, albowiem Murzyni jej nie znają. Kali z obawy, by w ciemnościach i zamieszaniu nie razić własnych ludzi, przestał wreszcie strzelać i chwyciwszy miecz Gebhra rzucił się w sam środek nieprzyjaciół. Samburowie mogli teraz uciekać z gór ku swoim granicom tylko jednym szerokim wąwozem, ale ponieważ wąwóz ten zamknął ze swymi wojownikami Fumba, przeto z całego zastępu ocaleli ci tylko, którzy rzuciwszy się na ziemię pozwalali brać się żywcem, chociaż wiedzieli, że czeka ich okrutna niewola lub nawet doraźna śmierć z ręki zwycięzców. Mamba bronił się bohatersko, dopóki uderzenie maczugi nie strzaskało mu czaszki. Syn jego, młody Faru, wpadł w ręce Fumby, a ten kazał go związać jako przyszłą ofiarę dziękczynną dla duchów, które przyszły z pomocą.

Staś nie pognał straszliwego Kinga do bitwy, pozwolił mu tylko ryczeć na tym większy postrach nieprzyjaciół. Sam nie wypalił też ani razu ze swego sztucera do Samburów, albowiem po pierwsze, obiecał małej Nel opuszczając Luelę, że nikogo nie zabije, a po wtóre – nie miał istotnie ochoty zabijać ludzi, którzy ani jemu, ani Nel nie uczynili nic złego. Dość było, że zapewnił Wa-himom zwycięstwo i uwolnił oblężonego w wielkiej bomie Fumbę. Wkrótce też, gdy Kali nadbiegł z wieścią o ostatecznym zwycięstwie, dał mu rozkaz, by zaprzestano bitwy, która wrzała jeszcze w zaroślach i załamach skalnych i którą przedłużała zawziętość starego Fumby.

Zanim jednak Kali zdołał ją uśmierzyć, uczynił się dzień. Słońce, jak zwykle pod zwrotnikami, wytoczyło się szybko zza gór i oblało jasnym światłem pobojowisko, na którym leżało przeszło dwieście trupów Samburów pobodzonych włóczniami lub pogruchotanych przez maczugi. Po pewnym czasie, gdy bitwa wreszcie ustała i tylko radosne wycie Wa-himów mąciło ciszę poranną, zjawił się znów Kali, ale z twarzą tak pognębioną i smutną, że już z daleka można było poznać, że spotkało go jakieś nieszczęście.

Jakoż stanąwszy przed Stasiem począł się bić pięściami po głowie i wołać żałośnie:

– O panie wielki – Fumba kufa! Fumba kufa! (zabity)!

– Zabity? – powtórzył Staś.

Kali opowiedział co zaszło, i ze słów jego pokazało się, że przyczyną wydarzenia była tylko zawziętość Fumby, gdy bowiem bitwa już ustała, chciał jeszcze dobić dwóch Samburów i od jednego z nich otrzymał cios włócznią.

Wiadomość rozbiegła się w mgnieniu oka między wszystkimi Wa-himami i naokół Kalego uczyniło się zbiegowisko. W chwilę później sześciu wojowników przyniosło na włóczniach starego króla, który nie był zabity, ale ciężko ranny i przed śmiercią chciał jeszcze zobaczyć potężnego, siedzącego na słoniu pana, prawdziwego zwycięzcę Samburu.

Jakoż niezmierny podziw walczył w jego oczach z mrokiem, którym przysłaniała je śmierć, a pobladłe i wyciągnięte przez pelele wargi jego szeptały cicho:

– *Yancig! Yancig!...*

Lecz natychmiast potem głowa przechyliła mu się w tył, usta otwarły się szeroko – i skonał.

Kali, który go kochał, rzucił się z płaczem na jego piersi. Wśród wojowników jedni poczęli bić się w głowy, drudzy okrzykiwać Kalego królem i „yancigować" na jego cześć. Niektórzy popadali przed młodym władcą na twarze. Nie podniósł się ani jeden przeciwny głos, gdyż panowanie należało się Kalemu, nie tylko z prawa, jako najstarszemu synowi Fumby, ale i jako zwycięzcy.

Tymczasem w chatach czarowników ozwały się w bomie na szczycie góry dzikie ryki złego Mzimu, takie same jakie Staś słyszał w pierwszej wiosce murzyńskiej, ale tym razem skierowane nie przeciw niemu, lecz domagające się śmierci jeńców za zabicie Fumby. Bębny poczęły warczeć. Wojownicy uformowali się w długi zastęp, po trzech ludzi w szeregu i rozpoczęli taniec wojenny naokół Stasia, Kalego i trupa Fumby.

– *Oa! Oa! Yah! Yah!* – powtarzały wszystkie głosy; głowy kiwały się jednostajnymi ruchami w prawo i w lewo, połyskiwały białka oczu, a ostrza dzid migotały w porannym słońcu.

Kali podniósł się i zwróciwszy się do Stasia rzekł:

– Pan wielki przywieźć do bomy bibi i zamieszkać w chacie Fumby. Kali być królem Wa-himów, a pan wielki królem Kalego.

Staś skinął głową na znak zgody, ale pozostał jeszcze przez kilka godzin, ponieważ i jemu, i Kingowi należał się wypoczynek.

Wyjechał dopiero pod wieczór. Przez czas jego nieobecności ciała poległych Samburu zostały uprzątnięte i powrzucane w pobliską głęboką przepaść, nad którą zakotłowały się zaraz stada sępów; czarownicy poczynili przygotowania do pogrzebu Fumby, a Kali objął władzę jako jedyny pan życia i śmierci wszystkich poddanych.

– Czy wiesz, kto to jest Kali – zapytał Staś dziewczynki w powrotnej drodze z Lueli.

Nel spojrzała na niego ze zdziwieniem.

– To twój boy.

– Aha! Boy! Kali – to teraz król wszystkich Wa-himów.

Nel ucieszyła się tą wiadomością ogromnie. Ta nagła zmiana, dzięki której dawny niewolnik okrutnego Gebhra, a potem pokorny sługa Stasia został królem, wydała jej się czymś nadzwyczajnym i zarazem niesłychanie zabawnym.

Jednakże uwaga Lindego, że Murzyni są jak dzieci, które nie są zdolne zapamiętać, co było wczoraj, nie okazała się w zastosowaniu do Kalego słuszna, gdyż jak tylko Staś i Nel stanęli u podnóża góry Boko, młody monarcha wybiegł skwapliwie na ich spotkanie, powitał ich ze zwykłymi oznakami pokory i radości i powtórzył te słowa, które już wypowiedział poprzednio:

– Kali być królem Wa-himów, a pan wielki być królem Kalego.

I otoczył oboje czcią niemal boską, a szczególnie bił pokłony wobec całego ludu przed Nel, wiedział bowiem z doświadczenia nabytego podczas podróży, że pan wielki dba o małą bibi więcej niż o siebie samego.

Wprowadziwszy ich uroczyście na szczyt do stołecznej bomy, oddał im chatę Fumby podobną do wielkiej, podzielonej na kilka komór szopy. Wa-himkom, które przyszły razem z nimi z Lueli i które nie mogły się dość napatrzyć dobremu Mzimu, polecił poustawiać w pierwszej komorze dzieże z miodem i kwaśnym mlekiem, gdy zaś dowiedział się, że znużona długą drogą bibi usnęła, nakazał wszystkim mieszkańcom jak najgłębszą ciszę, pod karą ucięcia języka. Lecz postanowił ich uczcić jeszcze uroczyściej i w tym celu, gdy Staś po krótkim wypoczynku wyszedł przed szopę, zbliżył się do niego i oddawszy mu pokłon rzekł:

– Jutro Kali kazać pochować Fumbę i ściąć dla Fumby i dla Kalego tylu niewolników, ile obaj mają palców u rąk, ale dla bibi i dla pana wielkiego Kali kazać ściąć Faru, syna Mamby, i wengi, wengi innych Samburów, których połapali Wa-himowie.

A Staś zmarszczył brwi i począł patrzeć swymi stalowymi oczyma w oczy Kalego, po czym odpowiedział:

– Zakazuję ci tego uczynić.

– Panie – rzekł niepewnym głosem młody Murzyn – Wa-hima zawsze ścinać niewolników. Stary król umrzeć – ścinać; młody król nastać – ścinać. Gdyby Kali nie kazać ścinać, Wa-hima myśleliby, że Kali nie król.

Staś patrzył coraz surowiej.

– Więc cóż – spytał. – A ty czyś się niczego nie nauczył na Górze Lindego i czy nie jesteś chrześcijaninem?

– Jestem, o panie wielki.

– Więc słuchaj! Wa-hima mają czarne mózgi, ale twój mózg powinien być biały. Ty, skoro zostałeś ich królem, powinieneś ich oświecić i nauczyć tego, czego nauczyłeś się ode mnie i od bibi. Oni są jak szakale i jak hieny – uczyń z nich ludzi. Powiedz im, że jeńców nie wolno ścinać, bo za krew bezbronnych karze Wielki Duch, do którego modlę się i ja i bibi. Biali nie mordują niewolników, a ty chcesz być gorszy dla nich, niż był dla ciebie Gebhr – ty, chrześcijanin! Wstydź się, Kali, zmień stare, obrzydłe obyczaje Wa-himów na dobre, a za to pobłogosławi cię Bóg, i bibi nie powie, że Kali jest dziki, głupi i zły Murzyn.

Okropne ryki w chatach czarowników zagłuszyły jego słowa. Staś machnął ręką i mówił dalej:

– Słyszę! To wasze złe Mzimu chce krwi i głów jeńców. Ale ty przecie wiesz, co to znaczy, i ciebie ono nie przestraszy. Więc ci powiem tak: weź bambus, idź do każdej z chat i bij w skórę czarowników dopóty, dopóki nie zaczną ryczeć głośniej niż ich bębny. A bębny powyrzucaj na środek bomy, ażeby wszyscy Wa-himowie obaczyli i zrozumieli, jak ich te łotry oszukują. Powiedz zarazem twoim głupim Wa-himom to, co sam ogłosiłeś ludziom M'Ruy, że tam, gdzie przebywa dobre Mzimu, krew ludzka nie może być przelana.

Młodemu królowi trafiły widocznie do przekonania słowa Stasia, gdyż spojrzał na niego nieco śmielej i rzekł:

– Kali wybić, ach wybić czarowników! Wyrzucić bębny i powiedzieć Wa-himom, że tam, gdzie jest dobre Mzimu, nie wolno nikogo zabić. Ale co Kali ma uczynić z Faru i Samburami, którzy zabili Fumbę?

Staś, który ułożył sobie wszystko w głowie i który czekał tylko na to pytanie odpowiedział natychmiast:

– Twój ojciec i jego ojciec zginął, więc głowa za głowę. Zawrzesz z młodym Faru przymierze krwi, po czym Wa-hima i Samburu będą żyli w zgodzie, będą spokojnie uprawiali maniok i polowali. Ty opowiesz Faru o Wielkim Duchu, który jest ojcem wszystkich białych i czarnych ludzi, Faru będzie cię kochał jak brata.

– Kali mieć teraz biały mózg! – odpowiedział młody Murzyn.

I na tym skończyła się rozmowa. W chwilę później rozległy się znów dzikie ryki, ale już nie złego Mzimu, tylko obu czarowników, których Kali bił w skórę ile wlazło.

Wojownicy, którzy na dole otaczali wciąż Kinga zwartym pierścieniem, przylecieli co duchu na górę, aby zobaczyć, co się dzieje, i przekonali się niebawem i własnymi oczyma, i z wyznań czarowników, że złe Mzimu przed którym drżeli dotychczas, to tylko wydrążony pień obciągnięty małpią skórą.

A młody Faru, gdy oznajmiono mu, że nie tylko nie zgruchocą mu głowy na cześć dobrego Mzimu i „wielkiego pana", ale że Kali ma zjeść „kawałek" jego, a on „kawałek" Kalego, nie chciał uszom wierzyć, następnie dowiedziawszy się, komu zawdzięcza życie, położył się twarzą do ziemi przed wejściem do chaty Fumby i leżał dopóty, dopóki Nel nie wyszła do niego i nie kazała mu powstać. Wówczas objął swymi czarnymi dłońmi jej małą nóżkę i postawił ją na swej głowie na znak, że przez całe życie chce zostać jej niewolnikiem.

Wa-himowie bardzo się dziwili rozkazom młodego króla, ale obecność nieznanych gości, których poczytywali za najpotężniejszych w świecie czarowników, sprawiła, że nikt nie śmiał się sprzeciwić.

Starzy nie byli jednak radzi nowym zwyczajom, a dwaj czarownicy zrozumiawszy, że dobre czasy skończyły się dla nich raz na zawsze, poprzysięgali w duszy okropną zemstę królowi i przybyszom.

Ale tymczasem pochowano uroczyście Fumbę u stóp skały pod bomą. Kali zatknął na jego grobie krzyż z bambusów. Murzyni zaś postawili kilka naczyń z pombe i z wędzonym mięsem, „aby nie dokuczał i nie straszył po nocy".

Ciało Mamby po zawarciu braterstwa krwi między Kalim a Faru oddano Samburom.

Rozdział 42

— Nel, potrafisz wyliczyć nasze podróże od Fajumu? – pytał Staś.

– Potrafię.

To mówiąc, dziewczynka podniosła w górę brwi i zaczęła rachować na paluszkach.

– Zaraz. Od Fajumu do Chartumu – to jedna; od Chartumu do Faszody – to druga; od Faszody do tego wąwozu, w którym znaleźliśmy Kinga – to trzecia; a od Góry Lindego do jeziora – to czwarta.

– Tak. Chyba nie ma na świecie drugiej muchy, która by przeleciała taki kawał Afryki.

– Ładnie by ta mucha wyglądała bez ciebie!

A on począł się śmiać.

– Mucha na słoniu! Mucha na słoniu!

– Ale nie tse-tse? Prawda, Stasiu? Nie tse-tse?

– Nie – odpowiedział – taka sobie dosyć miła mucha!

Nel, rada z pochwały, otarła mu nosek o ramię, po czym spytała:

– A kiedy pojedziemy w piątą podróż?

– Jak ty wypoczniesz, a ja nauczę trochę strzelać tych ludzi, których obiecał dać nam Kali.

– I długo będziemy jechali?

– Oj! Długo, Nel, długo! Kto wie, czy to nie będzie najdłuższa droga.

– Ale ty sobie poradzisz jak zawsze!

– Muszę.

Jakoż Staś radził sobie, jak mógł, ale ta piąta podróż wymagała wielu przygotowań. Mieli zapuścić się znów w nieznane krainy, w których groziły rozliczne niebezpieczeństwa, więc chłopiec pragnął ubezpieczyć się przeciw nim lepiej, niż zdołał to uczynić poprzednio. W tym celu ćwiczył w strzelaniu z remingtonów czterdziestu młodych Wa-himów, którzy mieli stanowić główną siłę zbrojną i niejako gwardię Nel. Więcej strzelców nie mógł mieć, gdyż King przydźwigał tylko dwadzieścia pięć karabinów, a na koniach przyszło piętnaście. Resztę armii miało stanowić stu Wa-himów i stu Samburów zbrojnych we włócznie i łuki, których obiecał dostarczyć Faru, a których obecność usuwała wszelkie trudności podróży przez obszerną i bardzo dziką krainę zamieszkałą przez szczepy Samburu. Staś nie bez pewnej dumy myślał, że uciekłszy w czasie podróży z Faszody tylko z Nel i z dwojgiem Murzynów, bez żadnych środków, może przyjść na brzeg oceanu na czele dwustu zbrojnych ludzi ze słoniem i końmi. Wyobrażał sobie, co na to powiedzą Anglicy, którzy tak wysoko cenią zaradność, ale przede wszystkim, co powie jego ojciec i pan Rawlison. Myśl o tym osładzała mu wszelkie trudy.

Jednakże nie był wcale spokojny o własne i Nel losy. Dobrze! Przejdzie zapewne łatwo posiadłości Wa-himów i Samburów, lecz co potem? Na jakie trafi jeszcze szczepy, w jakie wejdzie okolice i ile mu pozostanie drogi? Wskazówki Lindego były zbyt ogólne. Stasia trapiło mocno, że właściwie nie wiedział, gdzie jest, gdyż ta część Afryki wyglądała na mapach, z których się uczył geografii zupełnie jak biała karta. Nie miał żadnego pojęcia, co to jest to jezioro Bassa-Narok i jak jest wielkie. Był na południowym jego krańcu, przy którym szerokość rozlewu mogła wynosić kilkanaście kilometrów. Ale jak daleko jezioro ciągnęło się na północ, tego nie umieli powiedzieć ani Wa-himowie, ani Samburowie. Kali, który znał jako tako język ki-swa-hili, na wszystkie pytania odpowiadał tylko: „Bali! Bali!", co znaczy: Daleko! Daleko! – ale to było wszystko, co Staś mógł z niego wydobyć.

Ponieważ na północy góry zamykające widnokrąg wydawały się dość bliskie, więc przypuszczał, że jest to jakieś niezbyt obszerne górskie jezioro, takie, jakich wiele znajduje się w Afryce. W kilka lat później pokazało się jak ogromną popełnił omyłkę, na razie jednak nie tyle chodziło mu o dokładne poznanie obszaru Bassa-Narok, ile o to, czy nie wypływa z niego jaka rzeka, która następnie wpada do oceanu. Samburowie, poddani Faru, twierdzili, że na wschód od ich kraju leży jakaś wielka pustynia bezwodna, której nikt jeszcze nie przebył. Staś, który znał Murzynów z opowiadań podróżników, z przygód Lindego, a po czę-ści i z własnych doświadczeń, wiedział, że gdy rozpoczną się niebezpieczeństwa i trudy, wielu jego ludzi zemknie z powrotem do domu, a może nie pozostanie mu żaden. W takim razie znalazłby się wśród puszcz i pustyń tylko z Nel, z Meą i małym Nasibu. Przede wszystkim jednak rozumiał, że brak wody rozproszyłby karawanę natych-miast, i dlatego dopytywał się tak usilnie o rzekę. Idąc z jej biegiem można by oczywiście uniknąć tych okropności, na jakie podróżnicy narażeni są w okolicach bezwodnych.

Ale Samburowie nie umieli mu powiedzieć nic pewne-go, sam zaś nie mógł sobie pozwolić na dłuższą wycieczkę wzdłuż wschodniego wybrzeża jeziora, albowiem inne zajęcia zatrzymywały go w Boko. Wyliczył, że z latawców, puszczanych z Góry Lindego i po drodze z wiosek murzyńskich, prawdopodobnie żaden nie przeleciał przez łańcuch szczytów otaczających Bassa-Narok. Z tego powodu należało robić i puszczać nowe, albowiem te dopiero wiatr mógł zanieść na płaską pustynię daleko – może aż do oceanu. Owóż tej roboty musiał doglądać osobiście: Nel bowiem umiała doskonale kleić latawce, a Kali nauczył się je puszczać – żadne z nich jednak nie było w stanie wypisać na nich tego wszystkiego, co wypisać należało. Staś uważał, że jest to rzecz wielkiego znaczenia, której stanowczo nie wolno zaniedbywać.

Więc te roboty zajęły mu tyle czasu, że karawana dopiero po trzech tygodniach była gotowa do drogi. Ale w wigilię tego dnia, w którym miano o świcie wyruszyć, młody król Wa-himów stanął przed Stasiem i skłoniwszy mu się głęboko, rzekł:

– Kali pójść z panem i z bibi aż do wody, po której pływają wielkie pirogi białych ludzi.

Stasia wzruszył ten dowód przywiązania, jednakże sądził, że nie ma prawa zabierać z sobą chłopca w tak ogromną podróż, z której powrót był dla niego bardzo niepewny.

– Dlaczego chcesz iść z nami? – zapytał.

– Kali kochać pana wielkiego i bibi.

Staś położył mu dłoń na wełnistej głowie.

– Wiem, Kali, ty jesteś poczciwy i dobry chłopiec. Ale cóż się stanie z twoim królestwem i kto będzie rządził za ciebie Wa-himami?

– M'Tana, brat matki Kalego.

Staś wiedział, że i między Murzynami toczą się walki o władzę i że panowanie nęci ich tak samo jak białych, więc pomyślał chwilę i rzekł:

– Nie, Kali. Ja cię nie mogę zabrać. Ty musisz zostać z Wa-himami, aby uczynić z nich dobrych ludzi.

– Kali do nich powrócić.

– M'Tana ma wielu synów, więc co będzie, jeśli zechce sam być królem i zostawić królestwo swoim synom, a Wahimów podmówi, żeby cię wypędzili?

– M'Tana dobry. On tego nie zrobić.

– Ale jeżeli zrobi?

– To Kali pójść znów nad wielką wodę, do pana wielkiego i bibi.

– Nas już tam nie będzie.

– To Kali siąść nad wodą i z żalu płakać.

Tak mówiąc założył ręce na głowę – po chwili zaś wyszeptał:

– Kali bardzo kochać pana wielkiego i bibi – bardzo.

I dwie wielkie łzy zaświeciły mu w oczach.

Staś zawahał się, jak ma postąpić. Było mu Kalego żal, jednakże nie zgodził się od razu na jego prośbę. Rozumiał, że – nie mówiąc już o niebezpieczeństwach powrotu – jeśli M'Tana lub czarownicy zbuntują Murzynów, wtedy chłopcu zagrozi nie tylko wypędzenie z kraju, ale i śmierć.

– Lepiej będzie dla ciebie zostać – rzekł – bez porównania lepiej!

Lecz w czasie gdy to mówił, weszła Nel, która przez cienką matę przedzielającą komory słyszała doskonale rozmowę, i ujrzawszy teraz łzy w oczach Kalego poczęła je paluszkami ścierać z jego rzęs, a następnie zwróciła się do Stasia.

– Kali pójdzie z nami – rzekła z wielką stanowczością.

– Oho! – powiedział nieco urażony Staś – to nie zależy od ciebie.

– Kali pójdzie z nami – powtórzyła.

– Albo nie pójdzie.

Nagle tupnęła nóżką.

– Ja chcę!

I sama rozpłakała się serdecznie.

Staś spojrzał na nią z największym zdziwieniem, jakby nie rozumiejąc, co się stało tak zawsze dobrej i łagodnej dziewczynce, lecz widząc, że obie piąstki wsadziła w oczy, a w otwarte usta łowi jak ptaszek powietrze, począł wołać z wielkim pośpiechem:

– Kali pójdzie z nami! Pójdzie! Pójdzie! Czego płaczesz? Jaka nieznośna! Pójdzie! A to mnie pozbadła! Pójdzie – słyszysz?

I tak się stało. Staś wstydził się do wieczora swej słabości dla dobrego Mzimu, a dobre Mzimu, postawiwszy na swoim było tak ciche, łagodne i posłuszne jak zawsze.

Rozdział 43

Karawana ruszyła następnego dnia o świcie. Młody Murzyn był wesół, mała despotka łagodna i posłuszna w dalszym ciągu, a Staś pełen energii i nadziei. Szło z nimi stu Samburów i stu Wa-himów – czterdziestu z tych ostatnich zbrojnych w remingtony, z których jako tako umieli strzelać. Biały wódz, który ich w tym ćwiczył przez trzy tygodnie, wiedział wprawdzie, że w danym razie narobią daleko więcej hałasu niż szkody, ale myślał, że w spotkaniach z dzikimi hałas odgrywa nie mniejszą rolę od kuli, i rad był ze swej gwardii. Wzięto wielkie zapasy manioku, placków wypieczonych z wielkich białych i tłustych mrówek wysuszonych starannie i zmielonych na mąkę oraz moc wędzonego mięsa. Z karawaną ruszyło kilkanaście kobiet, które niosły rozmaite rzeczy dla Nel i worki ze skór antylop na wodę. Staś z wysokości grzbietu Kinga pilnował porządku, wydawał rozkazy – może nie tyle dlatego, że były potrzebne, ile z tego powodu, że upajała go rola wodza – i z dumą spoglądał na swoją małą armię.

„Gdybym chciał – mówił sobie – to mógłbym tu zostać królem nad wszystkimi ludami Doko – tak jak Beniowski na Madagaskarze!"

I przez głowę przeleciała mu myśl, czyby nie dobrze było wrócić tu kiedy, podbić wielki obszar kraju, ucywilizować Murzynów, założyć w tych stronach nową Polskę albo nawet ruszyć kiedyś na czele czarnych wyćwiczonych zastępów do starej. Ponieważ czuł jednak, że jest w tej myśli coś śmiesznego, i ponieważ wątpił, czy ojciec dałby mu pozwolenie na odegranie roli Aleksandra Macedońskiego w Afryce, przeto nie zwierzył się ze swymi planami Nel, która była jedyną zapewne na świecie osobą gotową im przyklasnąć.

A przy tym przed podbojem tych okolic Afryki należało się przede wszystkim z nich wydostać, więc zajął się bliższymi sprawami. Karawana rozciągnęła się długim sznurem. Staś siedząc na karku Kinga postanowił jechać na jej końcu, aby mieć wszystko i wszystkich przed oczyma.

Owóż gdy ludzie przechodzili jeden za drugim koło niego, spostrzegł nie bez zdziwienia, że dwaj czarownicy, M'Kunje i M'Pua, ci sami, którzy dostali wnyki od Kalego, należą do karawany i z pakunkami na głowach ruszają wraz z innymi w drogę. Więc zatrzymał ich i zapytał:

– Kto wam kazał iść?

– Król – odpowiedzieli obaj kłaniając się pokornie.

Ale pod pokrywką pokory oczy ich połyskiwały tak dziko, a w twarzach odbijała się taka złość, że Staś w pierwszej chwili chciał ich odpędzić i jeśli tego nie uczynił, to jedynie z tego powodu, by nie podkopywać powagi Kalego.

Jednakże przywołał go natychmiast.

– Czy to ty – zapytał – kazałeś czarownikom iść z nami?

– Kali kazać, albowiem Kali jest mądry.

– Więc pytam jeszcze raz, dlaczego twoja mądrość nie pozostawiła ich w domu?

– Bo gdyby M'Kunje i M'Pua zostać, wówczas obaj namawiać by Wa-himów, żeby Wa-himowie zabić Kalego po powrocie, ale jeśli oni iść z nami, Kali na nich patrzeć i pilnować.

Staś pomyślał chwilę i rzekł:

– Może masz słuszność, jednakże zwracaj na nich dzień i noc pilną uwagę, gdyż źle im z oczu patrzy.

– Kali mieć bambus – odpowiedział młody Murzyn.

Karawana ruszyła. Staś w ostatniej chwili rozkazał, by zbrojna w remingtony gwardia zamykała pochód, gdyż byli to ludzie upatrzeni przez niego, wybrani i najpewniejsi. Podczas ćwiczeń z bronią, które trwały dość długo, przywiązali się w pewnym stopniu do młodego wodza, a zarazem, jako najbliżsi jego dostojnej osoby, uważali się za coś lepszego od innych. Obecnie mieli czuwać nad całą karaną i chwytać tych, którym by przyszła chętka drapnąć.

Było do przewidzenia, że gdy rozpoczną się trudy i niebezpieczeństwa, nie zbraknie także i zbiegów.

Ale pierwszego dnia wszystko szło jak najlepiej. Murzyni z ciężarami na głowach, każdy zbrojny we włócznię i kilka pomniejszych dzirytów, czyli tak zwanych asagai, rozciągnęli się długim wężem wśród dżungli. Przez jakiś czas posuwali się południowym brzegiem jeziora po płaszczyźnie, ale ponieważ jezioro otaczały ze wszystkich stron wyniosłe szczyty, więc gdy skręcili ku wschodowi, trzeba było piąć się pod górę. Starzy Samburowie, którzy znali te strony, twierdzili, że karana będzie musiała przejść przez wysokie przełęcze między górami, które zwali Kullal i Inro, po czym wejdzie do krainy Ebene, leżącej na południe od Borani. Staś rozumiał, że nie można iść wprost na wschód, pamiętał bowiem, że Mombassa leży o kilka stopni za równikiem, a zatem znacznie od tego nieznanego jeziora na południe. Posiadając kilka kompasów po Lindem, nie obawiał się jednak zmylić właściwej drogi.

Pierwszy nocleg wypadł im na lesistej wyżynie. Wraz z nastaniem ciemności zapłonęło kilkadziesiąt ognisk, przy których Murzyni piekli suszone mięso i jedli ciasto z korzeni manioku wybierając je z naczyń palcami. Po zaspokojeniu głodu i pragnienia rozpowiadali sobie, dokąd ich bwana kubwa prowadzi i co za to od niego dostaną. Niektórzy śpiewali siedząc w kucki i grzebiąc w ogniu, wszyscy zaś gadali tak długo i tak głośno, że Staś musiał w końcu nakazać milczenie, by Nel mogła spać.

Noc była bardzo chłodna, ale nazajutrz, gdy pierwsze promienie słońca rozświeciły okolicę, powietrze ocieploło się natychmiast. O wschodzie słońca mali podróżnicy ujrzeli dziwne widowisko. Zbliżali się właśnie do jeziorka rozległego na dwa kilometry, a raczej do wielkiej kałuży utworzonej przez dżdże w kotlinie górskiej, gdy nagle Staś, siedząc wraz z dziewczynką na Kingu i rozglądając się przez lunetę po okolicy, zawołał:

– Patrz, Nel, słonie idą do wody.

Jakoż na odległość pół kilometra widać było stadko złożone z pięciu sztuk zbliżających się z wolna jedna za drugą do jeziorka.

– To jakieś dziwne słonie – rzekł Staś przypatrując się im ciągle z wielką uwagą. – Są mniejsze od Kinga, uszy mają także daleko mniejsze i wcale nie widzę kłów.

Tymczasem słonie weszły do wody, lecz nie zatrzymały się na brzegu, jak to czynił zwykle King, i nie poczęły się polewać trąbami, ale idąc wciąż naprzód, zanurzały się coraz głębiej, tak że w końcu tylko ich czarne grzbiety wystawały nad wodą, na podobieństwo złomów skalnych.

– Co to jest? Nurkują! – zawołał Staś.

Karawana zbliżyła się znacznie do brzegu, a wreszcie stanęła tuż nad nim. Staś zatrzymał ją i począł spoglądać z nadzwyczajnym zdumieniem to, na Nel, to na jezioro.

Słoni nie było już wprawdzie widać, tylko na gładkiej szybie wodnej można było nawet gołym okiem odróżnić pięć jakby okrągłych, czerwonych kwiatów, wystających nad powierzchnią i kołyszących się lekkim ruchem.

– One stoją na dnie, a to końce trąb – ozwał się Staś nie wierząc własnym oczom.

Po czym zawołał do Kalego:

– Kali! Widziałeś?

– Tak, panie, Kali widzieć, to są słonie wodne – odpowiedział spokojnie młody Murzyn.

– Słonie wodne?

– Kali widzieć je nie raz.

– I one żyją w wodzie?

– W nocy wychodzić w dżunglę i paść się, a w dzień mieszkać w jeziorze, tak jak kiboko (hipopotamy). One wyjść dopiero po zachodzie słońca.

Staś długo nie mógł ochłonąć ze zdziwienia i gdyby nie to, że pilno było mu w drogę, byłby zatrzymał karawanę aż do wieczora, by lepiej przypatrzeć się osobliwym zwierzętom. Ale przyszło mu do głowy, że słonie mogą wynurzyć się po przeciwnej stronie jeziora, a choćby wyszły gdzie bliżej, trudno będzie przyjrzeć się im po ciemku dokładniej.

Dał więc znak do odjazdu, ale po drodze mówił do Nel:

– No! Widzieliśmy coś takiego, czego nie widziały nigdy oczy żadnego Europejczyka. I wiesz, co myślę – że jeśli dojdziemy szczęśliwie do oceanu, to nikt nam nie uwierzy, gdy powiem, że są w Afryce słonie wodne.

– A gdybyś jednego z nich złapał i zabrał z nami do oceanu? – rzekła Nel, przekonana jak zawsze, że Staś wszystko potrafi.

Rozdział 44

Po dziesięciu dniach drogi karawana przeszła wreszcie przełęcze górskie i weszła w kraj odmienny. Była to obszerna równina, gdzieniegdzie tylko powyginana w niewielkie wzgórza, ale przeważnie płaska. Roślinność zmieniła się zupełnie. Nie było wielkich drzew wznoszących się pojedynczo lub po kilka nad falującą powierzchnią wysokich traw. Gdzieniegdzie tylko sterczały w znacznym od siebie oddaleniu akacje wydające gumę, o pniach barwy koralowej lub parasolowate, ale o uliścieniu rzadkim i dającym mało cienia. Między kopcami termitów strzelała tu i ówdzie w górę euforbia, z gałęziami podobnymi do ramion świecznika. Pod niebem unosiły się sępy, a niżej przelatywały z akacji na akację ptaki z rodzaju kruków, upierzone czarno i biało. Trawy były żółte i w kłosach, jak dojrzałe żyto. A jednakże ta sucha dżungla dostarczała widocznie obficie żywności dla wielkiej ilości zwierząt, albowiem kilka razy na dzień podróżnicy spotykali liczne stada antylop gnu, bubalów i szczególnie zebr. Upały na otwartej i bezdrzewnej płaszczyźnie uczyniły się nieznośne. Niebo było bez chmur, dni znojne, a noce niewiele przynosiły wypoczynku.

Podróż stawała się z każdym dniem uciążliwsza. W wioskach, na które trafiała karawana, dzika niezmiernie ludność przyjmowała ją ze strachem, ale przeważnie niechętnie, i gdyby nie znaczna ilość zbrojnych pagazich, a również gdyby nie widok białych twarzy, Kinga i Saby, podróżnikom groziłoby wielkie niebezpieczeństwo.

Staś zdołał za pomocą Kalego dowiedzieć się, że dalej wcale nie ma wiosek i że kraj jest bezwodny. Trudno temu było uwierzyć, bo liczne stada, które spotykano, musiały gdzieś pić. Jednakże opowiadania o pustyni, w której nie ma ani rzek, ani kałuży, przestraszyły Murzynów i rozpoczęło się zbiegostwo. Pierwsi dali przykład M'Kunje i M'Pua. Na szczęście wcześnie dostrzeżono ucieczkę i konny pościg schwytał ich jeszcze niedaleko obozu, a gdy ich przyprowadzono, Kali przedstawił im za pomocą bambusa całą niewłaściwość ich postępku. Staś zebrawszy wszystkich pagazich miał do nich przemowę, którą młody Murzyn tłumaczył na język miejscowy. Korzystając z tego, że na poprzednim postoju lwy ryczały całą noc naokół obozu, Staś starał się przekonać swych ludzi, że kto ucieknie, ten niechybnie stanie się ich łupem, a gdyby nawet nocował na akacjach, to znajdzie tam straszliwsze jeszcze wobo. Mówił następnie, że gdzie żyją antylopy, tam musi być i woda, jeśli zaś w dalszej drodze trafią na okolice wody pozbawione, to można przecie nabrać jej na dwa i trzy dni w worki uszyte ze skór antylop. Murzyni słuchając jego słów powtarzali co chwila jedni drugim: „O matko, jakaż to prawda!", ale następnej nocy zbiegło pięciu Samburów i dwóch Wa-himów, a potem co noc ktoś ubywał.

M'Kunje i M'Pua nie próbowali jednak szczęścia po raz drugi z tej prostej przyczyny, że Kali codziennie po zachodzie słońca kazał ich wiązać.

Jednakże kraj stawał się coraz bardziej suchy, a słońce wypalało niemiłosiernie dżunglę. Nie było widać nawet akacyj. Stada antylop pojawiały się ciągle, lecz mniej liczne.

Osioł i konie znajdowały jeszcze dość pożywienia, gdyż pod wysoką wyschłą trawą ukrywała się w wielu miejscach niższa, bardziej zielona i mniej zeschnięta. Ale King, lubo nie przebierał – schudł. Gdy trafił na akację, łamał ją głową i objadał starannie liście i strąki nawet zeszłoroczne. Karawana trafiała wprawdzie dotychczas codziennie na wodę, ale często na złą, którą trzeba było filtrować, lub na słoną, niezdatną wcale do picia. Następnie zdarzało się kilkakrotnie, że wysłani naprzód przez Stasia ludzie wracali pod wodzą Kalego nie znalazłszy ani kałuży, ani strumienia ukrytego w rozpadlinie ziemnej i Kali ze strapioną miną oświadczał: „Madi apana" (nie ma wody).

Staś zrozumiał, że ta ostatnia wielka podróż wcale nie będzie łatwiejsza od poprzednich, i począł się niepokoić o Nel, gdyż i w niej zaszły zmiany. Twarzyczka jej, zamiast opalać się na słońcu i wietrze, czyniła się z każdym dniem bledsza, a oczy traciły zwykły blask. Na suchej równinie, wolnej od komarów, nie groziła wprawdzie febra, ale widoczne było, że straszliwe upały wyniszczają siły dziewczynki. Chłopiec z politowaniem i z obawą patrzał teraz na jej małe rączki, które stały się tak białe jak papier, i gorzko wyrzucał sobie, że straciwszy zbyt wiele czasu na przygotowania i ćwiczenia Murzynów w strzelaniu, naraził ją na podróż w porze roku tak znojnej.

Wśród tych obaw upływał dzień za dniem. Słońce wypijało wilgoć i życie z ziemi coraz chciwiej i niemiłosierniej. Trawy pokurczyły się i zeschły do tego stopnia, że kruszyły się pod nogami antylop i że przebiegające stada, lubo nieliczne, wznosiły tumany kurzawy. Jednakże podróżnicy trafili raz jeszcze na rzeczkę, którą rozpoznali z dala po długich szeregach drzew rosnących nad jej brzegami. Murzyni popędzili ku drzewom na wyścigi i dopadłszy do brzegu, położyli się na nim mostem, zanurzając głowy i pijąc tak chciwie, że przestali dopiero wówczas, gdy krokodyl chwycił jednego z nich za rękę. Inni rzucili się na ratunek towarzysza i w jednej chwili wyciągnęli z wody wstrętnego jaszczura, który jednak nie chciał puścić ręki człowieka, choć otwierano mu paszczę za pomocą dzid i nożów. Sprawę zakończył dopiero King, który postawiwszy na nim nogę, rozgniótł go tak łatwo, jak gdyby to był zmurszały grzyb.

Gdy ludzie ugasili wreszcie pragnienie, Staś rozkazał uczynić na płytkiej wodzie okrągłą zagrodę z wysokich bambusów z jednym tylko wejściem od brzegu, aby Nel mogła z zupełnym bezpieczeństwem się wykąpać. A i to jeszcze postawił u wejścia Kinga. Kąpiel odświeżyła ogromnie dziewczynkę, a wypoczynek wrócił jej nieco sił.

Ku wielkiej radości całej karawany i Nel – bwana kubwa postanowił zostać przez dwa dni przy tej wodzie. Na wieść o tym ludzie wpadli w doskonały humor i natychmiast zapomnieli o przebytych trudach. Po przespaniu się i posiłku niektórzy Murzyni poczęli włóczy się pomiędzy drzewami nad rzeką, upatrując palm rodzących dzikie daktyle i tak zwanych łez Hioba, z których robią się naszyjniki. Kilku z nich wróciło do obozu przed zachodem słońca, niosąc jakieś kwadratowe białe przedmioty, w których Staś rozpoznał swoje własne latawce.

Jeden z latawców nosił numer 7, co było dowodem, że został puszczony z Góry Lindego, gdyż dzieci puściły ich z tamtego miejsca kilkadziesiąt. Stasia nadzwyczaj ucieszył ten widok i dodał mu otuchy.

– Nie spodziewałem się – mówił do Nel – by latawce mogły przelecieć taką odległość. Byłem pewny, że zostaną na szczytach Karamojo, i puszczałem je tylko na wszelki przypadek. Ale teraz widzę, że wiatr może je ponieść, dokąd chce, i mam nadzieję, że te, które wysłaliśmy z gór otaczających Bassa-Narok i teraz z drogi, zalecą aż do oceanu.

– Zalecą z pewnością – odpowiedziała Nel.

– Daj to Boże! – potwierdził chłopiec myśląc o niebezpieczeństwach i trudach podróży.

Karawana ruszyła znad rzeczułki trzeciego dnia, zabrawszy do worków skórzanych wielkie zapasy wody. Zanim uczynił się wieczór, weszli znów w okolicę spaloną przez słońce, w której nie rosły nawet akacje, ziemia w niektórych miejscach tak była łysa, jak klepisko. Niekiedy tylko spotykali passiflory o pniach wgłębionych w ziemię, podobnych do potwornych dyń, mających do dwóch łokci średnicy. Z tych olbrzymich kul wyrastały cienkie jak sznurki liany, które pełznąc po ziemi pokrywały ogromne przestrzenie, tworząc tak nieprzebytą gęstwinę, że nawet myszom trudno by się było przez nią przedostać. Ale mimo pięknej zielonej barwy tych roślin, przypominającej europejski ostrokrzew, tyle w nim było kolców, że ani King, ani konie nie mogły w nich znaleźć pożywienia. Szczypał je tylko osioł, ale i ten ostrożnie.

Lecz czasem w ciągu kilku mil angielskich nie widzieli nic prócz szorstkiej, krótkiej trawy i niskich, podobnych do nieśmiertelników roślin, które kruszyły się za dotknięciem. Po pierwszym noclegu przez cały następny dzień z nieba leciał żywy ogień. Powietrze drgało jak na Pustyni Libijskiej. Na niebie nie było ani chmurki. Ziemia była tak zalana światłem, że wszystko wydawało się białe, i żaden głos, nawet brzęczenie owadów, nie przerywało tej śmiertelnej, przesyconej złowrogim blaskiem ciszy.

Ludzie oblewali się potem. Chwilami składali w jedną wielką kupę pakunki z suszonym mięsem i tarcze, by znaleźć pod nimi trochę cienia. Staś dał polecenie, by oszczędzano wody, ale Murzyni są jak dzieci, które nie myślą o jutrze. W końcu trzeba było otoczyć strażą tych, którzy nieśli zapasowe worki, i wydzielać wodę każdemu pojedynczo. Kali zajmował się tym bardzo sumiennie, ale zabierało to ogromnie wiele czasu i opóźniało pochód, a zatem i znalezienie jakiegoś nowego wodopoju. Samburowie narzekali przy tym, że więcej napoju dostaje się Wahimom, a Wa-himowie, że Samburom. Ci ostatni poczęli grozić, że wrócą, ale Staś zapowiedział im, że Faru każe im poucinać głowy, sam zaś polecił wystąpić swym strzelcom zbrojnym w remingtony i rozkazał nie puszczać nikogo.

Drugi nocleg wypadł na gołej równinie. Nie budowano bomy, czyli jak w Sudanie mówią zeriby, bo nie było z czego. Straż obozową stanowili King i Saba. Była ona dostateczną, ale King który dostał dziesięć razy mniej wody, niż jej potrzebował, trąbił o nią aż do wschodu słońca, a Saba wywiesiwszy język zwracał oczy na Stasia i Nel z niemą prośbą choćby o jedną kroplę. Dziewczynka chciała, by Staś udzielił mu trochę napoju z gumowej, odziedziczonej po Lindem flaszki, którą nosił przez ramię na sznurku, ale on chował te ostatki dla małej na czarną godzinę, więc odmówił.

Czwartego dnia pod wieczór pozostało już tylko pięć niewielkich worków z wodą, czyli że na każdego z ludzi wypadało niespełna po pół kieliszka. Ponieważ jednak noce bywają, bądź co bądź, chłodniejsze od dni i pragnienie mniej wówczas dokucza niż pod palącymi promieniami słońca, i ponieważ ludzie dostali jeszcze rano po niewielkiej ilości wody, przeto Staś kazał zachować owe worki na dzień jutrzejszy. Murzyni szemrali przeciw temu rozporządzeniu, ale strach przed Stasiem był jeszcze zbyt wielki, więc nie śmieli rzucić się na ten ostatni zapas, zwłaszcza, że stanęło przy nich na straży dwóch ludzi zbrojnych w remingtony, którzy mieli się zmieniać co godzinę.

Wa-himowie i Samburu oszukiwali pragnienie wyrywając źdźbła z nędznych traw i żując ich korzonki, jednakże nie było w nich prawie nic wilgoci, gdyż nieubłagane słońce wypiło ją nawet z głębi ziemi.

Sen, lubo nie gasił pragnienia, pozwalał przynajmniej o nim zapomnieć, więc gdy nastała noc, znużeni i wyczerpani całodziennym pochodem ludzie popadali jak nieżywi, gdzie który stał i zasnęli głęboko. Staś zasnął także, ale w duszy za dużo miał trosk i niepokoju, by mógł spać spokojnie i długo. Po kilku godzinach rozbudził się i począł rozmyślać o tym, co dalej będzie i skąd wziąć wody dla Nel i dla całej karawany, razem z ludźmi i zwierzętami? Położenie było ciężkie, a nawet może i straszne, ale zaradny chłopak nie poddawał się jeszcze rozpaczy. Począł sobie przypominać wszelkie wypadki począwszy od porwania ich z Fajumu aż do tej chwili: więc pierwszą olbrzymią podróż przez Saharę, huragan na pustyni, próby ucieczki, Chartum, Mahdiego, Faszodę, wyrwanie się z rąk Gebhra, następnie dalszą drogę po śmierci Lindego aż do jeziora Bassa-Narok i do tego miejsca, w którym wypadł im nocleg obecnie. „Tyleśmy przeszli, tyleśmy przecierpieli – mówił sobie – tak często zdawało mi się, że już wszystko przepadło i że nie znajdę żadnej rady, a jednak Bóg mi dopomógł i radę zawsze znalazłem. Przecie niepodobna, byśmy po przebyciu takiej drogi i tylu strasznych niebezpieczeństw mieli zginąć w tej ostatniej podróży. Teraz jest jeszcze trochę wody, a ta okolica – to przecie nie Sahara, bo gdyby tak było, to ludzie by o niej wiedzieli.

Lecz nadzieję podtrzymywało w nim głównie to, że na południowym wschodzie dojrzał przez lunetę w ciągu dnia jakieś mgliste zarysy jakby gór. Było do nich może setki mil angielskich, może więcej. Ale gdyby udało się do nich dotrzeć, byliby ocaleni, gdyż góry rzadko bywają bezwodne. Ile jednak było potrzeba na to czasu, tego nie umiał obliczyć, albowiem zależało to od wysokości gór. Wyniosłe szczyty widać w tak przezroczym powietrzu jak arykańskie na niezmierną odległość, więc trzeba było znaleźć wodę przedtem. Inaczej groziła zguba.

„Trzeba" – powtarzał sobie Staś.

Chrapliwy oddech słonia, który wydmuchiwał, jak mógł z płuc spiekotę, przerywał co chwila chłopcu rozmyślania. Lecz po pewnym czasie wydało mu się, że słyszy jakiś głos podobny do stękania, dochodzący z innej strony obozu, a mianowicie z tej, w której leżały pokryte na noc trawą worki z wodą. Ponieważ jęki powtórzyły się kilkakrotnie, więc wstał chcąc zobaczyć, co się tam dzieje, i poszedł ku kępie odległej o kilkadziesiąt kroków, do namiotu. Noc była tak jasna, że z daleka już ujrzał dwa ciemne ciała leżące obok siebie i dwie lufy remingtonów błyszczące w świetle księżyca.

„Murzyni zawsze są tacy sami! – pomyślał. – Mieli czuwać nad tą wodą, droższą teraz dla nas nad wszystko w świecie, a pospali się obaj tak jak we własnych chatach. Ach! Bambus Kalego będzie miał jutro dobrą robotę".

To pomyślawszy zbliżył się i trącił nogą jednego ze strażników, lecz natychmiast cofnął się z przerażeniem.

Oto pozornie śpiący Murzyn leżał na wznak z nożem wbitym po rękojeść w gardło, a obok drugi, z szyją również tak strasznie przeciętą, że głowa była prawie oddzielona od tułowia.

Dwa worki z wodą znikły, trzy inne leżały wśród porozrzucanej trawy rozcięte i zaklęsłe.

Staś poczuł, że włosy mu stają dębem.

Rozdział 45

Na krzyk jego przybiegł pierwszy Kali, za nim dwaj strzelcy, którzy mieli poprzednią straż zluzować, a w chwilę później wszyscy Wa-himowie i Samburu zgromadzili się wrzeszcząc i wyjąc na miejscu zbrodni. Uczyniło się zamieszanie, pełne okrzyków i trwogi. Ludziom chodziło nie tyle o zabitych i o zabójstwo, ile o te ostatki wody, która już wsiąkła w spieczony grunt dżungli. Niektórzy Murzyni rzucili się na ziemię i wyrywając palcami grudki wysysali z niej resztki wilgoci. Inni krzyczeli, że pomordowały strażników i porozcinały worki złe duchy. Ale Staś i Kali wiedzieli co o tym myśleć. Oto M'Kunjego i M'Puy brakło wśród tych wyjących nad kępą trawy ludzi. W tym, co się stało, było coś więcej niż zabójstwo dwóch strażników i kradzież wody. Porozcinane pozostałe worki świadczyły, że był to czyn zemsty i zarazem wyrok śmierci na całą karawanę. Kapłani złego Mzimu pomścili się nad dobrym. Czarownicy zemścili się na młodym królu, który odkrył ich oszustwa i nie byłby pozwolił im wyzyskiwać dłużej ciemnych Wa-himów. Nad całą karawaną roztoczyła teraz skrzydła śmierć, jak jastrząb nad stadem gołębi.

Kali przypomniał sobie poniewczasie, że mając myśl zatroskaną i zajętą czym innym, zapomniał kazać związać czarowników, jak to od czasu ich ucieczki przykazywał czynić co wieczór. Widoczne też było, że dwaj strzelcy, strażujący przy wodzie, przez wrodzoną Murzynom niedbałość pokładli się i zasnęli. To ułatwiło łotrom robotę i pozwoliło im zbiec bezkarnie.

Zanim zamieszanie uspokoiło się cokolwiek i ludzie ochłonęli z przerażenia, upłynęło sporo czasu, jednakże zbrodniarze nie musieli być daleko, gdyż ziemia pod rozciętymi workami była wilgotna i krew, która wypłynęła z obu pomordowanych, nie stężała jeszcze zupełnie. Staś wydał rozkaz ścigania zbiegów nie tylko dlatego, by ich ukarać, ale i dlatego, by odzyskać dwa ostatnie worki wody. Kali dosiadłszy konia i wziąwszy z sobą kilkunastu strzelców ruszył w pogoń. Stasiowi, który w pierwszej chwili chciał wziąć w niej udział, przyszło na myśl, że nie można zostawiać Nel samej wobec rozdrażnienia i wzburzenia Murzynów, więc został. Polecił tylko Kalemu zabrać ze sobą Sabę.

Sam został, albowiem obawiał się wprost buntu – szczególniej ze strony Samburów. Ale w tym się pomylił. Murzyni w ogóle wybuchają łatwo i czasem z błahych powodów, ale gdy przyciśnie ich wielka niedola, a zwłaszcza gdy zaciąży nad nimi nieubłagana ręka śmierci, poddają się jej biernie, nie tylko ci, których islam nauczył, że walka z przeznaczeniem jest próżna, ale wszyscy. Wówczas ni trwoga, ni męczarnie chwil ostatnich nie mogą rozbudzić ich z odrętwienia. Tak stało się i teraz. Wa-himowie, zarówno jak Samburowie, gdy pierwsze wzburzenie przeszło i gdy myśl, że muszą umrzeć, utwierdziła się ostateczne w ich umysłach, pokładli się cicho na ziemię, by czekać na śmierć, wobec czego należało się obawiać nie buntu, ale raczej tego, czy jutro zechcą wstać i ruszyć w dalszą drogę. Stasia, gdy to spostrzegł, ogarnęła ogromna litość nad nimi.

Kali wrócił jeszcze przede dniem i natychmiast złożył przed Stasiem dwa poszarpane worki, w których nie zostało ani kropli wody.

– Panie wielki – rzekł – Madi apana!

Staś obtarł ręką spotniałe czoło, po czym zapytał:

– A M'Kunje i M'Pua?

– M'Kunje i M'Pua umrzeć.

– Kazałeś ich zabić?

– Ich zabić lew albo wobo.

I począł opowiadać co zaszło. Trupy dwóch zbrodniarzy znaleźli dość daleko od obozu, na miejscu, gdzie spotkała ich śmierć. Obaj leżeli przy sobie, obaj mieli czaszki pogruchotane z tyłu, poszarpane łopatki i objedzone grzbiety. Kali przypuszczał, że gdy wobo lub lew ukazał się im przy świetle księżyca, padli przed nim na twarz i poczęli błagać, by im darował życie. Ale straszny zwierz zabił obu i następnie, zaspokoiwszy pierwszy głód, poczuł wodę i poszarpał worki.

– Bóg ich pokarał – rzekł Staś – i Wa-himowie przekonają się, że złe Mzimu nie potrafi nikogo wyratować.

A Kali powtórzył:

– Bóg ich pokarać, ale my nie mamy wody.

– Daleko, przed nami, widziałem na wschodzie góry. Tam musi być woda.

– Kali widzieć je także, ale do nich mnóstwo, mnóstwo dni…

Nastała chwila milczenia.

– Panie – ozwał się Kali – niech dobre Mzimu… niech bibi poprosi Wielkiego Ducha o deszcz albo o rzekę.

Staś nie odpowiedział nic i odszedł. Przed namiotem zobaczył białą figurkę Nel; krzyki i wycia Murzynów rozbudziły ją już od dawna.

– Co się stało, Stasiu? – zapytała podbiegając ku niemu.

A on położył jej rękę na główce i rzekł poważnie:

– Nel, módl się do Boga o wodę, gdyż inaczej zginiemy wszyscy.

Więc dziewczynka podniosła swą bladą twarzyczkę ku górze i utkwiwszy oczy w srebrnej tarczy księżyca, poczęła błagać o ratunek Tego, który na niebie porusza kręgi gwiazd, a na ziemi stosuje wiatr do wełny jagnięcia.

Po bezsennej, hałaśliwej i niespokojnej nocy słońce wytoczyło się na widnokrąg tak nagle, jak zawsze wytacza się pod zwrotkami, i uczynił się dzień świetlisty. Na trawach nie było ani kropli rosy, na niebie żadnej chmurki. Staś kazał strzelcom zebrać ludzi i miał do nich krótką przemowę. Oświadczył im, że wracać do rzeki już niepodobna, albowiem wiedzą przecie dobrze, że dzieli ich od niej pięć dni i nocy drogi. Ale za to nikt nie wie, czy wody nie ma po przeciwnej stronie. Może nawet niedaleko znajdzie się jakie źródło, jaka rzeczka albo kałuża. Nie widać wprawdzie drzew, ale bywa tak często, że na otwartych równinach, gdzie wichry porywają nasiona, drzewa nie rosną i przy wodzie. Wczoraj widzieli kilka wielkich antylop i kilka strusi uciekających na wschód, co jest znakiem, że tam musi być jakiś wodopój, a wobec tego, kto nie jest głupcem i kto ma w piersi serce nie zająca, ale lwa lub bawołu, ten będzie wolał iść naprzód, choćby w pragnieniu i męce, niż leżeć i czekać tu na sępy albo hieny.

I tak mówiąc ukazał ręką na sępy, których kilka zataczało złowrogie koła nad karawaną. Po tych słowach Wa-himowie, którym Kali kazał wstać, podnieśli się prawie wszyscy, albowiem przyzwyczajeni do straszliwej władzy królewskiej, nie śmieli się jej oprzeć. Ale wielu Samburów, wobec tego, że król ich, Faru, pozostał nad jeziorem, nie chciała się już podnieść i ci mówili między sobą: „Po cóż mamy iść naprzeciwko śmierci, kiedy ona sama do nas przyjdzie?" W ten sposób karawana ruszyła naprzód, zmniejszona prawie do połowy, i wyruszyła od razu w męce. Ludzie od dwudziestu czterech godzin nie mieli w ustach ani kropli wody, ani żadnego innego płynu. Nawet w chłodniejszych klimatach byłoby to przy pracy cierpieniem nie do zniesienia, a cóż dopiero w tym rozpalonym piecu afrykańskim, w którym ci nawet, którzy piją obficie, wypacają tak prędko wodę, że mogą ją niemal w tej samej chwili ścierać rękoma ze skóry. Było też do przewidzenia, że wielu ludzi padnie w drodze z wyczerpania i od uderzeń słonecznych. Staś chronił Nel, jak mógł, od słońca i nie pozwalał jej wychylić się ani na chwilę spod palankinu, którego daszek pokrył sztuką białego perkalu, aby go uczynić podwójnym. Na tych ostatkach wody, którą miał jeszcze w gumowej flaszce, zagotował jej mocnej herbaty i podał jej ostudzoną, bez cukru, albowiem słodycze zwiększają pragnienie. Dziewczynka nalegała na niego ze łzami, by napił się także, więc przyłożył flaszkę do ust, w której pozostało zaledwie kilka naparstków wody i poruszając gardłem udawał, że pije. W chwili gdy poczuł na wargach wilgoć, zdawało mu się, że w piersiach i w żołądku ma płomień i jeśli tego płomienia nie ugasi, to padnie trupem. Przed oczyma zaczęły mu latać czerwone plamy, a w szczękach doznał przeraźliwego bólu, jakby mu kto wbijał w nie tysiące szpilek. Ręka drżała mu tak, że o mało nie rozlał tych ostatnich kilku kropel. Jednakże tylko dwie lub trzy schwytał na ustach językiem; resztę zachował dla Nel.

Upłynął znów dzień męki i trudów, po którym, na szczęście, noc przyszła chłodniejsza. Lecz następnego dnia żar
uczynił się na świecie okropny. Nie było ani tchnienia wiatru. Słońce jak zły duch niszczyło żywym ogniem zeschłą
ziemię. Krańce widnokręgu pobielały. Jak okiem sięgnąć
nie było widać nawet euforbii. Nic – tylko spalona, pusta
równina pokryta kępami sczerniałej trawy i wrzosów. Kiedy niekiedy rozlegały się w niezmiernej odległości lekkie
grzmoty, ale wobec pogodnego nieba nie zwiastowały one
burzy, jeno suszę.

O południu, gdy upał czyni się największy, trzeba się
było zatrzymać. Karawana rozłożyła się w głuchym milczeniu. Pokazało się, że padł jeden koń i kilkunastu pagazich
zostało w drodze. W czasie wypoczynku nikt nie pomyślał
o jedzeniu. Ludzie mieli zapadłe oczy i popękane wargi,
a na nich zeschnięte grudki krwi. Nel dyszała jak ptak,
więc Staś oddał jej gumową flaszkę i krzyknąwszy: „Piłem,
piłem!" – uciekł w drugą stronę obozu, obawiał się bowiem,
że jeśli zostanie, to odbierze jej tę wodę lub zażąda, by się
z nim podzieliła. I to był może najbardziej bohaterski jego
uczynek w ciągu podróży. Sam począł się męczyć jednak
okropnie. Przed oczyma latały mu ciągle czerwone płaty.
Czuł ściskanie w szczękach tak silne, że i otwierał, i zamykał je z trudnością. Gardło miał suche, piekące; nic śliny
w ustach; język jakby drewniany. A przecie dla niego i dla
karawany był to dopiero początek męczarni.

Grzmoty zapowiadające suszę odzywały się ustawicznie
na krańcach widnokręgu. Około godziny trzeciej, gdy słońce przechyla się na zachodnią stronę nieba, Staś podniósł
karawanę na nogi i ruszył na jej czele ku wschodowi. Ale
szło teraz za nim zaledwie siedemdziesięciu ludzi, a i to co

chwila któryś z nich kładł się obok swego pakunku, aby już nie powstać. Upał zmniejszył się o kilka stopni, ale był jeszcze straszny. W nieruchomym powietrzu unosił się jakby czad. Ludzie nie mieli czym oddychać, a nie mniej poczęły cierpieć i zwierzęta. W godzinę po wyruszeniu padł znowu jeden koń. Saba robił bokami i ział; z wywieszonego sczerniałego języka nie spadła mu ani kropla piany. King, przywykły do suchych afrykańskich dżungli, cierpiał mniej widocznie, lecz począł być zły. Jego małe oczki połyskiwały jakimś dziwnym światłem. Stasiowi, a zwłaszcza Nel, która co jakiś czas przemawiała do niego, odpowiadał jeszcze gulgotaniem, ale gdy Kali przeszedł niebacznie koło niego, chrząknął groźnie i machnął tak trąbą, że byłby go zabił, gdyby nie to, że chłopak odskoczył w porę na stronę.

Kali miał oczy zaszłe krwią, żyły na szyi rozdęte i wargi popękane tak jak i inni Murzyni. Koło godziny piątej zbliżył się do Stasia i tępym głosem, który z trudnością wychodził mu z gardła, rzekł:

– Panie wielki, Kali nie móc iść dalej. Niech już tu nadejdzie noc.

A Staś przemógł ból w szczękach i odpowiedział z wysiłkiem:

– Dobrze. Stańmy. Noc przyniesie ulgę.

– Przyniesie śmierć – szepnął młody Murzyn.

Ludzie pozrzucali z głów ładunki, ale ponieważ gorączka w ich zgęstniałej krwi doszła już do najwyższego stopnia, więc tym razem nie pokładli się od razu na ziemię. Serca i tętna w skroniach, w rękach i nogach biły im tak, jakby miały pęknąć za chwilę. Skóra na ciałach zsychając się i kurcząc poczęła ich swędzić; w kościach odczuwali jakiś niesłychany niepokój, a we wnętrznościach i gardzieli ogień. Niektórzy chodzili niespokojnie między pakunkami, innych było widać dalej w czerwonych promieniach zachodzącego słońca, jak kręcili się jeden za drugim, wśród suchych kęp, jakby czegoś poszukując – i trwało to dopóty, dopóki siły ich nie wyczerpały się zupełnie. Wówczas padali kolejno na ziemię, ale leżeli w drgawkach. Kali siadł w kucki przy Stasiu i Nel, łowiąc otwartymi ustami powietrze, i jął powtarzać błagalnie między jednym oddechem a drugim:

– Bwana kubwa, wody!

Staś patrzał na niego szklanym wzrokiem i milczał.

– Bwana kubwa, wody! – a po chwili – Kali umierać...

Wtedy Mea, która z niewiadomych przyczyn najłatwiej znosiła pragnienie i najmniej cierpiała ze wszystkich, zbliżyła się, siadła koło niego i objąwszy ramieniem jego szyją ozwała się cichym, melodyjnym głosem:

– Mea chce umrzeć razem z Kali...

Nastało długie milczenie.

Tymczasem słońce zaszło i noc pokryła okolicę. Niebo uczyniło się granatowe. W południowej jego stronie rozbłysnął Krzyż. Nad równiną zamigotały roje gwiazd. Księżyc wydostał się spod ziemi i jął nasycać światłem ciemności, a na zachodzie rozciągnęła się nikłą i bladą zorzą jasność zodiakalna. Powietrze zmieniło się w jedną wielką świetlistą topiel. Coraz silniejszy blask zlewał okolicę. Palankin, o którym zapomniano, na grzbiecie Kinga i namioty błyszczały tak, jak błyszczą w jasne noce domy wybielone wapnem. Świat zapadał w ciszę; ziemię ogarniał sen.

A wobec tej ciszy i tego spokoju natury ludzie w obozie wili się w boleści i czekali na śmierć. Na srebrzystym tle mroku rysowała się twardo olbrzymia, czarna postać słonia. Promienie księżyca rozświecały prócz namiotów białe ubrania Stasia i Nel, a wśród kęp wrzosów – ciemne, pokurczone ciała Murzynów i porozrzucane tu i ówdzie kupy ładunków. Przed dziećmi siedział oparty na przednich łapach Saba i podniósłszy głowę ku tarczy księżyca wył posępnie.

W duszy Stasia kołatały się tylko resztki myśli, zmienionych w jedno głuche, rozpaczliwe poczucie, że tym razem nie ma już żadnej rady, że te wszystkie niezmierne trudy i wysiłki, te cierpienia, te czyny woli i odwagi, których dokonał w czasie strasznych podróży od Medinet do Chartumu, od Chartumu do Faszody i od Faszody aż do nieznanego jeziora, nie przydały się na nic i że przychodzi nieubłagany kres walki i życia. I wydało mu się to tym straszniejsze, że ów kres przychodził właśnie w czasie ostatniej drogi, na której końcu leżał ocean. Ach, nie doprowadzi już małej Nel do brzegu, nie odwiezie jej statkiem do Port-Saidu, nie odda jej panu Rawlisonowi, sam nie padnie w ramiona ojca i nie usłyszy z jego ust, że postępował jak dzielny chłopak i jak prawy Polak! Koniec, koniec! Za kilka dni słońce oświeci tylko martwe ciała, a potem wysuszy je na podobieństwo tych mumii, które w Egipcie śpią odwiecznym snem po muzeach.

Z męczarni i gorączki poczęło mu się mieszać w głowie. Nadlatywały nań przedśmiertne widzenia i złudy słuchu. Słyszał wyraźnie głosy Sudańczyków i Beduinów, krzyczące „Yalla, yalla!" na rozpędzone wielbłądy. Widział Idrysa i Gebhra. Mahdi uśmiechał się do niego swymi grubymi wargami, pytając: „Czy chcesz napić się ze źródła prawdy?…" Potem lew spoglądał na niego ze skały; potem

Linde dawał mu słoik chininy i mówił: „Spiesz się, spiesz, bo mała umrze!" A w końcu widział już tylko bladą, bardzo ukochaną towarzyszkę i dwie małe ręce, które wyciągały się ku niemu.

Nagle drgnął i przytomność wróciła mu na chwilę, albowiem tuż przy uchu zaszemrał mu cichy, podobny do jęku szept Nel:

– Stasiu… wody!

I ona, tak jak poprzednio Kali, od niego tylko wyglądała ratunku.

Ale ponieważ przed dwunastu godzinami oddał jej ostatnie krople, więc teraz zerwał się i zawołał głosem, w którym drgał wybuch bólu, rozpaczy i rozżalenia:

– O, Nel! Jam udawał tylko, że piję! Ja od trzech dni nie miałem nic w ustach!

I chwyciwszy się rękoma za głowę uciekł, żeby nie patrzeć na jej mękę. Biegł na oślep między kępami trawy i wrzosów dopóty, dopóki siły go nie opuściły go zupełnie i dopóki nie upadł na jedną z kęp. Był bez broni. Lampart, lew lub nawet wielka hiena znalazłaby w nim łatwy łup. Ale przybiegł Saba, który obwąchawszy go począł znów wyć, jakby wzywając teraz dla niego pomocy.

Nikt jednak nie spieszył z pomocą. Tylko z góry spoglądał na niego spokojny, obojętny księżyc. Długi czas chłopak leżał jak martwy. Otrzeźwił go dopiero chłodniejszy powiew wiatru, który niespodzianie powiał ze wschodu. Staś siadł i po chwili usiłował powstać, by wrócić do Nel.

Chłodniejszy wiatr powiał po raz drugi. Saba przestał wyć i zwróciwszy się ku wschodowi począł łopotać nozdrzami. Nagle szczeknął raz i drugi krótkim urywanym basem i puścił się przed siebie. Przez jakiś czas nie było go słychać, ale wkrótce ozwało się w oddali jego szczekanie. Staś wstał i chwiejąc się na zdrętwiałych nogach począł patrzeć za nim. Długie podróże, długi pobyt w dżungli, konieczność trzymania w ciągłym napięciu wszystkich zmysłów i ciągłe niebezpieczeństwa nauczyły chłopaka zwracać czujną uwagę na wszystko, co się koło niego dzieje, więc mimo męczarni, którą w tej chwili odczuwał, mimo na wpół przytomnego umysłu, przez instynkt i przyzwyczajenie począł baczyć na zachowanie się psa. A Saba po upływie pewnego czasu zjawił się znowu przy nim, ale jakiś dziwnie poruszony i niespokojny. Kilkakrotnie podniósł na Stasia oczy, obiegł go wkoło, znów zapuścił się wietrząc i poszczekując, we wrzosowisko, znów wrócił, a wreszcie chwyciwszy chłopca za ubranie, jął go ciągnąć w stronę przeciwną do obozu.

Staś oprzytomniał zupełnie.

„Co to jest? – myślał. – Albo pies z pragnienia dostał pomieszania zmysłów, albo poczuł wodę. Ale nie!... Gdyby woda była blisko, byłby poleciał pić i miałby mokrą paszczę. Jeśli jest daleko, nie byłby jej zwietrzył... woda nie ma zapachu... Do antylopy by mnie nie ciągnął, bo nie chciał jeść dziś wieczorem. Do drapieżników także nie... Więc co?"

I nagle serce poczęło mu bić w piersiach jeszcze mocniej.

„Więc może wiatr przyniósł mu zapach ludzi... może... w dali jest jakaś wieś murzyńska?.. może który z latawców doleciał aż do... O, Chryste miłosierny! O Chryste!..."

I pod wpływem błysku nadziei odzyskał siły i począł biec do obozu mimo oporu psa, który ustawicznie zabiegał mu drogą.

W obozie zabieliła mu się postać Nel i doszedł go jej słaby głos, po chwili potknął się o leżącego na ziemi Kalego, ale nie zważał na nic. Dobiegłszy do pakunku, w którym były race, rozerwał go, wydobył jedną z nich, drżącymi rękami przywiązał ją do bambusu, który wbił w rozpadlinę ziemi, skrzesał ogień, i zapalił zwieszający się u spodu rurki sznurek.

Po chwili czerwony wąż wyleciał z sykiem i zgrzytem w górę. Staś chwycił obu rękami za bambus, by nie upaść, i wbił oczy w dal. Tętna w rękach i skroniach waliły mu młotem; usta poruszały się żarliwą modlitwą. Ostatnie tchnienie, a w nim duszę całą wysyłał ku Bogu.

Upłynęła jedna minuta, druga, trzecia i czwarta. Nic i nic! Ręce chłopca opadły, głowa pochyliła się ku ziemi i niezmierny żal zalał umęczone piersi.

– Na próżno! Na próżno! – szepnął. – Pójdę, siądę przy Nel i umrzemy razem.

A wtem daleko, daleko, na srebrnym tle księżycowej nocy, ognista wstęga wzbiła się nagle ku górze i rozsypała się w złote gwiazdy, które spadały z wolna jak wielkie łzy na ziemię.

– Ratunek!!! – krzyknął Staś.

I stało się, że ci półmartwi przed chwilą ludzie biegli teraz na wyścigi przeskakując przez kępy wrzosów i traw. Po pierwszej racy ukazała się druga i trzecia. Potem powiew przyniósł odgłos jakby stukania, w którym łatwo było odgadnąć dalekie strzały. Staś kazał dawać ognia ze wszystkich remingtonów i odtąd rozmowa karabinów nie przerywała się wcale i stawała się coraz wyraźniejsza. Chłopiec siedząc na koniu, który odzyskał także jakby cudem siły, i trzymając przed sobą Nel pędził przez równinę ku zbawczym odgłosom. Obok biegł Saba, a za nimi dudnił olbrzymi King.

Dwa obozy dzieliła przestrzeń kilku kilometrów, ale ponieważ z obu stron podążano jednocześnie, więc droga nie trwała długo. Wkrótce strzały karabinowe było już nie tylko słychać, lecz i widać. Jeszcze jedna raca wyleciała w powietrze, nie dalej jak o kilkaset kroków. Potem rozbłysły liczne światła. Lekka wyniosłość gruntu zakryła je na chwilę, lecz gdy Staś ją minął, znalazł się prawie tuż przed szeregiem Murzynów trzymających w ręku pozapalane pochodnie.

Na czele szeregu szli dwaj Europejczycy w angielskich hełmach i z karabinami w ręku.

Staś od jednego rzutu oka rozpoznał w nich kapitana Glena i doktora Clarego.

Rozdział 46

Wyprawa kapitana Glena i doktora Clarego nie miała bynajmniej na celu odszukania Stasia i Nel. Była to liczna i sowicie zaopatrzona ekspedycja rządowa, wysłana dla zbadania wschodnio-północnych stoków olbrzymiej góry Kilimandżaro oraz mało jeszcze znanych obszernych krain położonych na północ od tej góry. Zarówno kapitan, jak i doktor wiedzieli wprawdzie o porwaniu dzieci z Medinet-el-Fajum, gdyż wiadomość o tym podały dzienniki angielskie i arabskie, ale myśleli, że oboje pomarli, albo jęczą w niewoli u Mahdiego, z której nie wydostał się dotychczas żaden Europejczyk. Clary, którego siostra była za Rawlisonem w Bombaju i który zachwycił się bardzo małą Nel w czasie podróży do Kairu, odczuł nadzwyczaj boleśnie jej stratę. Ale i dzielnego chłopaka żałowali obaj z Glenem szczerze. Kilkakrotnie też wysyłali depesze z Mombassa do pana Rawlisona zapytując, czy dzieci nie zostały odnalezione, i dopiero po ostatniej niepomyślnej odpowiedzi, która nadeszła znacznie przed wyruszeniem karawany, stracili ostatecznie wszelką nadzieję.

I nie przyszło im nawet do głowy, by dzieci uwięzione w odległym Chartumie, mogły pojawić się w tych stronach. Często jednak rozmawiali o nich wieczorami po ukończonych pracach dziennych, albowiem doktor nie mógł żadną miarą zapomnieć małej, ślicznej dziewczynki.

Tymczasem wyprawa posuwała się coraz dalej. Po dłuższym pobycie na wschodnich stokach Kilimandżaro, po zbadaniu górnego biegu rzeki Sobbatu i Tany oraz gór Kenia kapitan i doktor wykręcili w kierunku północnym i po przebyciu bagnistej Guasso-Nyjro, weszli na obszerną równinę, bezludną, a zamieszkaną tylko przez niezliczone stada antylop. Po trzech przeszło miesiącach podróży ludziom należał się dłuższy wypoczynek, więc kapitan Glen, odkrywszy niewielkie jeziorko obfitujące w zdrową, brunatną wodę, kazał rozbić nad nim namioty i zapowiedział dziesięciodniowy postój.

W czasie postoju biali zajmowali się polowaniem i porządkowaniem notat geograficznych i przyrodniczych, a Murzyni oddawali się słodkiemu zawsze dla nich próżnowaniu. Owóż zdarzyło się pewnego dnia, że doktor Clary wstawszy rano i zbliżywszy się do brzegu ujrzał kilkunastu Zanzibarczyków z karawany spoglądających z zadartymi głowami na wierzchołek wysokiego drzewa i powtarzających w kółko:

– Ndege? – akuna ndege! – Ndege? (Ptak? – nie ptak!
– ptak?)

Doktor miał krótki wzrok, więc posłał do namiotu po szkła polowe, następnie spojrzał przez nie na ukazywany przez Murzynów przedmiot – i wielkie zdziwienie odbiło się na jego twarzy.

– Poproście tu kapitana – rzekł

Lecz zanim Murzyni dobiegli, kapitan ukazał się przed namiotem, wybierał się bowiem na antylopy.

– Patrz, Glen – rzekł doktor wskazując ręką w górę.

Kapitan zadarł z kolei głowę, przysłonił oczy ręką i zdziwił się nie mniej od doktora.

– Latawiec! – zawołał.

– Tak, ale Murzyni nie puszczają latawców, więc skąd się tu wziął?

– Chyba jakaś osada białych znajduje się w pobliżu lub jakaś misja?...

– Trzeci dzień wiatr wieje z zachodu, czyli od stron nieznanych i prawdopodobnie tak samo niezaludnionych jak ta dżungla. Wiesz zresztą, że tu nie ma żadnych osad ani misyj.

– To rzeczywiście ciekawe...

– Trzeba koniecznie zdjąć tego latawca...

– Trzeba. Może dowiemy się, skąd pochodzi.

Kapitał dał rozkaz. Drzewo miało kilkadziesiąt metrów wysokości, ale Murzyni wdrapali się natychmiast na szczyt, zdjęli ostrożnie uwięzionego latawca i oddali go w ręce doktora, który spojrzawszy nań rzekł:

– Są jakieś napisy... Zobaczmy...

I przymrużywszy oczy, jął czytać.

Nagle twarz mu się zmieniła, ręce zadrżały.

– Glen – rzekł – weź to, przeczytaj i upewnij mnie, żem nie dostał udaru słonecznego i że jestem przy zdrowych zmysłach!

Kapitan wziął bambusową ramkę, do której arkusz był przytwierdzony, i czytał, co następuje:

„Nelly Rawlison i Stanisław Tarkowski,
odesłani z Chartumu do Faszody,
a z Faszody prowadzeni na wschód od Nilu,
wyrwali się z rąk derwiszów.
Po długich miesiącach podróży przybyli do jeziora
leżącego na południe od Abisynii.
Idą do oceanu. Proszą o śpieszną pomoc".

Na boku zaś arkusza znajdował się jeszcze następujący dodatek wypisany drobniejszymi literami:

„Latawiec ten, z rzędu pięćdziesiąty czwarty, puszczony jest z gór otaczających nieznane w geografii jezioro. Kto go znajdzie, niech da znać do Zarządu Kanału w Port-Saidzie albo do kapitana Glena w Mombassa. Stanisław Tarkowski"

Gdy głos kapitana przebrzmiał, dwaj przyjaciele poczęli spoglądać na siebie w milczeniu.

– Co to jest? – zapytał wreszcie doktor Clary.

– Oczom nie wierzę! – odpowiedział kapitan.

– To przecież nie złudzenie?

– Nie.

– Wyraźnie napisano: „Nelly Rawlison i Stanisław Tarkowski".

– Jak najwyraźniej…

– I oni mogą być gdzieś w tych stronach?

– Bóg ich uratował, a więc prawdopodobnie.

– Dzięki Mu za to! – zawołał z zapałem doktor.

– Ale gdzie ich szukać?

– Czy nie ma nic więcej na latawcu?

– Jest jeszcze kilka słów, ale w miejscu rozdartym przez gałęzie. Trudno odczytać.

Obaj pochylili głowy nad arkuszem i po dłuższym dopiero badaniu zdołali przesylabizować:

„Pora dżdżysta dawno minęła".

– Co to ma znaczyć? – zapytał doktor.

– To, że chłopiec stracił rachubę czasu.

– I w ten sposób chciał mniej więcej oznaczyć datę. Masz słuszność! A zatem ten latawiec mógł być puszczony niezbyt dawno.

– Jeśli tak jest, to oni mogą być niezbyt daleko.

Gorączkowa, urywana rozmowa trwała jeszcze przez chwilę, po czym obaj zaczęli znów badać dokument i rozprawiać osobno nad każdym wypisanym na nim słowem. Rzecz wydawała się jednak tak nieprawdopodobna, że gdyby to nie działo się w stronach, w których nie było wcale Europejczyków, o sześćset przeszło kilometrów od najbliższego pobrzeża, doktor i kapitan przypuszczaliby, że to chyba niewczesny żart, którego dopuściły się jakieś dzieci europejskie po przeczytaniu dzienników opisujących porwanie, albo wychowańcy jakiejś misji. Trudno jednak było oczom nie wierzyć: mieli przecie latawca w ręku i mało zatarte napisy czerniały przed nimi wyraźnie.

Ale i tak wiele rzeczy nie mieściło im się w głowie. Skąd dzieci wzięły papieru na latawce? Gdyby dostarczyła im go jakaś karawana, w takim razie przyłączyłyby się do niej i nie wzywałyby pomocy. Z jakich powodów chłopiec nie starał się uciec wraz z małą towarzyszką do Abisynii? Dlaczego derwisze wysłali ich na wschód od Nilu, w strony nieznane? Jakim sposobem zdołały się wyrwać z rąk straży? Gdzie się ukryły? Jakim cudem przez długie miesiące podróży nie pomarły z głodu? Nie stały się łupem dzikich zwierząt? Dlaczego nie pomordowali ich dzicy? Na te wszystkie pytania nie było odpowiedzi.

– Nic nie rozumiem, nic nie rozumiem – powtarzał doktor Clary – to chyba cud boski!

– Niezawodnie – odpowiedział kapitan.

Po czym dodał:

– Ależ i ten chłopak! Bo to przecież jego dzieło.

– I nie opuścił małej. Niech Bóg błogosławi jego głowę i oczy.

– Stanley, nawet Stanley nie wyżyłby w tych warunkach przez trzy dni.

– A jednak oni żyją.

– Ale proszą o pomoc. Postój skończony! Ruszamy natychmiast.

I tak się stało. Po drodze obaj przyjaciele badali jeszcze dokument w przekonaniu, że może odnajdą w nich wskazówki co do kierunku, w jakim należało zdążać z pomocą. Ale wskazówek brakło. Kapitan prowadził karawanę zygzakiem, mając nadzieję, że może trafi na jaki ślad, na jakie wygasłe ognisko lub na drzewo z wyciętymi na korze znakami. W ten sposób posuwali się kilka dni. Na nieszczęście weszli następnie na równinę zupełnie bezdrzewną, pokrytą wysokim wrzosowiskiem i kępami wyschłej trawy. Niepokój począł ogarniać obu przyjaciół. Jakże łatwo było rozminąć się na tych niezmiernych przestrzeniach nawet z całą karawaną, a cóż dopiero z dwojgiem dzieci, które, jak sobie wyobrażali, pełzły tam jak dwa małe robaczki wśród wyższych od nich wrzosów. Upłynął znowu dzień. Nie pomagały ni blaszane puszki z kartkami w środku, zostawiane na kępach, ni ognie w nocy. Kapitan i doktor poczynali chwilami tracić nadzieję, czy im się uda odszukać dzieci, a zwłaszcza czy je odnajdą żywe.

Szukali jednak gorliwie i przez następne dni. Patrole, które Glen wysłał w prawo i lewo, dały wreszcie znać, że dalej zaczyna się pustynia zupełnie bezwodna, gdy więc wypadkiem odkryto jeszcze raz w rozpadlinie ziemnej wodę, trzeba się było przy niej zatrzymać dla zrobienia zapasów na dalszą drogę.

Rozpadlina była raczej szparą, głęboką na kilkanaście metrów i stosunkowo bardzo wąską. Na dnie jej biło ciepłe źródło, kipiące jak ukrop, albowiem przesycone kwasem węglowym. Jednakże woda po wystudzeniu okazała się dobra i zdrowa. Źródło było tak obfite, że trzystu ludzi z karawany nie mogło jej wyczerpać. Owszem, im więcej czerpano, tym mocniej biło i wypełniało szparę wyżej.

– Może z czasem – mówił doktor Clary – będzie tu jaka miejscowość lecznicza, ale obecnie ta woda jest dla zwierząt niedostępna z powodu zbyt stromych ścian rozpadliny.

– Czy dzieci mogą trafić na podobne źródła? – zapytał kapitan.

– Nie wiem. Być może, że znajduje się ich w okolicy więcej. Ale jeśli nie, to bez wody muszą zginąć.

Nadeszła noc. Rozpalono nędzne ognie, wszelako nie budowano bomy, bo nie było z czego. Po wieczornym posiłku doktor i kapitan zasiedli na składanych krzesłach i zapaliwszy fajki poczęli rozmawiać o tym, co im najbardziej leżało na sercu.

– Żadnego śladu! – ozwał się Clary.

– Przychodziło mi do głowy – odpowiedział Glen – by wysłać dziesięciu naszych ludzi na brzeg oceanu z depeszą, że jest wiadomość o dzieciach. Ale rad jestem, żem tego nie uczynił, gdyż ludzie prawdopodobnie zginęliby w drodze, a gdyby nawet doszli, to po co budzić na próżno nadzieję…

– I odnawiać ból…

Doktor zdjął z głowy biały hełm i obtarł spocone czoło.

– Słuchaj – rzekł – A gdybyśmy wrócili nad tamto jezioro, kazali naścinać drzew i palili nocami olbrzymi ogień. Może by dzieci dostrzegły…

– Gdyby były blisko, to znaleźlibyśmy je i tak, a jeśli są daleko, to wypukłości gruntu ogień zasłonią. Ta płaszczyzna pozornie jest równa, a w rzeczywistości cała w garbach, pofalowana jak ocean. Przy tym, cofając się, stracilibyśmy ostatecznie możliwość znalezienia nawet ich śladów.

– Mów otwarcie, nie masz żadnej nadziei?

– Mój drogi, my jesteśmy dorośli, silni i zaradni mężczyźni, a pomyśl, co by się z nami stało, gdybyśmy się znaleźli tu tylko we dwóch, nawet z bronią, ale bez zapasów i bez ludzi…

– Tak! Niestety, tak… Wyobrażam sobie dwoje dzieci idących w taką noc przez pustynię.

– Głód, pragnienie, dzikie zwierzęta…

– A jednak chłopiec pisze, że szli tak przez długie miesiące.

– Toteż jest w tym coś, co przechodzi moją wyobraźnię.

Przez dłuższy czas słychać było wśród ciszy tylko skwierczenie tytoniu w fajkach. Doktor zapatrzył się w blade głębie nocy, po czym ozwał się przyciszonym głosem:

– Późno już, ale sen mnie odbiega… I pomyśleć, że oni, jeśli żyją, to błądzą tam gdzieś przy księżycu, wśród tych suchych wrzosów… sami… takie dzieci! Pamiętasz, Glen, anielską twarz tej małej?

– Pamiętam i nie mogę zapomnieć.

– Ach! Dałbym sobie rękę uciąć, gdyby…

I nie dokończył, albowiem kapitan Glen zerwał się jak oparzony.

– Raca w oddali! – krzyknął – raca!

– Raca! – powtórzył doktor.

– Jakaś karawana jest przed nami.

– Która może znalazła dzieci!

– Może. Śpieszmy ku niej!

– Naprzód!

Rozkazy kapitana rozległy się w jednej chwili w całym obozie. Zanzibarczycy zerwali się na nogi. Niebawem pozapalano pochodnie. Glen w odpowiedzi na daleki sygnał polecił wypuścić kilka rac, jedną po drugiej, a następnie dawać raz po raz karabinowe salwy. Zanim upłynął kwadrans, cały obóz był już w drodze.

Z dala odpowiedziały strzały. Nie było już żadnej wątpliwości, że to jakaś europejska karawana wzywa z niewiadomych przyczyn pomocy.

Kapitan i doktor biegli na wyścigi, miotani na przemian obawą i nadzieją. Znajdą dzieci czy ich nie znajdą? Doktor mówił sobie w duszy, że jeśli nie, to w dalszej drodze będą mogli chyba szukać tylko ich zwłok wśród tych okropnych wrzosowisk.

Po upływie pół godziny jedna z takich wypukłości gruntu, o jakich mówili poprzednio, zasłoniła obu przyjaciołom dalszy widok. Ale byli już tak blisko, że słyszeli wyraźnie tętent koni. Jeszcze kilka minut – i na grzbiecie wzniesienia pojawił się jeździec trzymający przed sobą duży, białawy przedmiot.

– W górę pochodnie! – skomenderował Glen.

W tej samej chwili jeździec osadził konia w kręgu światła.

– Wody! Wody!

– Dzieci! – zakrzyknął doktor Clary.

– Wody! – powtórzył Staś.

I prawie rzucił Nel w ręce kapitana, a sam zeskoczył z siodła.

Lecz natychmiast zachwiał się i padł jak martwy na ziemię.

Zakończenie

Radość w obozie kapitana Glena i doktora Clarego nie miała granic, ale ciekawość obu Anglików wystawiona była na ciężką próbę. Jeśli bowiem poprzednio nie chciało im się w głowie pomieścić, by dzieci mogły same przebyć olbrzymie puszcze i pustynie dzielące te strony od Nilu i Faszody, to obecnie nie rozumieli już całkiem, jakim sposobem ten „mały Polak", jak nazywali Stasia, nie tylko tego dokonał, ale zjawił się przed nimi jako wódz całej karawany, zbrojnej w broń europejską, ze słoniem dźwigającym palankin, z końmi, namiotami i ze znacznymi zapasami żywności. Kapitan rozkładał na ten widok ręce i mówił co chwila: „Clary, dużo widziałem, ale takiego chłopca nie widziałem!" – A poczciwy doktor powtarzał z nie mniejszym zdumieniem: „I małą wyrwał z niewoli i ją ocalił!" – po czym leciał do namiotów zobaczyć, jak się dzieci mają i czy śpią dobrze.

A dzieci, napojone, nakarmione, przebrane i ułożone do snu, spały jak zabite przez cały następny dzień; ludzie z ich karawany tak samo. Kapitan Glen próbował wypytywać się o przygody podróży i o Stasiowe czyny Kalego, ale młody Murzyn otworzywszy jedno oko odpowiedział tylko: „Pan wielki wszystko może" – i zasnął znowu. Ostatecznie trzeba było odłożyć pytania i wyjaśnienia do dni następnych.

Tymczasem dwaj przyjaciele naradzali się nad odwrotną drogą do Mombassa. Dotarli i tak dalej i zbadali więcej okolic, niż im polecono, postanowili więc wracać niezwłocznie. Kapitana nęciło wprawdzie bardzo owo nieznane w geografii jezioro, ale wzgląd na zdrowie dzieci i chęć oddania ich jak najprędzej stroskanym ojcom przemogły. Doktor jednakże zastrzegał, że trzeba będzie wypocząć na chłodnych wyżynach gór Kenia albo Kilimandżaro. Stamtąd też dopiero uradzili wysłać wiadomość do ojców i wezwać ich, by przybyli do Mombassa.

Odwrotna podróż rozpoczęła się, po należytym wypoczynku i kąpielach w ciepłych źródłach, na trzeci dzień. Był to zarazem dzień rozstania się z Kalim. Staś przekonał małą, że ciągnąć go z sobą dłużej, do oceanu albo też do Egiptu, byłoby z ich strony samolubstwem. Mówił jej, że w Egipcie, a nawet w Anglii, Kali nie będzie niczym więcej, jak sługą, podczas gdy objąwszy panowanie nad swym narodem, rozszerzy i utwierdzi, jako król, chrześcijaństwo, złagodzi dzikie obyczaje Wa-himów i uczyni z nich nie tylko ucywilizowanych, ale i dobrych ludzi. To samo mniej więcej powtórzył i Kalemu.

Wylało się jednak przy pożegnaniu mnóstwo łez, których nie wstydził się i Staś, albowiem i on, i Nel przeżyli przecież z Kalim tyle złych i dobrych chwil i nie tylko nauczyli się oboje cenić jego poczciwe serce, ale pokochali go szczerze. Młody Murzyn długo leżał u stóp swego bwana kubwa i dobrego Mzimu. Dwukrotnie powracał, by jeszcze popatrzeć na nich, ale wreszcie chwila rozłączenia nadeszła i dwie karawany ruszyły w dwie przeciwne strony.

W czasie drogi dopiero rozpoczęły się opowiadania o przygodach dwojga małych podróżników. Staś, trochę niegdyś skłonny do chełpliwości, teraz nie chełpił się wca-

le. Po prostu zbyt wielu rzeczy dokonał, zbyt dużo przeszedł, zbyt się rozwinął, by nie miał rozumieć, że słowa
nie powinny być większe od czynów. Było zresztą dość
samych czynów, choćby opowiadanych jak najskromniej.
Co dzień, w czasie upalnych „białych godzin" i wieczorami
na postojach – przed oczyma kapitana Glena i doktora
Clarego przesuwały się jakby obrazy tych zdarzeń i wypadków, przez które przeszły dzieci. Widzieli więc porwanie
z Medinet-el-Fajum i straszną drogę na wielbłądach przez
pustynię – i Chartum, i Omdurman, podobne do piekła
na ziemi – i złowrogiego Mahdiego. Gdy Staś opowiadał,
co odrzekł Mahdiemu, gdy ów namawiał go do zmiany
wiary, obaj przyjaciele powstali i każdy z nich uścisnął
silnie prawicę Stasia, po czym kapitan rzekł:

– Mahdi już nie żyje!

– Mahdi nie żyje? – powtórzył ze zdumieniem Staś.

– Tak – ozwał się doktor. – Zatchnął się własnym tłuszczem, czyli inaczej mówiąc umarł na serce, a panowanie
po nim objął Abdullahi.

Nastało długie milczenie.

– Ha – rzekł Staś – nie spodziewał się, gdy nas wyprawiał na zgubę do Faszody, że śmierć pierwej jego dosię-
gnie...

Po chwili zaś dodał:

– Ale Abdullahi jeszcze od Mahdiego okrutniejszy.

– Toteż zaczęły się już bunty i rzezie – odpowiedział
kapitan – i cała ta budowa, którą wzniósł Mahdi, musi
prędzej lub później runąć.

– A co potem nastąpi?

– Anglia – rzekł kapitan.

W dalszym ciągu drogi Staś opowiadał o podróży do Faszody, o śmierci starej Dinah, o wyruszeniu z Faszody do bezludnych okolic i o poszukiwaniu w nich Smaina. Gdy doszedł do tego, jak zabił lwa, a następnie Gebhra, Chamisa i dwóch Beduinów, kapitan przerwał mu tylko dwoma słowami: *All right*, po czym znów uścisnął jego prawicę i obaj z Clarym słuchali ze wzrastającym zajęciem dalej: o oswojeniu Kinga, o osiedleniu się w „Krakowie", o febrze Nel, o znalezieniu Lindego i o latawcach, które dzieci puszczały z gór Karamojo. Doktor, który z każdym dniem przywiązywał się coraz mocniej do małej Nel, przejmował się tak dalece wszystkim, co jej najbardziej groziło, że co pewien czas musiał pokrzepiać się kilku łykami brandy, a gdy Staś jął opowiadać, jak o mało Nel nie stała się łupem straszliwego wobo, czyli abassanto, porwał dziewczynkę na ręce i długo nie chciał jej wypuścić, jakby w obawie, by jakiś nowy drapieżnik nie zagroził jej życiu.

Co zaś i on, i kapitan myśleli o Stasiu, dowodem tego były dwie depesze, które w dwa tygodnie po przybyciu do podnóża Kilimandżaro wysłali przez umyślnych na ręce zastępcy kapitana w Mombassa wraz z poleceniem, by ów przesłał je dalej do ojców. Pierwsza z nich, zredagowana ostrożnie w obawie, by nie uczyniła zbyt piorunującego wrażenia, i wysłana do Port-Saidu, zawierała słowa następujące:

„Dzięki chłopcu wiadomość pomyślna o dzieciach. Przy-jeżdżajcie do Mombassa".

Druga, zupełnie już wyraźna, z adresem: „Aden", brzmiała:

„Dzieci są z nami – zdrowe – chłopiec bohater".

Na chłodnych wyżynach u stóp Kilimandżaro zatrzymali się przez dni piętnaście, gdyż doktor Clary koniecznie wymagał tego dla zdrowia Nel, a nawet i dla zdrowia Stasia. Dzieci podziwiały z całej duszy tę niebotyczną górę, która posiada wszystkie klimaty świata. Dwa jej szczyty: Kibo i Kima-Wenze, były w dzień najczęściej ukryte w gęstych mgłach. Lecz gdy w pogodne wieczory mgły rozpraszały się nagle i gdy od zórz wieczornych odwieczne śniegi na Kima-Wenze płonęły różowym blaskiem, podczas gdy świat cały pogrążony był już w mroku, góra wydawała się jakby świetlistym ołtarzem bożym, i ręce obojga dzieci mimo woli składały się na ten widok do modlitwy.

Dla Stasia minęły dni trosk, niepokojów i wysiłków. Mieli przed sobą jeszcze miesiąc podróży do Mombassa i droga wiodła przez cudny, ale niezdrowy las Taweta, lecz o ileż łatwiej było podróżować teraz z liczną, suto zaopatrzoną we wszystko karawaną i znanymi już szlakami niż dawniej błądzić w nieznanych puszczach tylko z Kalim i z Meą. Zresztą odpowiadał teraz za podróż kapitan Glen. Staś wypoczywał i polował. Znalazłszy wśród narzędzi karawany dłuta i młotki zajmował się oprócz tego w chłodniejszych godzinach wykuwaniem na wielkiej gnejsowej skale napisu: „Jeszcze Polska…", albowiem chciał, żeby pozostał jakiś ślad pobytu ich w tych stronach. Anglicy, którym przetłumaczył napis, dziwili się, że chłopcu nie przyszło na myśl uwiecznić na tej afrykańskiej skale swego nazwiska. Ale on wolał wyryć to, co wyrył.

Nie przestał jednak opiekować się Nel i budził w niej tak nieograniczone zaufanie, że gdy raz doktor Clary zapytał jej, czy nie będzie się bała burz na Morzu Czerwonym, dziewczynka podniosła na niego swe śliczne, spokojne oczy i odrzekła tylko: „Staś poradzi". Kapitan Glen twierdził, że prawdziwszego świadectwa, czym Staś był dla małej, i większej dla niego pochwały nikt nie zdołałby wypowiedzieć.

Jakkolwiek pierwsza depesza, przesłana do pana Tarkowskiego do Port-Saidu, zredagowana była bardzo ostrożnie, uczyniła jednak tak wstrząsające wrażenie, że radość omal nie zabiła ojca Nel. Ale i pan Tarkowski, jakkolwiek był człowiekiem wyjątkowo hartownym, w pierwszej chwili po otrzymaniu depeszy ukląkł do modlitwy i począł prosić Boga, by ta wiadomość nie była tylko złudą, chorobliwym przewidzeniem, zrodzonym z żalu i tęsknoty, i boleści. Przecie tyle napracowali się obaj, by choć dowiedzieć się, czy dzieci żyją! Pan Rawlison wyprawiał do Sudanu całe karawany, pan Tarkowski, przebrany za Araba, dotarł z największym narażeniem życia aż do Chartumu – i wszystko nie zdało się na nic. Ludzie, którzy mogli dać jakąś wiadomość, pomarli na ospę, z głodu lub zginęli podczas ciągłych rzezi – i dzieci jak w wodę wpadły! W końcu obaj ojcowie stracili wszelką nadzieję i żyli tylko wspomnieniami, głęboko przekonani, że nic już ich w życiu nie czeka i że dopiero śmierć połączy ich z tymi najdroższymi istotami, które były dla nich wszystkim na ziemi.

Tymczasem spadła na nich niespodziewanie radość prawie ponad siły. Ale łączyły się z nią niepewność i zdumienie. Obaj nie mogli żadną miarą pojąć, jakim sposobem wiadomość o dzieciach przyszła z tej strony Afryki, to jest z Mombassa. Pan Tarkowski, przypuszczał, że może wykupiła je lub wykradła jaka karawana arabska, która ze wschodniego brzegu zapuściła się po kość słoniową w głąb kraju i dotarła aż do Nilu. Słowa depeszy: „Dzięki chłopcu", tłumaczyli sobie tak, że Staś zawiadomił kapitana i doktora listownie, gdzie się oboje z Nel znajdują. Wszelako wielu rzeczy niepodobna było odgadnąć. Natomiast pan Tarkowski rozumiał zupełnie jasno, że wiadomość nie tylko jest pomyślna, ale i bardzo pomyślna, gdyż inaczej kapitan i doktor nie odważyliby się budzić w nich nadziei i przede wszystkim nie wzywaliby ich do Mombassa.

Przygotowania do drogi trwały krótko i na drugi dzień po otrzymaniu depeszy obaj inżynierowie wraz z nauczycielką Nel znaleźli się na pokładzie wielkiego parowca „Peninsular and Orient Company", który szedł do Indii, a po drodze wstępował do Adenu, Mombassa i Zanzibaru. W Adenie czekała ich druga depesza, brzmiąca: „Dzieci są z nami – zdrowe – chłopiec bohater". Po przeczytaniu jej pan Rawlison odchodził prawie od zmysłów z radości ściskając pana Tarkowskiego powtarzał: „Widzisz, to on ją ocalił! Jemu zawdzięczam jej życie" – a pan Tarkowski, nie chcąc okazać zbytniej słabości, odpowiedział tylko zaciskając zęby: „Tak! Dzielnie mi się chłopak spisał" – ale zostawszy sam w kabinie, płakał ze szczęścia.

Nadeszła nareszcie chwila, w której dzieci wpadły w objęcia ojców. Pan Rawlison chwycił na ręce swój odzyskany mały skarb, a pan Tarkowski długo trzymał swego bohaterskiego chłopca przy piersiach. Niedola ich minęła, jak mijają wichry i burze w pustyni. Życie wypełniło się na nowo pogodą i szczęściem, a tęsknota i poprzednia rozłąka powiększyła jeszcze ich radość. Dzieci dziwiły się tylko, że głowy tatusiów pobielały podczas rozłąki zupełnie.

Wracali do Suezu wybornym statkiem francuskim na-
leżącym do kompanii „Messegeries Maritimes", pełnym
podróżnych z wysp: Reunion, Mauritius, z Madagaskaru
i Zanzibaru. Gdy rozeszła się wieść, że na pokładzie znajdują się dzieci, które uciekły z niewoli od derwiszów, Staś
stał się przedmiotem powszechnej ciekawości i powszech-
nego uwielbienia. Ale szczęśliwa rodzina wolała zamykać
się w wielkiej kabinie, którą im odstąpił kapitan, i spędzać
tam chłodniejsze godziny na opowiadaniach. Brała w nich
udział i Nel szczebiocąc jak ptaszek, a zarazem ku wielkiej wszystkich uciesze poczynając każde zdanie od „i".
Zasiadłszy więc na kolanach ojca i podnosząc ku niemu
swe śliczne oczki mówiła w ten sposób: „I tatusiu! I nas
porwali, i wieźli na wielbłądach – i Gebhr mnie uderzył –
i Staś mnie obronił – i przyjechaliśmy do Chartumu – i tam
ludzie marli z głodu – i Staś pracował, żeby dostać dla mnie
daktyle – i byliśmy u Mahdiego – i Staś nie chciał zmienić
religii – i Mahdi wysłał nas do Faszody – i potem Staś zabił lwa i wszystkich – i mieszkaliśmy w wielkim drzewie,
które się nazywa «Kraków» – i King był z nami – i miałam
febrę – i Staś mnie wyleczył – i zabił wobo – i zwyciężył
Samburów – i był zawsze dla mnie dobry, tatusiu!…"

Tak samo opowiadała o Kalim, o Mei, o Kingu, o Sabie,
o Górze Lindego, o latawcach i o ostatniej podróży aż do
spotkania karawany kapitana i doktora. Pan Rawlison,
słuchając tego szczebiotania, z trudnością hamował łzy –
i tylko co chwila tulił do serca swą dziewczynkę, a pan
Tarkowski nie posiadał się z dumy i szczęścia, albowiem
nawet z tych dziecinnych opowiadań pokazywało się, że
gdyby nie dzielność i energia chłopca, to mała byłaby zginęła nie raz, ale tysiąc razy, bez ratunku.

Staś zdawał ze wszystkiego sprawę szczegółowiej i dokładniej. Stało się przy tym, że przy opowiadaniu o podróży z Faszody do wodospadu spadł mu z serca wielki ciężar, albowiem gdy mówiąc o tym, jak zastrzelił Gebhra i jego towarzyszów, zaciął się i jął niespokojnie spoglądać na ojca, pan Tarkowski zmarszczył brwi, pomyślał chwilę, a potem rzekł poważnie:

– Słuchaj, Stasiu! Śmiercią nie wolno nikomu szafować, ale jeśli ktoś zagrozi twej ojczyźnie, życiu twej matki, siostry lub życiu kobiety, którą ci oddano w opiekę, to pal mu w łeb, ani pytaj, i nie czyń sobie z tego żadnych wyrzutów.

Pan Rawlison zaraz po powrocie do Port-Saidu zabrał Nel do Anglii, gdzie osiadł na stałe. Stasia oddał ojciec do szkoły w Aleksandrii, gdyż tam mniej wiedziano o jego czynach i przygodach. Dzieci pisywały do siebie prawie codziennie, ale złożyło się tak, że nie widziały się lat dziesięć. Chłopiec po ukończeniu szkół w Egipcie wstąpił na politechnikę w Zurychu, po czym uzyskawszy dyplom pracował przy robotach tunelowych w Szwajcarii.

I dopiero po latach dziesięciu, gdy pan Tarkowski podał się do dymisji, odwiedzili obaj przyjaciół w Anglii. Pan Rawlison zaprosił ich do swego domu położonego w pobliżu Hampton-Court na całe lato. Nel skończyła lat osiemnaście i wyrosła na cudną jak kwiat dziewczynę, a Staś przekonał się kosztem własnego spokoju, że mężczyzna, który skończył lat dwadzieścia cztery, może jednak myśleć jeszcze o damach. Myślał nawet o ślicznej Nelly tak nieustannie, że w końcu postanowił uciekać, gdzie go oczy poniosą.

Ale wówczas pan Rawlison położył mu pewnego dnia obie dłonie na ramionach i patrząc mu wprost w oczy rzekł w anielską dobrocią:

– Stasiu, powiedz sam, czy jest na świecie człowiek, któremu mógłbym oddać ten mój skarb i to moje kochanie z większą ufnością?

Młodzi państwo Tarkowscy pozostali aż do śmierci pana Rawlisona w Anglii, a w rok później wyruszyli w długą podróż. Ponieważ przyrzekli sobie odwiedzić te miejsca, w których spędzili najmłodsze lata, a potem błąkali się niegdyś jako dzieci, podążali więc przede wszystkim do Egiptu. Państwo Mahdiego I Abdullahiego dawno już runęło, a po jego upadku „nastąpiła", jak mówił kapitan Glen, Anglia. Z Kairu zbudowano do Chartumu kolej. Oczyszczono sudy, czyli rozlewiska Nilowe, tak że młoda para mogła dotrzeć wygodnym parowcem nie tylko do Faszody, ale aż do wielkiego jeziora Wiktoria-Nianza. Z miasta Florence, leżącego nad brzegiem tegoż jeziora, udali się koleją do Mombassa. Kapitan Glen i doktor Clary przenieśli się już byli do Natalu, ale żył w Mombassa pod troskliwą opieką miejscowych władz angielskich King. Olbrzym poznał natychmiast dawnych swych państwa i szczególniej Nel witał tak radosnym trąbieniem, że aż pobliskie drzewa mangrowiowe trzęsły się jak od wiatru. Poznał również starego Sabę, który przeżył niemal dwukrotnie zwykłe psie lata i choć trochę niewidomy, towarzyszył Stasiowi i Nel wszędzie.

Staś dowiedział się na miejscu, że Kali cieszy się dobrym zdrowiem, że włada, pod protektoratem angielskim, całą krainą na południe od Jeziora Rudolfa i że sprowadził misjonarzy, którzy szerzą wśród dzikich miejscowych szczepów chrześcijaństwo.

Po ostatniej podróży młodzi państwo Tarkowscy powrócili do Europy i osiedli wraz z sędziwym ojcem Stasia na stałe w Polsce.

Druk i oprawa:
Druk-Intro S.A.
88-100 Inowrocław, ul. Świętokrzyska 32
tel. +48 52 354 94 50, fax +48 52 354 94 51
www.druk-intro.pl; druk-intro@druk-intro.pl